드라마 원작 소설

극본 박경수 ― 소설 신윤경

귓속말

② ２

비단숲

I

최일환의 집무실은 찬물을 끼얹은 듯 고요했다. 그의 지시로 집합한 태백의 지방법원장, 고등법원장 출신 고문단들은 입을 다문 채 서로 눈치만 보았다.

"태백 내부에 살인 사건 관련자가 있어. 재판에 결정적인 녹취 동영상이 제출될 거야. 법대로 증거 채택하고 규정대로 재판 진행하라고 후배들한테 지시해."

최일환은 무거운 표정으로 침착하게 말했지만 목소리가 떨렸다. 그는 뜻밖의 상황에 당황했다. 설마 신영주가 녹취 동영상을 들고 법원으로 갈 거라고는 예상치 못했다.

"대한민국은 법치국가야. 원칙대로 재판해서 범인이 누군지 밝혀내라고. 법조계 선배로서 후배들을 잘 이끌어줄 수 있겠나?"

그 말에 고문들은 최일환에게 충성 맹세라도 하듯 일제히 고개를 숙였다.

최일환은 일단 딸을 살리고 볼 생각이었다. 청부 재판 문제는 수연을 살리고 나서 처리하든지 강유택에게 새로운 제안을 해볼 수 있을 거라고 생각했다. 강유택이 움직이기 전에 빨리 처리하지 않으면 수연이 모든 것을 떠안을 게 뻔했다.

그 생각은 강유택도 마찬가지였다.

"수연이 녹취 동영상을 무력화시킬 방법 찾아봐래이. 경찰, 국정원, 청와대, 내 돈 묵은 놈들 돈값하라고 전화 넣으래이."

강유택은 최일환의 집무실에서 나와 복도를 걸으며 비서에게 지시했다. 그는 좀전에 고문들이 최일환의 집무실로 우르르 몰려가는 것을 보았다.

"태백과 전면전을 하실 겁니까?"

비서가 걱정스러운 얼굴로 물었다.

"일환이 딸내미를 살인죄로 감옥에 집어넣고, 내 아들을 구해야 안 되겠나?"

강유택의 얼굴이 자못 심각해 보였다.

정일은 자신의 책상에 놓인, 수연과 함께 찍은 사진을 뚫어질 듯 바라보았다.

"낚시터에서 있었던 일, 목격자가 두 명이야. 수연이하고 백상구. 수연이 증언은 증거로 제출됐어. 그 증언을 무력화시키려면 백상구가 필요하다고."

조경호는 혹시라도 불똥이 자신에게 튈까봐 안달했다.

정일은 아무 대꾸도 없이 묵묵히 수연과 함께 찍은 사진만 바라보았다. 한때는 연인이었다. 그녀와 함께 있으면 마음이 편했다. 자신의 어릴 적 상처나 치부를 굳이 감추지 않아도 되는 유일한 사람이었다. 그런데 어쩌다 이렇게 됐을까…….

"수연이가 살인범으로 들어가야 네가 산다고, 인마."

조경호는 답답해 미칠 것 같았다.

"경호야."

정일은 사진에 시선을 고정한 채 조경호를 나지막하게 불렀다.

"나도 좀 살자. 네가 만진 서류 절반에는 내 지문도 묻어 있어, 인마. 네가 한 일 태반은 나도 얽혀…….."

"백상구하고 약속 잡아라."

정일은 사진에서 눈은 뗀 뒤 액자를 휴지통에 던져 넣으며 단호하게 말했다.

동준은 한 대 얻어맞은 듯한 얼굴로 책상에 앉아 있었다. 이제 모든 게 정리되고 원래 자리로 돌아갈 거라 믿었다. 그런데 상황이 더 악화되고 말았다. 동준은 어찌할 바를 모른 채 집무실을 서성이고 있었다. 그때 영주가 들어왔다.

"다 끝났다고 했잖아요. 신창호 씨 무죄로 나올 거고, 신영주 씨는 경찰로 복직될 거였어요."

동준은 영주에게 다가서며 따지듯 물었다.

"그럼 뭐가 달라지죠? 강정일, 최일환, 강유택은 그 자리에 있는데."

영주는 담담한 표정으로 동준을 한번 힐끗 보더니 소파에 앉았다.

"그들이 검찰하고 법원을 움직일 겁니다. 우리 힘으로 어떻게…….."

동준은 영주의 무모한 용기가 안타까웠다.

"어차피 질 싸움이니 시작도 안 하겠다? 이동준 씨는 현명한 건가,

겁이 많은 건가?"

"패배가 보이는 싸움에 덤비겠다? 신영주 씨는 순진한 건가, 무모한 건가?"

동준은 빈정거리며 맞받아쳤다.

"맘 편해지고 싶었겠죠. 10년 넘는 판사 생활, 딱 한 번 타협했을 뿐인데……. 아빠가 무죄 선고받으면 이동준 씨는 맘 편하게 원래 자리로 돌아가고 싶었겠죠."

동준은 정곡을 찔린 것 같아 아무 말도 할 수 없었다.

영주는 책상 위에 놓인 신문의 '메르스 바이러스 확산, 국내 방역 대책 강화' 기사를 손가락으로 짚었다.

"바이러스는 숙주의 약한 곳을 공격하죠. 이동준 씨 같은 숙주는 계속 생겨날 거예요. 바이러스가 이렇게 많은데."

동준은 무의식적으로 영주의 시선을 따라 그 기사 제목을 잠시 쳐다봤다. 그때 문이 벌컥 열리면서 노기용이 뛰어들어왔다. 형사 두 명이 그 뒤를 따라 들어오며 신분증을 내밀었다.

"서초 경찰서 형사과 이종배 형사입니다. 신영주 씨, 공문서 위조 및 업무 방해 혐의로 긴급체포합니다."

동준과 영주는 놀란 눈으로 서로를 쳐다보았다. 형사 중 한 명이 부하에게 고갯짓을 하자, 그가 영주에게 다가가 수갑을 채우려 했다. 동준은 수갑을 채우려는 형사의 앞을 가로막았다.

"영장 확인하겠습니다."

"이건요, 긴급체포 요건에 해당되는……."

"기용아, 긴급체포 요건에 해당하는지 법률 검토할 동안 이분들 차 한 잔씩 드려라."

동준은 노기용에게 지시하고 다급히 밖으로 나갔다.

"리스크는 관리를 해야지. 신영주 그 아이, 몇 년 감옥에 두고 더는 문제 못 일으키게 할 생각이다."

최일환은 집무실로 찾아온 동준을 보며 단호하게 말했다.

"대표님!"

"신창호 재판 2심 판사하고 약속 잡아. 태백에 있는 선후배 통해서 그 판사는 어딜 건드리면 아파하는지도 알아봐."

최일환은 전혀 개의치 않고, 옆에 서 있는 송태곤에게 지시를 내렸다. 동준은 그 모습을 보며 최일환이 했던 말이 떠올랐다.

'자넨 늪에 빠졌어. 신창호를 밟고 올라오게.'

동준은 약간 비틀린 얼굴로 최일환을 쳐다보았다.

"검찰 쪽도 체크해. 담당 검사장이 정계 진출을 원한다고 했지? 총선은 멀었고 지방선거에 나갈 생각이 있는지 연락해봐."

최일환의 지시에 송태곤은 연신 고개를 끄덕였다.

'바이러스는 숙주의 약한 곳을 공격하죠. 이동준 씨 같은 숙주는 계속 생겨날 거예요.'

동준은 이제야 영주의 말에 수긍이 갔다.

"동준아, 너는 신영주 그 아이 처리하고 나면……."

"신영주 씨 제 옆에 두겠습니다."

동준은 최일환의 말을 자르며 단호하게 말했다.

"유택이가 판결문을 가지고 있다. 세상에 알려지면 너도 다칠 거야. 동준아, 갈 길이 멀다. 신영주는 먼저 치워야 해."

"신영주 씨한테 손대면, 그 판결문 제가 공개하겠습니다."

순간 최일환은 놀란 얼굴로 동준을 쳐다보았다.

"낚시터 살인 사건 범인 잡겠습니다. 은폐하고 조작한 사람들, 모두 법정에 세울 겁니다. 그때까지 대표님, 저는 태백에 남겠습니다. 저는 태백의 사위이고 선임변호사입니다. 그리고 신영주 씨는 제 비서입니다."

"신영주 씨 바로 연행하라고 지시하겠습니다."

최일환의 눈치를 보며 서 있던 송태곤은 동준이 위험 수위를 넘기려 하자 얼른 중간에 끼어들었다.

"판결문 내가 공개한다니까."

동준의 날카로운 반응에 송태곤은 멈칫했다.

"나하고 맞서겠다는 거냐? 한강병원도 많이 위험해질 거다."

최일환은 심기가 몹시 불편한 얼굴로 동준을 쳐다보았다.

"무너져야 할 것들은 무너져야죠. 그래야 새로 시작할 수 있습니다."

최일환은 결연한 눈빛으로 자신을 바라보는 동준을 마뜩잖은 표정으로 보았다.

"1년에 두어 번 바위에 계란 던지는 놈들이 있어요. 태백에 묻은 노른자 흰자 다 내가 닦으면서 살았다. 태백은 깨끗해졌고 계란만 깨졌어. 동준아, 인생 대충 살자."

최일환의 집무실에서 나온 송태곤은 동준을 따라 걸으며 그를 달래려 했다. 그 말에 동준은 걸음을 멈추고 송태곤의 주머니에서 휴대폰을 꺼내 그의 손에 쥐어주었다.

"딸이 일곱 살이죠? 방금 그 얘기 딸애한테 해주세요."

송태곤이 인상을 찌푸리자 동준은 쥐어준 휴대폰을 가리키며 지시했다.

"경찰들 내 방에서 나가라고 하세요. 어서."

동준의 단호한 태도에 송태곤은 그를 빤히 쳐다보다 휴대폰을 들었다.

자신의 집무실로 들어가려던 동준은 밖으로 나오는 형사들과 맞닥뜨렸다. 그들은 동준을 보자 얼굴을 구기며 인사도 없이 돌아갔다.

"기용아, 내가 나 살자고 신창호 씨 감옥에 보냈어."

동준은 집무실로 들어서자마자 소파에 앉아 있던 노기용에게 다짜고짜 고해성사하듯 말했다. 노기용은 뜻밖의 말에 할 말을 잃고 동준을 바라보았다. 영주는 동준이 무슨 의도로 그런 말을 하는지 가늠이 되지 않았다,

"한 번 한 실수, 다시 안 하고 싶다. 태백 최일환 대표, 보국산업 강유택 회장, 그리고 강정일 팀장, 잡아야겠다."

동준은 소파에 앉으며 자신의 의지를 말했다. 영주는 동준이 뭔가 단단히 결심했다는 걸 느낄 수 있었다.

"어쩌면 너도 위험해질 거야. 남아주면 고맙고, 떠나도 괜찮다."

노기용은 동준을 잠시 바라보다 피식 하고 미소를 지었다.

"이제 한 번 남았습니다. 뭐 하면 됩니까, 변호사님?"

동준의 집무실 안에는 자못 심각한 분위기가 흘렀다. 영주와 동준, 노기용은 최수연, 강정일, 백상구의 사진을 테이블에 올려놓고 회의를 했다.

"수연이 증언 동영상은 법적 증거 능력이 인정될 겁니다."

동준은 백상구의 사진을 정일의 사진 아래 놓았다.

"강정일은 백상구가 필요합니다. 수연이와 반대되는 증언을 해줘야 하니까."

"최수연 씨도 백상구가 필요하겠네. 자신의 증언을 확정해줘야 하니까……."

영주는 백상구의 사진을 수연의 사진 아래로 옮겼다.

"수연이와 강정일이 서로 백상구를 확보하기 위해 당근을 내밀고 있을 겁니다."

영주는 동준의 말에 동의하듯 고개를 끄덕였다.

"백상구, 우리가 데려오죠."

동준은 영주가 너무 가볍게 얘기하자 조금은 황당한 얼굴로 그녀를 쳐다보았다.

"당근은 없으니까 우린 채찍으로 하죠, 뭐."

영주는 뭔가 계획이 있는 듯 동준을 쳐다보며 의미심장한 미소를 지었다.

수연은 황보연과 복도를 걷다가 걸음을 멈췄다. 맞은편에서 정일이 조경호와 걸어오고 있었다. 황보연은 정일을 보며 수연에게 다급히 속삭였다.

"강정일 팀장 쪽에서 백상구를 접촉할 겁니다. 우리가 먼저……."

어느새 정일이 수연 앞에 다가오더니 멈춰 섰다.

"내 남편이 다친 적이 있어. 부둣가에서. 백상구 계좌 입출금 내역 확인해봐. 내 남편 다치게 한 사람이 누군지."

정일은 그 말에 미간이 움찔했다. 수연은 정일을 똑바로 보며 황보연에게 지시했다.

"돈을 입금한 사람이 살인을 교사했겠지. 아마 김성식 기자 살인도 그 사람 짓이겠네."

정일과 수연은 한 치도 양보할 생각 없이 서로를 못마땅하게 바라보았다.

＊

"낚시터에서 기자 명줄 끊은 것이 최수연 팀장이다, 고러코롬 말해
달라 이거 아니겠소?"

일식집 밀실에 정일과 마주 앉은 백상구는 비릿한 웃음을 흘리며 입
을 열었다.

정일과 그 옆에 앉은 조경호가 낮게 고개를 끄덕였다.

"달려 있는 입인디 몇 마디 놀리는 것이 뭣이 어렵겄소?"

"최근 인수한 건설 회사 운영이 어렵다고 들었는데, 추가 융자를 알
아봐드리겠습니다."

백상구가 뭘 원하는지 파악한 조경호가 재빨리 비위를 맞춰주었다.
백상구의 얼굴에 웃음기가 살짝 번지는데 휴대폰이 울렸다. 백상구는
발신자를 힐끗 보았다. 최수연이었다. 그는 정일을 똑바로 쳐다보며
전화를 받았다.

"최수연 팀장님, 우짠다요? 이짝도 추가 융자를 알아봐준다는디."

예상은 했지만 수연이 실제로 백상구와 접촉하는 것을 눈앞에서 목
격하자 정일은 몹시 불쾌했다.

"근디 말이요. 회사를 굴리다 본게 빚이 무겁소. 융자를 싹 털어주쇼
이. 기 10억이 되던디. 될란가 모르겠네."

백상구는 수연과 정일 모두 동시에 들으라는 듯 큰 소리로 말했다.
백상구는 술잔을 들고 정일에게 비열한 미소를 지으며 통화를 했다.
그 모습에 정일은 다시 백상구의 올가미에 말려드는 것 같은 불길한
예감에 사로잡혔다.

수연은 백상구와 통화를 끝내고 깊은 고민에 빠졌다.

13

"수십억의 현금을 동원하면 자금원과 경로가 추적될 겁니다. 이럴 때 거액을 움직이는 건 위험해요."

황보연은 수연을 만류하고 나섰다. 하지만 수연은 그 말에 실소를 금치 못했다.

"강정일, 자기 살자고 날 살인범으로 만드는 남자. 나 며칠 전까지 그 남자를 안고 있었어. 그것보다 더 위험한 게 있을까? 넌 무섭겠다. 내 옆에 있는 거."

"하이 리스크. 하이 리턴. 위험이 크면 대가도 크겠죠."

황보연은 좀전의 걱정하던 얼굴을 싹 바꾸고 미소로 답했다.

수연은 속이 너무 들여다보이는 황보연을 잠시 쳐다보다, 서랍에서 봉투 하나를 꺼내 건넸다.

"가명 펀드야. 현찰로 바꿔와. 자금 추적 안 되는 돈이야. 어릴 때부터 세뱃돈하고 용돈 모아서 만든 거야."

"……세뱃돈하고 용돈 모아서 든 펀드가 얼마나 됩니까?"

황보연은 봉투를 받아 들면서도 이해가 되지 않았다. 어떤 삶이면 세뱃돈과 용돈으로 펀드를 만들 수 있을까?

"백상구한테 줄 만큼은 될 거야."

수연은 아주 가볍게 말했다.

"알겠습니다."

황보연은 수십억의 돈을 이토록 간단히 처리하는 수연이 부러운 동시에 씁쓸하기도 했다.

수연의 침실 소파 탁자에 놓인 휴대폰이 아까부터 진동으로 울리고 있었다. 동준은 그 소리를 무시한 채 침실 소파 탁자에 쌓아놓은 서류들을 검토했다. 아버지 이호범에게서 온 전화였지만 동준은 개의치 않고 서류만 들여다보았다. 수연이 소파로 다가와 힐끗 발신자를 확인하며 동준의 맞은편에 앉았다.

"시아버님이 급하신가보네. 오늘부터 한강병원에 세무조사 들어갔어요. 의약품 리베이트, 장비 수입할 때 환치기, 장례식장 탈세까지 다 털 건데, 참 성형센터도 중단시킬 건가봐요. 그쪽이 신영주 씨 손 잡고 태백 나갈 때까지 집중 조사한다던데. 아들 잘못 둬서 시아버님께서 고생이 많으시네."

"좋은 딸을 둔 대표님도 고생이 많으시던데, 뭐. 낚시터 사건 당일 행적 검토 중이야. 강정일은 살인, 당신은 아마 폭행교사정도겠지."

동준은 서류에서 눈도 떼지 않은 채 수연의 가시 돋친 말을 무심히 받아넘겼다.

"인생 정말 복잡하게 산다."

수연은 살짝 빈정이 상했지만, 그렇지 않은 척 실소를 머금으며 비아냥거렸다.

"인생 간단하게 살아온 사람이 뭘 알겠나? 그러니 믿었겠지. 함께하자는 강정일의 약속을……."

"이동준 씨!"

수연은 가장 아픈 곳을 건드리자, 그의 말을 자르며 날카롭게 반응했다.

"백상구는 믿지 마."

동준의 담담한 충고에 수연은 어이없다는 표정을 지으며 소파에서 일어났다.

"거래는 끝났어요. 원하는 걸 주기로 했죠. 내일 만나서……."

"내일은 더 많은 걸 요구할 거야. 내가 백상구라면 강정일 팀장을 택하겠네. 보국산업 후계자 강정일을 버리고 아버지한테 매달려서 칭얼대는 당신을 택할 리가……."

동준은 고개까지 가로저으며 수연을 자극했다. 자존심에 상처 입은 수연은 입을 다물고 화장대 앞에 앉았다.

"수연이 너 옥션 자주 한다며? 그림도 홍콩 경매장에서 자주 사고. 경매장에는 판돈 올리는 페이스 메이커들이 있지. 그게 너야. 네가 뭘 제안하든 백상구는 강정일한테 하나를 더 얻어낼 거야. 그런 사람이니까."

동준은 무심한 척 말을 내뱉었지만 한마디 한마디가 수연을 흔들었다. 수연은 대꾸하지 않았지만 얼굴에 동요하는 빛이 역력했다. 동준은 서류를 보다가 고개를 힐끗 들어 수연의 갈등하는 뒷모습을 보고 희미하게 미소 지었다.

*

이른 새벽부터 백상구는 한강 공원에서 조깅을 하며 저만치 앞에서 뛰고 있는 핫팬츠 차림의 몸매가 좋은 여자에게서 시선을 떼지 못했다. 백상구가 여자의 몸매를 감상하며 뛰어가는데, 그 여자가 점점 속도를 늦추더니 백상구 옆에 나란히 섰다.

"하이, 상구."

그는 생긋 웃으며 인사하는 영주를 보고 화들짝 놀랐다.

"조폭들 체포할 때 저놈들은 왜 저리 잘 뛰나 했는데, 아침마다 운동을 하네. 맨날 술 먹고 체력 훈련 안 한 형사로서 살짝 부끄럽다."

백상구는 아침부터 재수 없다는 표정으로 영주와 나란히 뛸 수밖에 없었다.

"먼 일로 나를⋯⋯."

"떡 하나 더 줄라고. 강정일, 최수연, 양손에 떡 들고 있으니 우리 상구가 더 받을 손은 없고, 입 벌리면 넣어줄게. 낚시터에서 있었던 일, 최수연이 청부한 내역, 강정일의 살인. 사실대로 말만 해."

"아따, 내 입은 하난디 입찰자가 세 명이 돼부렀네. 그짝은 뭐를 줄라요?"

"강정일하고 최수연한테 낙찰받아와라. 거기 한 장 더 얹어줄게. 태백 사위 이동준 씨가 현찰이 심하게 많다네. 가라. 난 힘들어서 그만 뛸란다."

영주는 숨을 몰아쉬며 달리기를 멈췄다. 백상구는 잠시 멈춰 서서 구미가 당기는 얼굴로 영주를 잠시 쳐다보고는 다시 달리기 시작했다. 영주는 쏟아지는 햇빛에 잠시 인상을 찌푸리다가, 저만치 달려가는 백상구의 뒷모습을 만족스러운 표정으로 바라봤다. 영주에게서 멀어지자 백상구는 휴대폰을 꺼냈다.

'경매장에는 판돈 올리는 페이스 메이커들이 있지. 그게 너야. 네가 뭘 제안하든 백상구는 강정일한테 하나를 더 얻어낼 거야.'

수연은 굳은 얼굴로 책상 앞에 앉아 동준의 말을 떠올렸다. 동준의 말대로 백상구는 돈을 더 요구했다.

"어제 약속한 액수의 두 배예요. 이번 요구도⋯⋯ 들어줄 겁니까?"

황보연은 수연의 눈치를 살피며 조심스레 물었다.

"아니. 거래는 그만. 백상구를 확보할 방법이 있어. 죄가 많은 사람이니 취조실에 넣어두고 며칠 두드리면 말귀 알아듣겠지."

황보연은 수연의 말뜻을 곧바로 알아차렸다.

"조직폭력배 전담하는 검사 중에 컨트롤되는 사람을 알아보겠습니다. 오늘 안에 영장 발부되도록 할게요."

수연은 정일과 신경전을 벌이다 보니 백상구 같은 인간을 상대하는 방법을 잠시 잊고 있었다. 어르고 달래서 일을 복잡하게 만들지 않으려 했는데, 이제 잡아 가두는 수밖에 없었다. 약점을 잡고 맹공을 퍼부어 말을 듣게 하는 방법밖에 없었다.

비서실과 연결된 사잇문을 통해 동준의 집무실로 들어오던 영주는 한약 비닐 팩을 뜯고 있는 동준을 힐끗 쳐다봤다. 영주와 시선이 마주치자 동준은 괜히 멋쩍은 표정을 지었다.

"엄마가 보낸 한약이에요. 기력 회복에 좋다고 챙겨 먹으래서."

영주는 언제 물어봤느냐는 표정으로 소파에 힘없이 풀썩 주저앉았다.

"조깅에도 못 버티는 체력으로 어떻게 형사를 했을까?"

동준은 평소와 다른 영주의 모습이 조금 재미있는 듯 친근함의 표시로 농담을 던졌다.

"협박에도 못 버티는 신념으로 판사를 한 사람도 있는데, 뭐."

"신영주 씨!"

동준은 농담을 진담으로 받아들이며 곧바로 아픈 곳을 찌르는 영주를 항의하는 눈빛으로 보았다.

"아픈 소리 자꾸 들어야 돼요. 그래야 맷집도 생기고 굳은살이 박이죠."

영주는 종아리와 허벅지를 주무르며 무심히 말했다. 동준은 그 말에 잠시 마음이 멈추는 기분으로 영주를 보았다. 그때 문이 벌컥 열리며 노기용이 들어왔다.

"백상구 영장이 발부됐습니다. 제가요, 법원에 아는 공익들 쫙악 풀어서 체크했거든요. 지금 바로 치고 들어간답니다."

영주는 예상했던 일이라든 듯 끄응 하며 힘겹게 일어나 동준 앞으로 다가갔다. 그녀는 그 앞에 서서 한약을 빤히 쳐다보았다. 동준은 잠시 영주를 쳐다보다 그 의미를 알아차리고 한 팩 내밀었다.

"평소처럼 혼자 드시지. 난 괜찮은데."

영주는 입가에 살짝 웃음을 띠며 한약을 받아 들더니 단숨에 마셨다. 동준은 영주와 농담도 할 수 있는 사이가 된 것이 마음에 들었다.

"기용아, 운전은 네가 해라."

영주는 다 먹은 한약 팩을 동준에게 건네고 언제 힘들어했느냐는 듯 씩씩하게 밖으로 뛰어나갔다.

그 시각, 백상구의 사무실에 검찰 수사관들이 들이닥쳤다. 소파에 앉아 있던 건달 대여섯 명이 놀라며 자리에서 일어났다. 백상구는 그들과 떨어진 안쪽 책상 의자에 앉아 있었다. 그는 무슨 상황인지 바로 알아차리고 인상을 확 구겼다. 설마 이런 식으로 치고 나올 줄은 예상하지 못했다.

"서울중앙지검 강력2부 조원진 수사관입니다. 압수수색을 실시합니다. 백상구 씨, 체포영장이……."

수사관이 압수수색 영장을 펼쳐 보이려는 순간 기회를 엿보던 백상구는 바로 등 뒤에 있던 비상문을 열고 달아났다. 수사관들이 뒤쫓았지만 건물 계단을 빠르게 내려온 백상구는 도로로 나와 근처에 정차하고 있던 택시에 올라탔다. 택시가 출발하자 바로 뒤에 서 있던 차 한 대가 따라 움직였다. 그 차 안에는 노기용과 영주가 타고 있었다.

"짜식, 헷갈리겠네. 검찰에 찌른 게 강정일일까, 최수연일까?"

택시 뒤를 바짝 쫓으며 운전하던 노기용이 재밌다는 듯 말했다.

"머리는 나빠도 촉은 좋은 놈이야. 오늘 아침에 최수연한테 제안을 했으니 거절의 뜻이란 걸 알겠지. 강정일한테 전화해서 살려달라고 할 거야. 근데 기용아, 너 몇 살이냐?"

"공익을 늦게 가서요. 서른세 살입니다."

"나하고 동갑이네. 저리로 간다. 빨리 가."

택시에 눈을 고정시킨 채 영주는 무심하게 말했다. 노기용은 영주의 말에 따르면서도 뭔가 이상하다는 듯이 영주를 힐끗 쳐다봤다. 뭔가 떨떠름한 느낌이었다.

"이제 이동준 씨가 움직이겠지."

영주는 노기용의 시선에는 아랑곳하지 않고 심각한 얼굴로 혼잣말을 했다.

수연이 검찰을 동원했다는 소식은 정일에게도 바로 전해졌다. 수연이 이렇게 움직일 줄은 예상치 못했다. 정일은 분명 이동준이 수연을 자극했을 거라고 생각했다. 정일은 다급하게 책상에서 일어나면서 조경호에게 백상구의 현 상황을 물었다.

"한 시간 뒤에 만나기로 했다. 수배는 아직 안 내려진 것 같아. 검찰 추적만 피하면 될 거다."

정일은 다급하게 나가려다 건너편 집무실 창가에 서서 미소 짓고 있는 동준을 보고 멈춰 섰다. 뭔가 일을 계획하고 있는 게 분명했다. 정일은 일단 동준의 집무실로 걸음을 옮겼다.

동준은 커피를 마시며 태연하게 정일을 맞았다. 정일은 소파에 앉으며 동준에게 물었다.

"검찰 쪽은 수연이가 움직인 것 같던데, 어젯밤에 이동준 씨가 조언이라도 한 건가?"

정일은 일부러 여유로운 미소를 지었다.

"부부 침실에서 일어나는 일에 관심이 많으시네."

동준은 소파로 가서 앉으며 커피를 한 모금 마시고 정일을 빤히 쳐다보았다.

"수연이한테 조언을 하면 안 되는데. 일을 망치죠. 수연일 돕고 싶으면 직접 움직여야 할 겁니다. 서툴렀어요. 후방을 확보하고 백상구를 덮쳤어야지. 덕분에 백상구는 현장에서 피했고 내 손을 잡을 겁니다."

"백상구를 만나러 가든지."

동준은 정일을 보며 씩 웃었다. 정일은 뭔가 정곡을 찔린 것 같아 입을 다물었다.

"체포영장이 발부돼서 도피 중인 범인을 은닉하면, 검찰도 법원도 강정일 씨하고 백상구, 둘의 관계를 아주 궁금해하겠네. 그게 겁나면 백상구를 만나러 가지 말든지."

정일은 동준의 계획이 뭔지 알 것 같았다.

"걱정이네. 검찰에 체포되면 강정일 씨는 백상구를 컨트롤 못할 거고, 그럼 백상구는 어떤 증언을 할까? 가도 위험하고, 안 가면 더 위험하고. ……두통약입니다. 식후에 두 알씩."

동준은 옆에 있던 약병에서 두통약을 꺼내 정일에게 건넸다. 정일은 태연한 척하려고 애쓰며 두통약을 거절했다. 그는 자신이 딜레마에 빠졌다는 사실을 잘 알고 있었다. 하지만 동준 앞에서 그걸 드러낼 수는 없었다. 동준은 천천히 일어나 창가 쪽으로 가서, 유리벽 너머에 있는

21

정일의 집무실을 가리켰다.

"그쪽 방에는 발코니가 있다던데. 이 방도 전망이 좋습니다. 우리에 갇힌 채 이러지도 저러지도 못하는 짐승을 구경할 수 있거든요. 사람 피 맛을 본 분이라 위험하긴 하지만."

정일은 특유의 참을성으로 분노를 억누르며 표정을 감춘 채 동준을 바라보았다.

정일은 백상구를 만나러 가는 건 일단 보류하고 자신의 집무실로 돌아왔다. 그는 굳은 얼굴로 소파에 앉아 찻잔만 들여다보았다.

"그 자식 말이 맞아. 백상구 만나러 갔다가 검찰에 노출되면 문제가 생길 거고, 그냥 뒀다가 잡히면……. 아, 어떡하냐? 정일아."

옆에 앉아 있는 조경호가 난감한 표정을 지었다.

"다…… 길이 있어. ……필리핀."

정일이 찻잔에서 시선을 거두며 나지막하게 말했다. 조경호는 무슨 말인지 납득이 안 되는 얼굴이었다.

"이동준을 그 나라에 보내려고 한 적이 있어. 밀항선을 태워서."

"야, 백상구가 밀항선을 순순히 탈 리가 있냐?"

밀항선이란 말에 조경호가 답답하다는 듯 고개를 설레설레 흔들었다. 정일은 새로운 일을 계획한 듯 커피 잔을 들고 일어나 동준의 집무실이 보이는 창가로 다가갔다.

"태워야지. 백상구 식구들 연락처 알지? 백상구한테 줄 현금, 그 애들한테 던져."

정일은 맞은편 집무실 창가에서 찻잔을 든 채 정일을 보고 있는 동준과 눈이 마주쳤다. 정일은 가볍게 건배를 권하듯 찻잔을 들었다. 동준도 가볍게 찻잔을 들어 보였다. 두 사람은 속내를 감춘 표정으로 서로를 바라보며 차를 마셨다.

*

"전과가 많을수록 조심성이 많아집니다. 보십쇼. 백상구 저놈도 문제가 생기면 튀려고 택시에서 한 시간째 안 내리고 있지 않습니까?"

영주와 잠복 중인 노기용은 샌드위치 가게 창가 자리에서 창밖에 시선을 고정한 채 앉아 있었다. 노기용과 달리 영주는 샌드위치를 먹으며 백상구가 탄 택시를 노련하게 주시하고 있었다. 영주는 자기 몫을 다 먹자 자연스럽게 노기용의 샌드위치를 베어 먹었다,

"그거 제 건데요. 아, 잠복하자고 들어와선 샌드위치를 내 거까지 먹으면……."

"왔다."

노기용이 불만 섞인 목소리로 투정했지만, 영주는 전혀 개의치 않는 얼굴로 일어나 샌드위치를 한 입 더 베어 먹으며 밖으로 나갔다. 창밖으로 승용차 두 대가 백상구가 탄 택시를 앞뒤로 막으며 주차하는 모습이 보였다. 노기용은 황당한 얼굴로 영주를 따라나섰다.

영주는 백상구가 탄 택시를 계속 지켜보며 건너편에 세워둔, 노기용이 몰고 온 동준의 차에 탔다. 뒤따라온 노기용은 여전히 불만 가득한 얼굴로 운전석에 앉았다. 두 사람은 시동을 켠 채 건너편 상황을 지켜보았다. 두 대의 차에서 내린 백상구의 수하들이 택시로 다가갔다.

뭔가 분위기가 심상치 않음을 감지하며 백상구가 위엄 있게 차에서 내리자, 수하들이 백상구를 에워쌌다.

"나가 만나기로 한 것은 니들이 아닌디."

"회장님, 보는 눈이 많습니다. 조용히 모시겠습니다."

수하들 중 우두머리가 백상구에게 정중하게 고개를 숙였다.

"검찰한테 쫓기고 동상들헌티 싸대기 맞구. 허! 담배 한 모금 빨고 가자."

백상구의 부탁에 수하는 담배를 찾으려 주머니를 뒤졌다. 수하들이 잠시 흐트러진 사이 백상구는 발로 수하를 걷어차고 틈을 확보해 도망쳤다. 백상구가 바로 옆 골목으로 도망치자 그의 수하들이 재빨리 뒤를 쫓았다. 그들은 골목골목을 누비며 추격전을 벌였다. 복잡한 골목을 간신히 벗어난 백상구는 대로변으로 달려 나왔다. 하지만 수하들이 여전히 맹렬히 따라오고 있었다. 그때 저만치서 차 한 대가 달려와 백상구의 옆에 멈추더니 뒷문이 열렸다.

"하이, 상구."

뒷좌석에 앉아 있던 영주가 싱긋 웃으며 백상구를 불렀다.

그는 멈칫하고 잠시 생각하다가 쫓아오는 수하들을 다시 보고는 일단 다급히 차에 올라탔다.

"그짝이 원하는 대로 말하믄 한 장 더 얹어준다 혔지라. 저짝에서 스무 장 챙겨준다 했은께……."

백상구가 숨을 몰아쉬며 말하는데 영주가 단호하게 잘랐다.

"기용아! 차 세워라."

그 말에 노기용이 차를 멈췄다. 차가 멈추자 백상구는 당황한 얼굴로 뒤돌아봤다. 수하들이 바로 뒤에서 쫓아오고 있었다. 그는 얼굴을 확 구기며 소리쳤다.

"그…… 그라믄 나헌티 뭘 해줄 수 있당가?"

"숙식 보장. 가족처럼 지내자, 상구야. 싫으면 내리자."

백상구는 뒤를 힐끗 돌아다보았다. 금방이라도 수하들 손에 붙잡힐

거리였다. 그는 어쩔 수 없다는 듯 고함을 질렀다.

"갑시다이. 알았당께."

영주가 고갯짓을 하자 노기용이 차를 출발시켰다. 수하들이 따라잡기 직전에 아슬아슬하게 차가 출발하자, 백상구는 그제야 안도의 한숨을 쉬었다.

그 시각, 정일은 아버지 강유택의 부름을 받고 신길동에 있는 낯선 건물로 들어섰다. 낡은 건물 안은 을씨년스러웠다. 그는 아버지가 말한 사무실을 찾아 복도를 천천히 걸어갔다. 시간을 거스른 듯한 사무실 앞에 서서 정일은 잠시 심호흡을 한 뒤 안으로 들어갔다. 정일이 20~30년은 족히 된 것 같은 사무실 안을 낯선 듯 둘러보자, 먼저 와 있던 강유택이 와서 앉으라고 손짓했다.

"첨 와보제? 요가 30년 전에 일환이가 쓰던 방이다 아이가. 크크. 금마는 요거를 아직 내가 갖고 있는 줄은 모를 끼데이."

"아버지, 백상구가……."

정일은 소파에 앉자마자 심각한 얼굴로 백상구 얘기를 꺼냈다.

"동준이 금마 손에 들어갔다 캤제? 아따, 상그럽다. 정일아, 메칠 안에 일이 끝날 끼데이. 내한테 히든 패가 들어올 끼다."

그때 밖에서 똑똑 노크 소리가 들리더니 송태곤이 들어왔다. 정일과 송태곤은 서로 눈이 마주치자 흠칫 놀랐다. 전혀 예상치 못한 상황에 두 사람이 어색해하는데, 강유택이 송태곤에게 앉으라는 손짓을 했다. 송태곤은 어색하게 서 있다가 소파에 앉으며 봉투 하나를 꺼내 탁자 위에 올려놓았다.

"어제 집에 이걸 보내셔서 돌려드리려고 연락드렸습니다."

"요번에 이사했다 캐가 도배라도 하라꼬 보낸 긴데, 돈이 적더나?"

"집값보다 더 비싼 도뱃값을 받을 순 없습니다."

송태곤은 최선을 다해 정중하게 거절했다. 사실 그는 어젯밤에 돈을 전해 받고 밤새워 고민했다. 거절하기에는 너무 거액이었다. 그렇다고 돈을 받자니 혹시나 최일환의 귀에 이 사실이 들어가면 괜찮은 밥줄이 끊어질 게 뻔했다. 송태곤은 이를 악물고 거액의 돈을 돌려줄 생각으로 강유택을 찾았다.

"저한테 뭘 해주셔도 최일환 대표님을 떠날 순 없습니다."

강유택은 아무 말 없이 그저 빙그레 미소만 지었다.

"제가 스폰서 검사로 구속되고 변호사 자격도 잃었을 때 저를 거둬주신 분이 최일환 대표님입니다."

"송비서야, 니가 와 스폰서 검사로 엮인 줄은 아나?"

강유택은 엷은 미소를 지으며 도저히 그 의미를 가늠할 수 없는 말을 던졌다. 송태곤은 의문 가득한 얼굴로 강유택을 바라보았다.

최일환의 집무실로 걸어가는 내내 송태곤은 좀전에 들은 강유택의 말을 계속 떠올렸다. 그는 아직도 강유택의 말을 믿을 수가 없었다. 그 말이 사실이라면……. 송태곤은 허탈한 웃음이 나왔다. 송태곤은 최일환의 집무실 앞에 다다르자 아직 정리되지 않는 마음을 간신히 추스르며 안으로 들어갔다. 집무실 안에서는 최일환이 불안한 얼굴로 안절부절못하는 수연을 달래주고 있었다.

"경찰도 움직일 거다. 동준이하고 신영주 그 아이, 연고가 있는 데는 모두 찾아서 백상구 데려올 거야."

최일환은 초조해하는 수연을 안심시키며 손을 꼬옥 잡아주었다.

수연은 아버지의 손길에 마음이 가라앉으며, 자신의 손을 잡고 있는 최일환의 주름진 손을 애틋하게 바라보았다.

"미안하다. 너 때문에 태백을 잃을 수는 없었어. 근데 수연아, 널 지키기 위해서라면 아비는 태백의 절반은 포기할 생각이다."

수연은 아버지의 그 계산적이면서도 솔직한 모습에 피식 웃음이 나왔다. 다른 아버지라면 빈말이라도 태백을 포기하고 딸을 구하겠다고 했을 것이다. 하지만 아버지의 따뜻한 손길에서 수연은 진심을 느꼈다. 수연은 손을 빼서 이번에는 자신이 아버지의 손을 잡아주었다.

최일환과 수연은 서로를 따뜻한 눈빛으로 바라보았다. 송태곤은 태백에 근무한 이후 처음 보는 모습에 머릿속이 복잡했다.

"신창호 재판 2심 판사, 식사는 언제 하기로 했지?"

송태곤이 옆으로 다가오자 최일환은 수연의 손을 놓으며 자세를 고쳐 앉았다.

"거절…… 당했습니다. 재판에 영향을 미치는 사람은 만나지 않겠다고 연락이 왔습니다."

송태곤의 말에 최일환은 옆에 있던 서류 봉투 하나를 그에게 건네주었다.

"그 판사 부인이 대학 교수야. 박사 논문이 표절이더군. 이걸로 긁어서 내 방에 찾아오게 만들어."

송태곤은 최일환이 내민 서류 봉투를 물끄러미 바라보며 강유택의 말을 다시 떠올렸다.

'일환이 금마가 사람을 우예 데꼬 오는지 알제? 아픈 데 찔러가 약 바르러 찾아오게 만든다 아이가. 아픈 데 없는 놈은 아프게 만드는 기라. 송비서야, 니한테 스폰서 대주가꼬 검사 옷 벗게 만든 놈들, 고거 일환이가 시킨 기데이.'

27

송태곤은 믿을 수 없다는 듯 고개를 가로저었다.

'니를 비서로 데리고 있고 싶은데, 잘나가는 검사가 와 비서 짓을 하겠노? 변호사 노릇을 하제. 그래서 변호사 면허증도 없애뿌고 일환이지 아니믄 갈 데 없게 만들어가······.'

송태곤은 믿고 싶지 않았다. 최일환이 그렇게까지 비열하지는 않을 거라 생각했다.

'평생 사람 장사를 고래 해온 기 최일환이데이. 니라꼬 뭐가 특별하겠노?'

송태곤은 강유택의 말을 안으로 삭이며 묵묵히 최일환을 보다 서류 봉투를 받았다.

"네······ 알······ 알겠습니다."

송태곤의 목소리가 미세하게 떨렸다.

수연을 따뜻하게 바라보는 최일환을 보며 송태곤은 입술을 깨물었다. 지난 시간에 대한 억울함과 분노가 뒤섞여 스스로를 통제하기 힘들어진 송태곤은 서둘러 그 방을 빠져나왔다.

*

요양원을 찾아온 조연화는 집에 갈 생각도 않고 신창호의 병상을 지키고 있었다. 신창호는 그러는 이유도 모른 채 조연화가 부담스럽기 그지없었다. 조연화는 병상에 누운 신창호를 억지로 일으켜 앉혔다.

"아저씨, 하루에 두 번은 산책을 해야 한다니까요. 어영차!"

상체만 일으켜 앉은 신창호는 어떻게든 안 나가려고 버텼다.

"연화야, 난 환자야."

조연화는 전혀 개의치 않고 신창호를 받치고 있던 손을 놓은 뒤 저

28

만치 놓여 있던 신발을 가져왔다.

"치료하던 암 환자가 석 달밖에 안 남아서 불쌍하다고 동정하던 의사가 있었는데요. 그날 밤 교통사고로 먼저 떠났어요."

조연화는 신발을 내려놓고 외투를 가져와 신창호에게 걸쳐주었다.

"그 뒤로는 동정하지 않아요. 나한테 내일이 있는지 없는지도 모르는데. 하나만 생각해요. 지금 아저씨하고 저는 살아 있잖아요. 그러니까 우리 오늘! 잘 살아요. 잘 드시고요. 자, 산책 가요."

"병원 쉬는 날은 여기 와서 있을 거냐?"

신창호는 조연화의 정성이 고맙기는 했지만 살짝 귀찮은 것도 사실이었다.

"네. 잠은 반찬 가게 영주 방에서 잘 거고요."

신창호는 조연화의 씩씩한 대답에 실망하며 대놓고 귀찮은 표정을 지었다.

"너희 집 두고 왜 영주 방에서……."

"영주가 손님 데려왔다고 아파트 며칠 쓴대요. 남자가 많아요, 그 기집애."

뜻밖의 말에 신창호는 고개를 갸웃했다. 웃는 걸 보니 농담 같긴 한데 영주가 또 무슨 일을 꾸미고 있는 것 같아 걱정부터 되었다.

2

영주는 백상구를 붙잡아두긴 했지만 막상 숨길 곳이 마땅치 않았다. 그래서 결국 조연화의 집으로 백상구를 데리고 갔다. 당분간 숨기기에는 이곳만 한 곳도 없을 것 같았다.

조연화의 집 거실 소파에 동준, 노기용, 백상구가 나란히 앉았다. 영주는 소파 앞에 서서 그들을 내려다보았다.

"요걸 다 불어불믄 내는 환갑 전에는 못 나올 것이요."

백상구는 절체절명의 순간에 할 수 없이 영주의 차를 타기는 했지만, 막상 모든 걸 자백하려니 형량이 걱정되었다.

"내는 빠지고 강정일이허고 최수연이만 엮을 방법을 찾아보시오."

백상구는 일이 이렇게 된 이상 갖고 있는 카드를 잘 이용해 빠져나갈 생각이었다. 영주는 팔짱 낀 채 백상구를 바라보며 그를 달랬다.

"한때 형사로서 조언하자면, 상구야, 수사에 협조하면 정상 참작이 될 거야."

"전직 판사로서 충고하자면, 감형 요건도 되지. 검찰하고 플리바게닝도 가능하고."

백상구 옆에 앉아 있던 동준도 거들고 나섰다.

"플리…… 바……."

"고자질하고 상 받는 거."

한때 법원에서 공익근무요원이었던 노기용이 플리바게닝에 대한 설명까지 덧붙여주었다.

백상구는 이러지도 저러지도 못한 채 갈등했다. 쉽게 결정 내릴 수 있는 문제가 아니었다. 영주는 백상구에게 더욱 부채질을 했다.

"상구야, 목욕탕 가면 옷 다 벗지? 속옷 입고 때 못 민다. 넌 평생 묵힌 때가 너무 많아요. 시원하게 다 벗고 오늘 때 한번 밀자."

백상구는 뭔 소리냐는 얼굴로 영주를 쳐다보았다.

"형사가 정상 참작하고, 검사하고 플리바게닝하고, 판사가 감형하면 환갑 전에는 나오겠지. 인생 육십부터야."

백상구의 눈빛이 흔들리는 걸 느낀 영주는 현관문을 가리키며 마지막 한 방을 날렸다.

"나갈래? 우리 상구. 검찰에 잡힐까? 동생들한테 따일까?"

영주는 씩 웃으며 백상구를 빤히 쳐다보았다. 잠시 영주를 쳐다보던 백상구는 깊은 한숨을 내쉬더니 결심한 듯 말을 시작했다.

"최수연이헌티 연락이 왔지라. 김성식 기자가 먼 문건을 갖고 있은 께 회수해 오랍디다. 김성식 그 양반 두어 번 만났지라. 야무집디다. 억을 준대도 끄떡도 안 합디다. 방송국에 윗분들 눌러서 방송은 막았는디. 신창호인가 허는 양반 만나서 터뜨린다는 야그를 듣고 낚시터로 갔지라."

영주는 백상구의 얘기를 들으며 그날의 상황을 머릿속에 그려보기 시작했다.

비 오는 낚시터에서 김성식과 백상구의 수하들이 싸움을 벌인다.

"동생이 만졌는디 숨은 붙어 있었소. 근디 얼굴을 봐버렸지라. 그래서……."

뒤늦게 도착한 정일이 자신을 붙잡고 살려달라는 김성식의 가슴에 낚싯대를 찔러 넣는다.

"신창호인가 그 양반이 온다는 걸 알고 있었소. 그랴서 112를 누르고 우린 떠났지라."

경찰들이 낚시터에 도착하고, 신창호는 비를 흠뻑 맞은 채 수갑을 차고 경찰서로 끌려간다.

마지막 장면을 떠올리자 영주의 눈빛에 분노가 서렸다.

"내가 헌 것은 여기까지요. 재판이고 뭐고 뒷일은 그 양반들이 혔소."

"이거면 뭐 재판은 끝난 거 같은데요."

법원에 근무하면서 주워들은 얘기가 많은 노기용이 고개를 끄덕이며 말했다. 하지만 영주는 고개를 가로저으며 동준을 쳐다보았다.

"합리적 의심. 마지막 퍼즐이 필요해요. 한때 판사, 그쪽 입장은?"

"의뢰는 최수연이 했어. 살인은 강정일이 했고. 둘 사이의 관계를 증명해야 해요."

그 말에 노기용은 탁자 위에 있던, 현수가 찍은 정일과 수연의 호텔 밀회 사진들을 뒤집어 보였다.

"아, 남녀가 호텔을 드나들면 연인 아닙니까?"

"일회성 밀회, 순간의 충동. 변명할 말은 많아. 살인을 하고 덮어줄 만큼 깊은 관계라는 걸 증명해야 돼. 전체 그림은 이래요. 최수연은 의뢰를

했고, 살인은 강정일 짓이죠. 의뢰는 상구가 증명할 수 있고, 살인은 증언이 있어요. 연인 관계를 입증하면 마지막 퍼즐이 맞춰질 거예요."

"4년 넘게 사귄 남녀가 연인인 걸 증명할 방법이라……."

고민하던 동준은 영주를 보며 피식 웃더니 농담을 건넸다.

"알려줘요. 박현수 경위하고 오래 사귄 거 같던데……."

동준의 의도를 알아차린 영주는 귀를 후비며 맞받아쳤다.

"건전한 만남이라. 그쪽이 더 잘 알겠죠. 추억이 많다고 들었는데."

영주와 동준은 마치 새로 시작하는 연인들이 밀당을 하듯 말간 얼굴로 서로를 쳐다보았다. 그런 두 사람을 짜증 섞인 얼굴로 보던 백상구가 한마디 던졌다.

"시방 연애질헐 때가 아닌디."

그 말에 동준과 영주는 눈이 동그래져서 동시에 백상구를 쳐다봤다.

*

샌드위치 가게로 들어서던 수연은 정일이 왜 장소를 이곳으로 정했는지 알 것 같았다. 정일은 창가 구석 자리에 먼저 와 앉아 있었다. 수연은 그곳으로 다가갔다. 테이블 위에는 수연이 즐겨 먹던 샌드위치와 음료가 놓여 있었다.

"나와줘서 고맙다."

"최후의 만찬인데 나와야지."

최후의 만찬이라는 말에 정일의 눈빛이 살짝 흔들렸다.

"우리 미국에 있을 때 오빠하고 살던 집 앞에 이 가게가 있었는데, 내가 늦잠 자면 오빠가 샌드위치 사 와서 날 깨웠었지. 최후의 만찬. 예수님이 이런 말씀을 하셨어."

수연은 잠시 정일을 빤히 쳐다보았다.

"나와 함께하는 자가 나를 배반할 것이라."

정일은 먹던 샌드위치를 내리며 담담히 수연을 바라보았다.

"예수님은 왜 가룟 유다가 의심할 행동을 했을까?"

"가룟 유다의 믿음이 부족했겠지."

정일은 수연의 말에 더 이상 대꾸하지 않고 음료를 마시며 화제를 돌렸다.

"아버지한테는 언제나 여자가 있었어. 엄마 돌아가시고 옷을 불태우는 날에도 안 들어오셨지."

"오빠네 집에 내가 갔었지. 그날."

수연은 감정을 담지 않으려고 무심하게 말했다.

"고마웠다. 엄마 옷도 같이 태우고, 엄마 같이 배웅해줘서."

정일은 잠시 따뜻한 눈빛으로 수연을 바라보다 그 눈빛을 거두며 말했다.

"이동준이 백상구를 확보하고 있어. 우리가 연인이었다는 사실이 입증되면 난 살인, 넌 폭행교사로 처벌될 거야……. 너하고 나, 둘 다 감옥에 갈 수는 없잖아. 둘 중 하나는 가야겠지만……."

수연은 정일이 무슨 말을 할지 알고 있었지만 모른 척 입을 다물고 있었다.

"수연아, 지난 4년. 우리가 보낸 시간. 같이…… 태워야겠다."

정일은 업무를 보듯 딱딱하게 말했지만, 목소리가 미세하게 떨렸다. 정일은 마지막 남은 감정을 털어버리려는 듯 건배를 권하며 음료 잔을 들어 보였다.

다음 날 두 사람은 함께했던 모든 기록을 깨끗이 지웠다. 정일은 호텔 보안 담당 이사를 직접 움직여 3년간의 출입 기록을 모두 삭제했다. 이제 그 호텔에는 어떤 흔적도 남아 있지 않았다. 뒤늦게 호텔을 찾은 노기용은 호텔 보안과 직원에게 어떤 얘기도 들을 수 없었다. 수연은 정일과 함께 갔던 일본 료칸 숙박 일지도 돈으로 모두 지웠다. 그뿐 아니라 그동안 서로 수많은 메일을 주고받은 계정도 모두 삭제했다.

"주변 지인들 탐문했어요. 알려선 안 될 사이라 생각했나? 강정일, 최수연 둘 사이를 아는 사람이 없네."

영주는 답답한 듯 동준의 집무실을 서성이며 말했다. 아무리 비밀 연애라 해도 그 정도 세월이면 지인들 중 한두 명은 알게 마련이었다.

"두 사람 메일 계정도 삭제됐어요. 어쩌면 우리가 강정일 팀장을 과소평가했는지도……."

"과대평가했는지도 모르죠."

영주는 뭔가 생각난 듯 동준의 말을 비틀었다. 그 말에 동준은 궁금한 얼굴로 영주를 쳐다봤다.

"형사 시절에 압수수색을 자주 했어요. 용의자는 모든 기록을 지우죠. 근데 증거는 가까운 곳에 있어요. 보관하고 있다는 사실도 잊고 있는 아주 사소한 물건."

영주는 소파 테이블 위에에 놓여 있던 휴대폰을 들어 보이며 동준을 향해 고개를 끄덕였다.

그날 밤 수연이 샤워하러 들어가자 동준은 다급하게 침실을 뒤졌다. 여기저기 뒤지던 동준은 옷장 아래 서랍에 들어 있는 스마트폰 서너 개를 발견했다. 수연이 지난 몇 년간 사용했던 스마트폰인 것 같았다. 동준은 그 스마트폰들을 챙겨 다급히 밖으로 나갔다. 잠시 후 수연은 정일과 통화를 하며 욕실 밖으로 나왔다.

"이동준 씨한테 고맙네. 덕분에 오빠하고 지낸 시간. 다 지웠잖아."

말은 삐딱했지만 수연의 목소리에는 쓸쓸함이 살짝 묻어났다. 하지만 무슨 소리를 들었는지 표정이 서늘해졌다.

"아니, 면회는 내가 갈……."

그때 수연의 눈에 엉망이 된 광경이 들어왔다. 수연은 뭔가를 알아차린 듯 얼굴을 찌푸렸다.

수연의 휴대폰을 손에 넣은 동준은 팀장 회의실로 정일, 수연, 조경호, 황보연을 불렀다. 동준은 프로젝션 화면 앞에 서서 버튼을 누르며 사진을 한 장씩 띄웠다. 영주는 옆에서 동준을 도왔다.

"2014년 봄, 여행지에서 찍은 사진입니다."

동준이 수연과 정일의 다정한 사진을 가리키며 말했다. 다음 버튼을 누르자 생일 케이크를 두고 찍은 두 사람의 사진이 나왔다.

"2015년 강정일 팀장의 생일. 이건……."

이번에는 정일과 수연이 침대에 누워 함께 찍은 사진이 떴다.

"2016년 가을, 아마 밤이었겠죠?"

"아직 싸움이 끝나지도 않았는데 벌써 개선식을 하는 건 아닐 거고. 왜지? 이 친구들한테 전리품을 보여주는 이유가 뭘까?"

정일이 매우 불쾌하다는 듯 동준에게 물었다.

"정권이 바뀔 때마다 대형 게이트가 터집니다. 내부자들 문제라서 수사에 한계가 있죠. 그때 결정적인 도움을 주는 건 언제나 내부 고발자들입니다."

동준은 조경호와 황보연을 번갈아 보았다. 그 의미를 아는 조경호와 황보연은 긴장한 얼굴로 아무 말도 하지 않았다.

"황보연 씨! 태백은 무너질 겁니다. 조경호 씨! 보국산업은 침몰할 거고요. 내려오세요. 보트는 태워드리죠."

영주는 자신의 명함을 황보연과 조경호 앞에 한 장씩 놓았다.

"법적 처벌은 최소화될 거예요. 잘하면 상도 받겠네. 연락 기다릴게요, 변호사님들."

정일은 끓어오르는 모멸감을 견디며 나지막하게 말했다.

"경호는 내 친구입니다, 이동준 씨."

"강정일 씨는 연인도 버린 사람이에요. 그건 수연이도 마찬가지고."

동준은 조경호와 황보연을 보며 담담히 말했다.

정일이 설마 하는 얼굴로 조경호를 흘깃 보자 조경호는 그의 눈빛을 외면했다. 수연 역시 황보연이 자신과 눈을 마주치지 않으려 애쓰는 것을 느꼈다.

동준은 아주 만족스러운 표정을 짓더니 침대 셀카 사진을 가리키며 한마디했다.

"수연아, 넌 이 각도가 제일 이쁜 거 같다."

"그나마 낫네."

영주도 힐긋 보고 동의하듯 가볍게 고개를 끄덕였다. 동준과 영주가 나가고 회의실 안은 적막감이 감도는 가운데 미묘한 불신이 싹트기 시작했다.

"최수연 팀장님이 잘못되면 저도…… 다칠 거예요, 대표님."

황보연은 불안한 얼굴로 조심스럽게 말을 꺼냈다. 최일환은 그 불안을 다독여주려고 인자한 미소를 지으며 송태곤에게 물었다.

"송비서, 스폰서 검사로 구속됐을 때 내가 어떻게 했지?"

그 말에 송태곤은 순간 얼굴이 뒤틀렸지만 곧 평정심을 찾았다.

"3년형을 받았는데 1년 만에 사면 복권시켜주셨습니다. 비서실장으로 자리도 마련해주셨습니다."

최일환은 황보연이 당분간은 배신하지 못하도록 확신을 주려고 애썼다.

"여긴 태백이야. 총리, 장차관 절반이 여기 고문단 출신이지."

"제가 원하는 건…….."

"일이 끝나면 말해. 견딘 만큼 얻게 될 거야."

황보연은 최일환의 여유 있는 얼굴에 확신을 얻은 듯 일어나 정중하게 인사하고 밖으로 나갔다. 그 모습을 지켜보던 최일환은 문이 닫히자 표정이 싹 바뀌었다.

"수연아, 저 아이, 너한테 꼭 필요한 사람이냐?"

수연은 고개를 끄덕였다.

"그럼 네 사람으로 만들어야지. 송실장! 저 아이 주변을 알아봐. 가족, 친인척, 회사를 운영하는 사람이 있으면 세무조사도 실시해."

수연은 방금 전 황보연을 대하던 모습과 백팔십도 달라진 최일환을 보며 당황했다.

"아빠…….."

"다 빼앗아라. 다 잃었을 때, 수연아, 그때 네가 손을 내밀어라. 그럼 평생 널 따르게 될 거다. 송실장, 어서!"

"알…… 겠습니다."

송태곤은 일그러지는 표정을 숨기며 서둘러 집무실을 나왔다. 복도를 걸으며 그의 얼굴에 허탈한 웃음이 번졌다.

'이런 거였나?'

이런 방법으로 자신도 최일환의 수하가 되고, 자신을 구원해준 사람이 최일환이라고 믿어왔다는 사실을 명확하게 깨닫자, 송태곤은 참을 수 없는 분노가 치밀어 올랐다. 그런데 이상하게도 가슴 한구석이 잘려나간 것처럼 텅 비어오며 자꾸만 헛웃음이 나왔다. 송태곤은 묵음의 헛웃음이 점점 짙어지다 어딘가로 전화를 걸었다.

"강회장님, 술 한잔 사주십쇼. 오늘은요…… 정말 취해야겠습니다."

*

동준은 요양원에 딸린 자신의 방에 들어서자 아련한 추억이 떠오르며 마음이 따뜻해졌다.

최일환의 저택에 있는 수연의 침실과는 비교할 수도 없을 만큼 작았지만, 동준은 이곳에 와서야 비로소 자신의 방에 들어온 기분이었다. 안명선은 말없이 동준을 따스하게 맞아주었다. 동준은 방을 한번 둘러보고 이불장으로 다가가 문을 열었다.

"네가 언제 들어올지 몰라서 봄 이불하고 여름 이불도 준비해뒀다. 일주일이나 열흘 전에 미리 말해주면 엄마가 이불 빨래해서 깨끗하게 해놓을게."

"일주일 정도. 길면 열흘 뒤부터는 이 방에서 지낼 거야. 빨래는 내가 할게."

그 말에 안명선은 동준의 결혼 생활이 이제 끝나가고 있다는 걸 직감했다. 안명선은 어떤 방식이든 동준에게 결코 좋은 결말이 되지는 못할 것임을 알고 있었다. 그녀는 걱정스런 얼굴로 동준을 바라보았다. 동준은 이불들 중 하나를 꺼내 들더니, 안명선을 보며 활짝 웃고는 세탁실로 향했다.

밤이어서 텅 비어 있는 세탁실 창가에 걸터앉은 영주는 이쑤시개로 이를 쑤시고 있었다. 그런데 세탁실 문이 열리며 동준이 이불을 들고 나타나자 화들짝 놀라며 이쑤시개를 떨어뜨렸다. 영주는 혹시 동준이 자신의 모습을 봤을까봐 당황하며 빨래하고 있는 세탁기를 가리켰다.

"내가 먼저……."

"일도 같이 하고 밥도 같이 먹는 사이인데 뭐 이것도 같이……."

동준은 영주의 모습을 못 본 척하며 다른 칸을 열어 이불을 넣었다. 둘만 있는 세탁실이 왠지 어색한 듯 두 사람은 입을 다문 채 위아래에서 동시에 돌아가고 있는 세탁기만 바라보았다.

"신창호 씨 재판 내일 2시죠?"

동준은 어색한 침묵이 불편한 듯 먼저 말을 꺼냈다.

"아빠는 못 가요. 궐석재판이 되겠네. 백상구는 내가 법정에 데리고 갈게요."

영주는 앞만 보며 얘기하다 동준의 시선이 느껴져 고개를 돌렸다. 동준은 영주의 손에 붙인 밴드를 걱정스러운 눈빛으로 보고 있었다.

"서류함 옮기다 조금 다쳤어요."

"정말 조금이네."

동준은 좀 전과는 완전히 다른 얼굴로 무심하게 말하고는 다시 세탁기로 시선을 가져갔다. 영주는 조금 머쓱하면서도 한편으로는 서운한 감정이 들어 혼잣말처럼 내뱉었다.

"꾸준히 이기적이네, 이동준 씨는."

영주는 가만 생각해보니 살짝 어이없는지 동준을 한번 힐끗 쳐다보고는 혀를 차며 시선을 돌렸다. 그런 영주를 동준은 귀엽다는 듯 미소 지으며 바라보았다.

*

"그 왜 신영주가 첨에 그 이름으로 여기 들어왔잖아. 간호사인데 오프 땐 요양원에 있고 잠은 반찬 가게에서 잔단다. 다 뒤졌는데 백상구가 어딨는지 알 수가 없다."

조경호는 아까부터 할 말이 있는지 정일의 눈치를 살피고 있었다.

"정일아, 나 오늘 좀 피곤해서 먼저……."

정일은 자신과 눈을 못 마주치지 못하는 조경호를 머리에 깍지를 낀 채 쳐다보았다.

"민재 선배 오늘 못 나온대. 전화 왔더라. 네가 만나자고 했다면서."

"아…… 검찰에 있는 선배한테 법률 자문 좀 받을 게……."

조경호는 흠칫 놀라며 핑곗거리를 찾다가 변명이 안 된다는 걸 깨닫고 허탈한 웃음을 지었다.

"네가 잘못되면 난…… 정일아……."

"내가 잘못되면……. 경호야, 날 버려라. 내부 고발 해서 넌 살아남아라."

"정일아……."

"근데 경호야, 난 네가…… 마지막에 떠나주면 좋겠다."

정일은 진심이었다. 고등학교 때부터 같이 붙어 다닌 친구였다. 그렇긴 해도 조경호에게 끝까지 의리를 지키라고 할 생각은 없었다.

"하, 짜식……."

조경호는 정일의 말에 울컥하며 눈가가 살짝 붉어졌다. 정일은 조경호와의 불신에 대한 앙금을 털어버리며 자리에서 일어나다 멈칫했다.

"조연화 그 사람, 반찬 가게에서 잔다고 했지? 집이 어디야?"

순간 조경호도 뭔가 깨달은 듯 휴대폰을 뒤져 백상구 수하의 번호를 찾아 다급히 전화를 걸었다.

그 시각, 조연화의 집에 숨어 있던 백상구는 속옷 차림으로 소파에 누워 텔레비전을 보고 있었다. 밖에서 벨 소리가 요란하게 울렸다. 백상구는 현관 쪽을 한번 힐끗 쳐다보고는 못 들은 척 다시 텔레비전을 보았다. 벨 소리가 몇 번 더 울리더니 문 밖에서 "택배 왔습니다"라고 외치는 소리가 들렸다. 백상구는 잠시 망설이다 귀찮다는 듯이 문을 열었다. 그러자 갑자기 자신의 수하들이 안으로 밀치고 들어왔다.

"회장님 잘 포장해서 실어라."

백상구의 수하 중 우두머리가 백상구의 명치를 정확히 가격했다. 급소를 맞은 백상구는 헉 소리를 내며 앞으로 꼬꾸라졌다.

그 모습을 보며 우두머리 수하가 어딘가로 전화를 걸었다.

"지금 출발하겠습니다."

정일은 백상구를 확보해 별장으로 운반 중이라는 조경호의 전화를 받으며 옥상으로 올라갔다. 흡족한 미소를 지으며 전화를 끊는데, 저만치서 서울을 바라보고 있는 동준을 발견했다. 그는 천천히 동준에게 다가가 그 옆에 섰다

"여기 내가 오던 곳인데, 자주 내 자리에 서 있네, 이동준 씨."

"오늘 2시 재판입니다. 백상구가 증언을 하면 강정일 씨가 마지막으로 보는 풍경이 되겠네."

동준이 정일을 보며 피식 웃는데, 정일의 얼굴이 평온했다.

"여기 오는 사람들, 둘 중 하나죠. 더 높은 곳으로 가고 싶거나, 아니면 자기가 온 곳을 바라보면서 돌아가고 싶거나."

동준은 정일의 행동이 뭔가 이상하다는 생각이 들었다. 그때 백상구를 만나러 갔던 영주에게서 전화가 왔다. 동준은 불길한 예감에 사로잡히며 전화를 받았다.

―백상구가 없어요. 누군가 끌고 간 거 같아요.

영주의 다급한 목소리가 휴대폰 너머에서 들려왔다.

동준은 일이 틀어졌다는 걸 직감하며 정일을 쳐다보았다. 정일은 끝없이 펼쳐진 서울을 보며 크게 심호흡을 했다.

"난 더 높이 올라가고, 이동준 씨는 왔던 곳으로 돌아가겠네. 보세요. 이동준 씨가 태백에서 보는 마지막 풍경입니다."

동준을 조롱하는 듯한 미소가 정일의 얼굴 가득 번졌다. 동준은 잠시 정일을 쳐다보다 천천히 옥상을 내려갔다.

동준의 집무실에 모인 영주와 노기용은 심각한 표정으로 안절부절못했다.

"재판은 오후 2시. 이제 4시간 남았어요. 그 전에 백상구를 찾아서 증인석에 세우지 못하면 재판은 다시 원점으로 돌아갈 거예요."

그렇게 되면 처음부터 다시 시작해야 하는데, 솔직히 영주는 그럴 자신이 없었다.

"강정일 쪽에서 움직인 것 같습니다. 누군가 백상구를 만나러 갈 겁니다."

"그쪽은 강정일을 맡아줘요. 기용아, 넌 조경호를 밟아. 난 강유택 회장을 맡죠."

영주는 초조한 얼굴로 시계를 보며 다급히 밖으로 뛰쳐나갔다.

백상구가 또다시 사라졌다는 소식은 최일환과 수연의 귀에도 곧바로 들어갔다. 그 소식을 듣고 수연은 최일환의 집무실로 달려갔다.

"동준이가 백상구를 놓쳤다? 낚시터에는 두 명의 목격자가 있었지. 수연아! 넌 정일이를 살인자로 지목할 거고, 백상구는 널 범인으로 지목할 거다."

수연은 상황이 자꾸만 꼬여가자 난감한 얼굴로 낮은 한숨을 쉬었다.

"걱정 마라. 유택이하고 나. 서로 칼을 겨누고 있어. 그놈이 먼저 전화를 할 거다. 같이 칼을 내리자고 말이야."

그때 최일환 옆에 서 있던 송태곤의 휴대폰이 울렸다. 송태곤은 걸려온 전화를 "네, 네"하며 받더니 최일환에게 휴대폰을 건넸다.

"강유택 회장님입니다."

최일환이 전화를 받자마자, 강유택 특유의 허세 부리는 목소리가 들려왔다.

—일환아, 차 한 잔 묵자. 니가 온나. 주소 불러주꾸마.

"그러지."

최일환은 태연한 척 여유로운 목소리로 대답했다. 송태곤은 그런 최일환을 비릿한 미소를 지으며 내려다보았다.

동준과 영주, 노기용은 각자 맡은 사람들을 주시했다. 동준은 자신의 집무실에서 정일을 계속 지켜보고 있었지만 별 움직임이 없었다. 정일은 평소와 같이 업무를 보았다. 동준은 뭔가 있는 게 분명한데 알아 낼 길이 없어 답답해 미칠 것 같았다. 조경호를 맡고 있는 노기용도 같은 심정이었다. 조경호는 탕비실에 들어가 차를 탄 뒤 찻잔을 들고 휴게실로 들어가 태평하게 신문을 읽었다. 이런 상황에 별다른 움직임이 없는 두 사람이 더욱 이상했다.

영주는 강유택의 집 앞을 지키고 있었다. 잠시 후 굳게 닫혀 있던 대문이 열리며 강유택의 차가 나왔다. 순간 영주는 눈에 띄지 않게 몸을 숙였다. 강유택의 차가 지나가자 영주는 바로 뒤를 밟기 시작했다.

강유택의 차는 서울 도심을 한참 달려 신길동의 낡은 건물 앞에 멈췄다. 영주는 근처에 천천히 주차했다. 차에서 내린 강유택은 건물 안으로 들어갔다. 강유택이 건물로 들어가자, 영주는 고개를 들어 빌딩 이름을 보며 동준에게 전화를 걸었다.

"신길동 우림빌딩이에요."

그때 저만치서 차 한 대가 다가와 우림빌딩 앞에 멈춰 섰다. 차 문이 열리며 최일환과 송태곤이 내렸다. 영주는 놀란 얼굴로 몸을 숙여 최일환과 송태곤의 시선을 피했다.

"최일환 대표도 왔어요."

영주는 동준에게 상황을 보고하며 건물 안으로 들어가는 최일환과 송태곤을 의문 가득한 얼굴로 바라보았다.

동준은 혼잣말로 "우림빌딩……"이라고 중얼거리다가 뭔가 생각난 듯 책상 옆에 놓인 태백의 사사(社史)를 펼쳐보았다. 연표를 쭉 훑어 올라가다 보니 맨 위에 '1980년 6월, 신길동 우림빌딩에서 개업'이라고 적혀 있었다.

"거기, 태백을 시작한 곳이에요. 30년 전에 최일환 대표하고 강유택 회장이 태백을 처음 시작한 사무실이 거기 있어요."

30년 전 태백의 사무실에서 앙숙인 두 사람의 만남이라……. 동준은 뭔가 심상치 않은 일이 벌어질 것 같은 불길한 예감에 사로잡혔다.

*

　최일환은 돌처럼 굳은 얼굴로 30년 전 그 복도를 걸었다. 그 뒤를 송태곤이 의미를 알 수 없는 미소를 흘리며 따라 걸었다. 최일환은 강유택이 자신을 부른 이유가 뭐든 이곳을 다시 찾아오게 만든 것 자체가 불쾌했다. 최일환은 복도 양 옆으로 늘어선 허름한 노래방과 기원을 지나 307호라는 표지가 붙은 사무실 앞에 멈춰 섰다. 최일환은 잠시 307호라고 쓰인 표지를 차가운 시선으로 응시하다 천천히 문을 열고 안으로 들어갔다.

　강유택은 책상 옆에 서서 도자기를 만지다 최일환이 들어오자 뒤돌아서 사무실을 한번 보라는 듯 두 팔을 벌렸다.

　"일환아, 어떻노? 그때랑 똑같제?"

　"이 사무실 처분한 걸로 알았는데."

　"아따, 니하고 소파에 드러누버가 자던 사무실을 우예 버리겠노? 내가 잘 챙깄다. 달에 한 번은 아줌마 불러가 청소도 하고. 앉아라."

　강유택은 소파로 가서 상석에 앉았다. 최일환은 마뜩잖은 얼굴로 소파에 앉았다.

　"백상구는 정일이가 가져간 거 같은데."

　"그렇나? 내는 태백을 가져올라 카는데."

　강유택은 의뭉스러운 표정을 지으며 웃었다.

　"30년 전에 니가 저 자리에 앉아 있었다 아이가. 니를 다시 저 자리에 앉차줄라꼬 불렀다 아이가."

　강유택은 창가에 놓인 책상을 가리켰다. 최일환이 굳은 얼굴로 그 책상을 바라보는데, 수연에게 전화가 왔다.

46

―아빠, 오늘 신창호 씨 재판에 재판부 직권으로 증인이 신청됐어요. 근데 그 증인이…… 송태곤 비서야.

최일환은 휴대폰을 귀에 댄 채 놀란 얼굴로 앞에 선 송태곤을 보았다. 그는 통화 내용을 다 안다는 듯한 눈으로 비릿하게 웃었다. 최일환은 당혹스러움을 애써 감추며 전화를 끊었다.

"두 분 말씀 나누십시오. 전 법정에 출석할 시간이 돼서 이만 가보겠습니다."

"송비서, 원하는 걸 말해. 뭐든지 주지."

최일환이 정중하게 인사하고 나가려는 송태곤을 불러 세웠다. 최일환을 향해 뒤돌아서는 송태곤의 얼굴이 일그러졌다.

"다시…… 검사로 만들어주십시오. 헤어진 아내, 돌려주세요. 7년 전으로…… 시간을 돌려달라고요."

송태곤은 분노가 가시지 않은 마음으로 소리쳤다.

"……법정에서 무슨 말을 할 건가?"

"하나의 거짓. 그리고 많은 진실."

송태곤은 최일환을 똑바로 쳐다보면서 히죽 웃었다.

"최수연이 살인을 했다고 증언해야죠. 그리고 다 말할 겁니다. 당신이…… 무슨 짓을 해왔는지……."

"아따, 내는 몬 말리겠다. 우야노? 니 딸내미는 살인죄로 들어갈 끼데이."

최일환은 떨리는 얼굴로, 떨리는 손으로 강유택을 노려보았다.

"니는 2, 3년만 살고 나오고로 해주꾸마. 송비서 니는 내가 단디 챙기주꾸마."

"송비서, 마음을 바꿀 생각은 없나?"

최일환은 송태곤에게 마지막으로 절박한 마음을 담아 물었다. 송태곤은 거절의 의미로 최일환을 비웃는 미소를 지었다.

"일환아, 옥에 갔다 나오믄 요 사무실 다시 쓰거래이."

강유택은 일어나 도자기 쪽으로 다가가며 계속 최일환의 신경을 건드렸다.

"공수래했으이 공수거해야 안 되겠나? 도자기 괜찮제? 고려청자 아이가? 근데 짝퉁이데이. 니 인생맹키로."

강유택은 도자기를 만지며 최일환을 바짝 약 올렸다. 최일환은 저 깊은 곳에서부터 30년간 참아온 분노와 치욕과 그 모든 인간적인 모멸감이 스멀스멀 올라오는 것을 느꼈다.

"도자기…… 괜찮네."

최일환은 치 떨리는 마음을 누르며 낮게 말했다.

"송비서 니는 법원 갈 시간 됐제? 가보거래이."

송태곤은 두 사람에게 인사하고 문 쪽으로 다가갔다.

"송비서, 마지막으로 물 한 잔 부탁하지."

최일환의 목소리가 이상할 만큼 차분했다. 송태곤은 얼굴을 살짝 찌푸렸다가 소형 냉장고를 열고 그 안에서 생수를 꺼내 잔에 따랐다. 강유택은 최일환을 확실히 찍어버렸다는 생각에 의기양양한 얼굴로 사무실을 돌아다니다 서가 쪽으로 다가가 성경을 가리켰다.

"일환아, 성경에 보믄 흙에서 온 거는 흙으로 간다 안 캤나? 종놈의 자슥이 친구 잘 만나가 한세상 잘 놀았다 생각해래이."

강유택이 말을 하다 뒤가 싸늘한 느낌에 돌아보는데, 최일환이 형언할 수 없는 분노와 살기로 온몸을 부르르 떨고 있었다. 최일환은 도자기를 양손으로 들고 광기 어린 얼굴로 강유택을 내리치려 하고 있었다. 송태곤은 물컵을 들고 오다가 그 모습에 놀라 그 자리에 그대로 멈춰 섰다. 단 한 번도 생각지 못했던 상황에 강유택은 충격을 받은 듯 꼼짝도 못했다. 순간 광기에 이미 사로잡혀버린 최일환이 강유택의 머리 위로 도자기를 정확히 내리꽂았다. 퍽 하는 소리가 둔탁하게 울려 퍼지면서 도자기 파편이 바닥에 나뒹굴었다. 강유택은 넝마처럼 쓰러졌다. 송태곤은 뒤로 주춤주춤 물러났다. 바닥에 쓰러진 강유택의 머리에서 흐르는 피가 카펫을 적시기 시작했다.

"일…… 환아……. 살…… 리도고."

강유택은 마지막 호흡을 내쉬며 간절한 눈빛으로 최일환을 바라보았다. 최일환은 소파에 다시 털썩 앉아서 강유택을 바라보았다. 젊은 날 강유택의 모습이 떠올랐다.

'아따 일환아, 판검사도 못 달고 재판 몇 번 지노이 손님도 몬 끌고, 쯔쯔. 내캉 일하자.'

"아니."

최일환은 마치 젊은 강유택의 제안을 거부하듯 단호하게 뿌리쳤다.

강유택의 마지막 호흡이 서서히 멈추는 것을 최일환은 눈도 깜짝하지 않고 지켜보았다. 최일환은 30년 묵은 체증이 한꺼번에 가시는 것 같았다.

"대…… 표님."

송태곤은 낯빛이 하얗게 질린 채 최일환을 불렀다.

"물."

최일환의 목소리가 오싹할 만큼 싸늘했다.

송태곤은 충격과 경악 속에서 벌벌 떨며 최일환에게 물컵을 건넸다. 최일환은 그 물을 한번에 쭉 들이켜고는 죽은 강유택을 보며 송태곤에게 말했다.

"법원에 가서 증언을 하면 나도 태백도 끝이겠지. 이제 유택이는 없어. 변호사 자격증도 없는 스폰서 검사 송태곤. 자네 남은 인생, 어디 기댈 수 있을까?"

송태곤은 숨도 제대로 쉬지 못할 만큼 충격을 받아 아무 말도 할 수 없었다.

"송비서, 아직도 마음을 바꿀 생각이 없나?"

송태곤은 벌벌 떨며 두려운 눈으로 최일환을 바라보았다.

우림빌딩 밑에서 잠복하고 있던 영주는 최일환이 건물에서 혼자 다급히 나오는 모습을 보고 고개를 갸우뚱했다. 최일환은 주변을 살피더니 차에 올랐다. 최일환을 태운 차가 급히 출발하자, 영주는 고개를 갸웃하며 차에서 내려 건물 안으로 들어갔다. 영주는 뭔가 스산한 기운이 감도는 건물 복도를 천천히 걸어 307호 표지가 붙은 문 앞에 섰다. 안에서는 아무 소리도 들리지 않았다.

영주가 조심스럽게 손잡이를 돌리는데 문이 열려 있었다. 영주는 사무실 안으로 천천히 들어갔다. 순간 영주는 바닥에 쓰러져 있는 강유택의 시신을 보고 소스라치게 놀랐다. 영주가 충격으로 침을 삼키는데, 그 뒤 벽에 기대듯이 숨어 있던 송태곤이 울 것 같은 얼굴로 영주의 뒷모습을 쳐다보았다. 영주는 자신의 뒤를 보는 시선을 느끼지 못한 채 강유택의 시신 앞으로 한 발 한 발 다가갔다.

3

정일은 자신의 집무실을 나서는 순간부터 줄기차게 뒤를 밟는 누군가의 인기척을 느끼며 천천히 복도를 걸어갔다. 정일은 자신의 뒤를 밟는 자가 누군지 짐작하고 있었지만 짐짓 모른 척 걷다가 코너가 보이자 빠르게 몸을 숨겼다. 정일은 코너 뒤에서 자신을 쫓아오는 자를 기다렸다. 잠시 후 정일 앞에 동준이 나타났다. 정일은 모든 걸 알고 있다는 표정으로 입가에 살짝 웃음을 띤 채 동준을 쳐다보았다.

"신창호 씨 재판은 2시. 지금은 10분 전. 무슨 문제가 생겼나? 이동준 씨."

"그쪽이 일으킨 문제 아닌가, 난 지금 답을 찾고 있는 거고. 경합범은 가중처벌됩니다. 살인에 증인 매수에 이젠 납치까지. 강정일 씨가 받을 형량, 남은 인생으로는 모자랄 거 같은데."

동준은 미행하다 들켰지만 조금도 당황하는 기색 없이 팽팽하게 맞섰다.

"그래서 내가 보관하려고요. 신창호 씨가 떠날 때까지 백상구는 내가 자알 보관하겠습니다."

"백상구 그 사람, 내가 찾아내서 증인석에 세울 겁니다."

동준은 결연한 눈빛으로 정일을 쳐다보았다. 정일은 묘한 웃음을 지으며 동준에게 한 발짝 다가갔다.

"나도 귓속말이 들리네."

정일은 동준에게 한 발짝 더 바짝 다가가 그의 귀에 대고 나지막이 말했다.

"포기해."

정일은 동준의 어깨를 툭툭 두드려주고 돌아서서 왔던 길을 되돌아갔다.

정일은 동준의 시선을 느끼며 휴대폰을 꺼내 강유택에게 전화를 걸었다. 발신음이 들리더니 잠시 후 전화가 끊기는 신호음이 들렸다. 정일은 고개를 갸우뚱했지만 별일 아닌 듯 신경 쓰지 않는 얼굴로 전화를 끊었다.

영주는 소스라치게 놀란 얼굴로 강유택의 시신을 내려다봤다. 그 자리에 얼어붙은 채 시신을 보고 있는데, 강유택의 휴대폰이 울렸다. 발신자는 '정일이'였다. 순간 영주는 움찔했다가 그곳으로 다가가 휴대폰을 집으려 했다. 그때 뒤에서 누군가가 그녀를 가격해, 영주는 정신을 잃고 쓰러졌다.

미동도 없이 쓰러져 있는 영주 뒤에서 송태곤은 한 주먹 크기의 투명한 상패를 툭 떨어뜨렸다. 나뒹구는 상패 표면에 '최일환, 1977, 사법연수원 우등 수료'라고 적혀 있었다. 송태곤은 울 것 같은 비틀린 얼굴로, 벨이 울리고 있는 강유택의 휴대폰을 들어서 거칠게 꺼버렸다.

　최일환은 화석처럼 굳은 얼굴로 태백의 복도를 저벅저벅 걸어 자신의 집무실로 들어갔다. 집무실에서는 수연이 불안한 듯 양손을 모은 채 서성이고 있었다. 최일환은 반쯤 넋이 나간 눈빛으로 무너지듯 소파에 주저앉았다. 수연은 최일환의 모습이 조금 이상하다고 느끼며 소파로 다가와 앉았다.

　"아빠, 황보연 변호사를 법정에 보냈어요. 송비서가 증인 출석은 안 했대. 근데 나처럼 녹취로 증언하면 어쩌지? 아니, 검찰에 가서 진술을 하면 난……."

　최일환은 겁에 질려 떨고 있는 수연의 양어깨를 잡아주었다.

　"넌 무사할 거다, 수연아."

　최일환의 목소리가 낮고 침울했다. 수연은 최일환의 얼굴을 보며 뭔가 심상찮은 일이 생겼음을 직감했다.

　"미안해, 아빠."

　수연은 눈에 눈물이 그렁한 채 최일환을 바라보았다.

　"……아빠를 평생 미워할 자신 있었는데. 나 대학도 겨우 인 서울 했는데…… 사법시험까지 치라는 아빠가 정말 미웠는데……. 그래서……."

　최일환은 차마 말을 잇지 못하는 수연을 따뜻하게 안아주었다.

　"송비서가 진술하면 유택이 아저씨한테 태백이 넘어갈지도 몰라."

　수연은 최일환에게 안긴 채 울먹이며 말했다. 이 모든 게 자신이 탓인 것 같아 아버지에게 미안했다. 그런 딸의 마음을 아는 듯 최일환은 수연을 안은 채 어깨를 토닥여주었다. 그런 그의 눈에 '태백'이라는 붓

글씨가 쓰인 액자가 들어왔다.

"정권 바뀔 때마다 강유택이 청문회 끌려 나갈 거 빼내준 게 나다. 나 아니었으면 그놈 인생 절반은 감옥에서 보냈을 거야. 그래. 그놈 돈으로 시작했다. 그놈이 차명으로 맡긴 돈으로 변호사를 사고 고문단을 들였다."

최일환은 수연을 안고 있던 팔을 풀며 딸을 바라보았다.

"수연아, 아비는 강유택 그놈이 준 돈의 몇 배를 소작료로 냈어."

수연은 좀전과 달리 최일환의 눈빛에 깊은 분노가 다시 끓어오르고 있는 것을 느꼈다.

"내가 키웠다. 너도. 태백도……. 강유택이 그놈한테 줄 건 아비가 다 돌려주고 왔다."

의미심장한 말에 수연은 최일환을 바라보다 순간 멈칫했다. 최일환의 셔츠 깃에 새끼손톱보다 작은 핏자국이 있었다. 그러고 보니 최일환의 눈빛이 아까부터 심하게 흔들리고 있었다. 수연은 뭔가 불길한 예감이 들었지만, 그 무엇도 물을 용기가 나지 않았다.

"회장님, 회사에도 안 계신대. 기사가 수행했는데 먼저 가라고 해서 돌아왔다는데. 야, 그 여배우하고 어디 여행 가신 거 아냐? 그 여배우 연락해볼까?"

수연은 최일환의 셔츠 깃에 묻어 있던 핏자국을 생각하며 복도를 걷다가, 옆을 스쳐가는 정일과 조경호의 대화에 멈칫했다. 수연은 뒤돌아 자신의 집무실로 들어가는 정일을 잠시 쳐다보다가 그곳으로 향했다. 정일은 책상 앞 의자에 앉아 휴대폰으로 통화 중이었다. 강유택의 전화에서는 '전원이 꺼져 있어 음성녹음으로 연결됩니다'라는 안내 멘트만 들려왔다. 정일은 뭔가 마음에 걸리는 듯한 얼굴로 생각에 잠기는데, 수연이 평소처럼 가벼운 얼굴로 들어와 소파에 앉았다.

"신창호 씨 재판, 내가 증언한 녹취는 다음 기일에 인정할 건가봐. 백
상구는 오빠가 데려갔고. 근데 오빠, 우리 미국에서 같은 방 쓰면서 많
이도 싸웠다. 오빠하고 나, 서로 지기 싫어했는데, 이번에도 그렇네."

정일은 수연이 아무 일 없는 것처럼 표정을 감추고 있지만, 이곳에
온 의도가 분명 있을 거라고 생각했다. 그때 조경호가 심각한 얼굴로
들어왔다.

"정일아!"

조경호는 소파에 앉아 있는 수연을 발견하고 정일에게 다가가 낮은
소리로 말했다.

"그 여배우도 난리다. 아, 회장님하고 요트 타기로 했는데, 연락이
없으시단다. 회장님 무슨 일 있는 거 아니겠지?"

그 말에 정일이 불안한 얼굴로 고개를 드는데, 굳은 표정으로 조경
호의 얘기를 듣고 있던 수연과 눈이 마주쳤다. 순간 수연은 어색한 미
소를 지으며 밖으로 나갔다. 그 모습에 정일은 뭔가 불길한 일이 벌어
지고 있음을 느낄 수 있었다.

서둘러 정일의 집무실에서 나온 수연은 몸을 숨기듯 자신의 방으로
들어갔다. 황보연은 불안한 기색이 역력한 수연을 의아한 눈으로 쳐다
보았다. 수연은 황보연에게 눈길조차 주지 않은 채 소파에 주저앉았
다. 수연은 지금의 상황을 정리해보려고 애썼다.

'아빠는 아저씨의 전화를 받고 어딘가를 다녀왔어. 돌아온 아빠의
셔츠 깃에는 피가 묻어 있었고. 그리고 아빠는 줄 건 다 돌려주고 왔다
고 말했어…….'

수연은 당황스럽고 무서웠다. 상상하는 그 일이 벌어진 건 아닐 거

라고 애써 생각했다. 하지만 조경호의 말이 다시 떠올랐다.

'회장님 무슨 일 있는 거 아니겠지?'

수연은 서성이던 걸음을 멈추고 눈을 질끈 감았다.

"피곤해 보여요. 오늘은 일찍 들어가서 쉬는 게……."

황보연은 안절부절못하고 집무실을 서성거리는 수연을 지켜보다 조심스레 말을 건넸다. 그 말에 수연은 눈을 다시 뜨며 신용카드를 꺼내 황보연에게 내밀었다.

"황변, 심부름 하나 해줘."

황보연은 갑작스런 심부름에 고개를 갸웃하며 신용카드를 받아 들었다.

최일환은 황보연 편에 수연이 보낸 고급 와이셔츠를 가만히 내려다보았다.

"최수연 팀장님이 와이셔츠를 사다 드리라고 했습니다. 갈아입으셔야 할 것 같다고요."

수연의 뜻을 정중하게 전한 황보연은 인사를 하고 밖으로 나갔다. 최일환은 와이셔츠를 들고 거울 앞으로 다가갔다. 최일환은 거울에 비친 와이셔츠 깃에 묻은 작은 핏자국을 보고 얼굴이 구겨졌다. 최일환은 수연이 모든 것을 예상하고 있음을 깨닫고 마음이 편치 않았다.

＊

우림빌딩 307호 사무실에 쓰러져 있던 영주는 서서히 의식이 돌아오는 듯 손을 천천히 움직였다. 영주는 눈을 뜨고 힘겹게 몸을 일으켰다. 시간이 얼마나 흘렀는지 창밖에는 어둠이 내려앉아 있었다. 영주는 뭔가 생각난 듯 주변을 둘러봤지만 강유택의 시신은 없었다.

분명 몇 시간 전에 강유택은 피를 흘린 채 이곳에서 죽어 있었다. 그런데…… 가만히 살펴보니 강유택의 시신 대신 길게 늘어진 핏자국이 있었다. 영주는 아픈 듯 손으로 머리를 감싸며 소파로 가서 앉았다. 영주는 소파에 앉아 바닥의 핏자국을 보며 깊은 생각에 잠겼다. 사무실 안은 숨이 막힐 정도로 적막감이 감돌았다. 그때 적막을 깨면서 갑자기 휴대폰 진동 소리가 들렸다. 영주는 흠칫 놀라며 휴대폰을 꺼내 전화를 받았다.

—신영주 씨, 몇 시간째 연락도 안 되고. 지금 어딥니까?

휴대폰 너머로 다급하면서도 걱정이 스며 있는 동준의 목소리가 들려왔다. 영주는 대답도 않고 생각에 잠긴 얼굴로 핏자국을 계속 내려다보았다.

송태곤은 땀에 흠뻑 젖은 모습으로 태백에 도착해 엘리베이터에 올랐다. 그는 울 것 같은 얼굴로 입술을 깨물고 있었다. 손에 든 손수건으로 연신 이마의 땀을 닦고, 손에 묻은 먼지며 옷에 묻은 보풀들을 털었다. 그때 엘리베이터가 멈추며 문이 열렸다.

순간 송태곤은 숨이 멎을 것 같은 얼굴로 주춤거리며 뒤로 물러섰다. 엘리베이터 문 앞에 영주가 서 있었다. 송태곤은 얼어붙은 얼굴로 미동도 않고 그대로 있었다. 영주는 송태곤을 주시하며 엘리베이터에 올랐다. 송태곤과 영주를 태운 엘리베이터는 위로 올라가기 시작했다.

영주는 당황하는 송태곤을 의심스럽게 바라보았다. 더러워지고 보풀이 붙은 송태곤의 양복 소매가 영주의 눈에 들어왔다. 영주는 몇 가지 장면을 떠올리며 퍼즐을 맞춰보려 했다. 분명 강유택이 들어간 낡은 건물 안으로 최일환과 송태곤이 함께 들어갔다. 그런데 최일환 혼자 다급히 먼저 나왔다. 영주는 뭔가 퍼즐이 맞춰지는 것 같았다. 송태곤이 옆으로 주춤하며 한 걸음 옮기려는데, 영주가 앞을 보는 채로 송태곤의 팔목을 잡았다. 송태곤은 소스라치게 놀랐다. 하지만 영주는 담담한 얼굴로 송태곤을 보며, 그의 팔목에 묻은 보풀을 톡, 톡, 톡 가볍게 털어줬다. 동시에 엘리베이터가 멈추자, 영주는 정중하게 고개 숙여 인사하고 내렸다. 영주는 또각또각 구두 소리를 내며 걸어갔다. 영주의 뒷모습을 보며 송태곤은 10년 감수한 기분으로 안도의 한숨을 내쉬었다.

"최일환 대표가 먼저 떠났어요. 송태곤 비서실장이 남아 뒤처리를 했겠죠."

"최일환 대표는 태백의 주인입니다. 그런 사람이 직접……."

동준은 영주가 전한 충격적인 소식이 믿기지가 않았다.

"왕도 자기 침소에 들어온 자객은 직접 처리하죠. 변호사가 수백 명 있어도 누구도 대신해줄 수 없는 일은 있겠죠. 강유택 회장 문제가 최일환 대표한테는 그런 일이었겠네."

동준은 할 말을 잃은 채 깊은 한숨을 내쉬었다.

"최일환은 살인을 했어요. 강정일의 왼팔인 태백은 무너질 거고, 강정일의 오른팔인 보국산업은 사라지겠죠. 재판이 공정해지겠네."

"……그런데 강유택의 시신이 사라졌다고 했죠? 유일한 증거는 단 한 명의 목격자인 신영주 씨뿐입니다."

동준은 시신이 사라진 사건을 조사하는 건 쉬운 일이 아니라는 걸 잘 알고 있었다. 섣불리 나섰다가 되레 당할 수 있었다.

"현장 감식 가려고요. 기본 장비는 구할 수 있어요. 경찰대 다닐 때

감식에도 꽤 소질 있었고요. 그 사무실에는 아직 강유택의 핏자국, 최일환의 지문이 있어요. 기용이 데리고 갈게요. 차에서 기다리라고 했는데…….”

동준이 말릴 새도 없이 영주가 밖으로 나가려 하는데, 문이 벌컥 열리며 노기용이 뛰어 들어왔다.

“영등포구 신길동 맞아요? 우리가 가려던 데가 거기 맞냐고요?”

영주는 의문 가득한 얼굴로 고개를 끄덕였다. 노기용은 다급하게 리모컨으로 텔레비전을 켰다.

—신길동 화재 현장 소식입니다. 화재가 시작된 사무실은 전소된 것으로 보이며, 주변으로 화재가 번지는 것을 막기 위한 작업이 진행되고 있습니다. 현재까지 인명 피해는 없는 것으로 알려지고 있습니다.

텔레비전 화면에 영주가 낮에 보았던 건물이 불타는 모습이 나오고 있었다. 뉴스를 보며 영주는 한발 늦었다는 생각에 입술을 살짝 깨물었다. 동준은 비로소 최일환이 살인을 저지른 것이 사실임을 확실히 믿을 수 있었다.

정일은 다 타버리고 재만 남은 사무실 안으로 천천히 들어갔다. 숨이 막혀서 손수건으로 입을 가렸다. 가구며 카펫이며 모든 게 다 타버려 흔적도 찾기 힘들었다. 정일은 주변을 둘러보다 바닥에서 작은 도자기 조각을 발견했다. 그는 무릎을 숙여 그 도자기 조각을 주워 찬찬히 살펴보았다. 도자기 조각을 보며 아버지 강유택이 이 사무실에서 했던 말들을 떠올렸다.

“보국산업 팔라꼬 내놨다. 살라는 놈이 몇 있으이 돈으로 바까가 명동에 빌딩 두어 개 사놓을 낀께 월세 받아가 생활비 해래이.”

"……아버지."

정일은 뜻밖의 말에 뭐라 대답해야 좋을지 생각이 나지 않았다.

"아비처럼 살기 싫다 캤제? 고래라. 내는 똥통에 손 담가가 돈 벌었으이, 정일아, 니는 깨끗한 손으로 법 만지면서 살거래이."

강유택은 일어나 도자기가 놓여 있는 곳으로 다가갔다.

"태백은 니한테 주꾸마. 니가 태백 주인이 되믄 진품은 니 방에 놔노꾸마. 이거는 짝퉁인데, 어떻노? 일환이한테 어울리겠제."

강유택은 장난스런 미소로 히죽거리며 정일을 바라보았다.

도자기 조각을 든 정일의 손이 조금씩 떨려왔다. 상상하기 싫은 일이 현실이 될 것 같은 기분이었다. 정일은 그 불길함이 온몸을 덮칠 것 같아 두려웠다.

"현장은 화재로 소각됐어요. 감식을 해도 나올 건 없습니다. 시신도 없어요. 시신 없는 살인 사건은 법정에서 인정이 안 되는데……."

동준은 난감한 얼굴로 낮은 한숨을 쉬었다.

"그럼 시신을 찾아야겠네."

영주의 말에 동준은 피식 웃음이 나왔다. 이런 절망적인 상황에서도 영주는 씩씩하게 앞으로 나아갔다.

"배차팀하고 운전기사들한테 물어봤는데요, 송태곤 실장이 2시에 외부에서 차량을 콜했답니다. 기사는 차량만 넘기고 복귀했답니다."

영주의 지시로 태백의 차량 배차 스케줄을 조사한 노기용이 그 내용을 보고했다.

"송태곤은 7시에 태백으로 돌아왔어요. 2시에서 7시까지 5시간. 시신을 운반하고 매장까지 하기에는 부족한 시간이에요. 송태곤의 연고지를 탐문해야겠어요. 송태곤 비서실장, 집이 어디야?"

영주는 노기용을 데리고 곧바로 송태곤의 집으로 향했다. 영주는 송태곤의 집 앞에서 잠시 주위를 살핀 뒤 가지고 온 종이 위의 가루를 문에 달린 비밀번호 키판에 대고 가볍게 후 불었다. 그리고 적외선 포인트를 키판에 쏘자, 숫자 중에서 0, 2, 6, 9에 지문이 묻어 있는 모습이 보였다. 노기용은 들고 온 종이를 펼쳤다. 종이에는 송태곤과 관련된 날짜가 수십 개 적혀 있었다. 생일, 결혼기념일, 이혼일 등을 쭉 훑어 내려가는데 딱히 맞는 숫자가 없었다.

"생일도 아니고……. 아, 사법고시 합격한 날짜가 9월 26일입니다."

영주는 사법고시 합격한 날이라는 말에 피식 웃더니, '0926'을 입력했다. 순간 띠리리 소리와 함께 문이 열렸다.

영주와 노기용은 현관에서 신발을 벗고 조심스럽게 안으로 들어갔다. 사뿐히 들어가는 영주와 달리 노기용은 걸음을 옮길 때마다 땀에 젖은 발자국이 하얀 대리석 바닥에 새겨지며 얼룩이 생겼다.

"유택이가 며칠 연락이 안 된다고? 허허, 그 친구 젊을 때부터 그랬지. 사냥이다 뭐다 한 달 넘게 소식도 없다가 나타난 적도 많았어. 기다려봐. 연락이 오겠지."

최일환은 의뭉스러운 미소를 지으며 별 걱정 말라는 듯 정일을 바라보았다. 그때 정일의 휴대폰이 울렸다. 정일은 정중하게 양해를 구하고 고개를 숙인 채 전화를 받았다.

─정일아, 정각에 전화하래서 했다. 무슨 일이야? 어?

정일은 자신이 생각하는 그 끔찍한 일이 사실인지 확인해야 할 것 같았다. 정일은 조경호에게 전화를 부탁하고 최일환을 찾아갔다.

"네, 아버지. 지금 어디세요?"

정일은 조경호의 전화를 받으면서 강유택에게 온 전화인 양 연기하면서 최일환의 반응을 살폈다.

"아버지"라는 말에 최일환은 찻잔을 툭 떨어뜨렸다. 정일은 그 모습을 보며 자신이 예상이 맞았다는 것을 알아차렸다. 정일은 심장이 떨려왔지만 입술을 깨물며 휴대폰에 대고 말을 이어갔다.

"대표님이 뵙고 싶어하시는데…… 알겠습니다."

"유택이한테 온 전화냐?"

최일환은 당황한 얼굴빛을 감추며 인자한 얼굴로 담담하게 물었다.

"네. 아버지가 전해달라고 하셨습니다. 대표님께 진 빚이 있다고. 저한테 대신 갚아달라고……."

정일은 태연한 표정으로 최일환을 바라보았지만, 목소리는 미세하게 떨리고 있었다. 최일환은 정일이 눈치챘음을 직감했다.

정일은 두 손으로 머리를 감싼 채 집무실 의자에 우두커니 앉아 있었다. 조경호는 믿을 수 없다는 얼굴로 정일을 내려다보았다.

"설마…… 대표님이 회장님을…… 허……."

조경호는 태백에서 최일환이 하지 못할 일은 없을 거라고 생각했지만, 살인까지 저지를 줄은 몰랐다. 정일은 길게 숨을 내뱉고 천천히 고개를 들어 조경호를 바라봤다.

"경호야, 송태곤 실장이 뒤처리를 했을 거야. 아버지 시신……."

정일은 울컥하여 잠시 숨을 골랐다.

"아버지도…… 그 사람이 모시고 있을 거다. 그날 송태곤 실장, 동선하고 행적 알아봐."

조경호는 침착하려고 애쓰는 정일을 안타까운 눈으로 바라보았다.

"정일아……."

"난…… 아버지가 남긴 일, 마무리해야지. 부탁한다, 경호야."

조경호는 정일의 마음을 알 것 같아 말없이 고개를 끄덕이고 밖으로 나갔다.

조경호가 나가고 문이 닫히자, 차분하게 있던 정일의 얼굴이 일그러졌다. 정일은 그 낡은 사무실에서 아버지와 나눈 마지막 대화를 떠올렸다.

'태백은 니한테 주꾸마. 니가 태백 주인이 되믄 진품은 니 방에 놔노꾸마. 이거는 짝퉁인데, 어떻노? 일환이한테 어울리겠제. 정일아, 미버하다가 닮는데이. 내가 너거 할아부지 얼마나 미버했는지 알제? 그칸데 봐라. 똑같이 산다 아이가. 그래도 자슥이니까 닮기는 닮아야 될 끼고, 정일아, 이 아부지, 쪼매만 미버해래이.'

"……아버지."

정일은 가슴 깊은 곳에서 새어나오는 듯 낮고 처연한 음성으로 아버지를 불러보았다. 정일은 폐부에서 치솟는 울음을 끄윽끄윽 견디다가 이윽고 터지고 말았다. 적막감이 감도는 집무실 안에 정일의 오열이 울려 퍼졌다. 지나가던 수연은 그 모습을 보고 멈춰 섰다. 수연은 자신의 불길한 예상이 맞았다는 것을 알아차리고 다리에 힘이 풀렸다.

최일환은 집무실 소파에 깊숙이 몸을 파묻고 앉아 텔레비전 뉴스를 보고 있었다. 강유택의 사진이 화면에 보이는 가운데 앵커가 뉴스를 보도하고 있었다.

―국내 최대의 방산업체인 보국산업 강유택 회장의 행방이 묘연한

가운데, 경찰은 수사 인력을 두 배로 충원했습니다. 경찰은 강유택 회장의 실종 지점인 영등포구 신길동에서 발생한 화재와의 연관성도 조사 중이라고 밝혔습니다.

그때 송태곤이 집무실 문을 박차고 안으로 들어오자, 최일환은 리모컨으로 텔레비전을 껐다.

송태곤은 최일환에게 다가오며 거칠게 항의했다.

"우리 집에 들어왔습니다. 신영주가 내 뒤를 밟고 있어요, 대표님."

송태곤은 좀전에 자신의 아파트 거실로 들어서다 멈칫했다. 하얀 대리석 바닥에 발자국 얼룩이 있었다. 그는 발자국을 보고 그길로 곧바로 최일환에게 달려왔다. 그런데 다급한 송태곤과 달리 최일환의 얼굴은 너무도 태연했다. 송태곤은 그 얼굴에 분노가 솟구치며 후회가 밀려왔다.

"그때 대표님 가시고…… 경찰에 신고하려고 했는데…… 했어야 했는데!"

송태곤은 그 사무실에서 최일환이 나간 뒤에도 한참을 충격에서 벗어나지 못한 채 강유택의 시신을 내려다보았다. 그러다 정신이 번쩍 들면서 최일환의 지시를 무시하고 경찰에 신고하려 했다. 그런데 영주가 사무실로 들어오는 바람에 결국 112 버튼을 누르지 못했다.

"신영주 그 아이가 현장에서 자네를 보면 살인범으로 의심받을지도 모른다는 생각을 했겠군. 고마운 아이야. 보답을 하고 싶은데, 자리를 마련해봐."

최일환의 여유로움을 넘어 뻔뻔한 얼굴을 보며, 송태곤은 빠져나올 수 없는 늪에 빠진 기분이었다. 송태곤은 후우 하고 낮은 한숨을 쉬며 불안과 분노가 동시에 뒤섞인 복잡한 얼굴로 최일환을 쳐다보았다. 송

64

태곤은 어쩔 수 없이 최일환의 지시에 따를 수밖에 없었다.

*

다음 날 최일환은 자신이 임대하고 있는 한강 선상 레스토랑으로 영주와 동준을 불러냈다. 세 사람은 스테이크를 앞에 두고 창가에 앉았다. 송태곤은 그들과 좀 떨어진 곳에 불만 가득한 얼굴로 혼자 앉아 있었다.

"스테이크가 괜찮아. 작년인가 대통령 순방에 동행했을 때, 프랑스 대통령궁에서 일하던 셰프를 데려왔어. 신영주라고 했지? 자네가 뭘 봤든 잊어주게."

"뭘 잊어드릴까?"

영주는 피식 웃고는 스테이크를 썰기 시작했다. 스테이크에서 붉은 피가 배어 나왔다.

"카펫을 적신 피. 쓰러진 강유택 씨. 아니면 현장에서 먼저 떠나던 최일환 씨."

영주는 스테이크 조각을 씹으며 최일환을 빤히 쳐다보았다.

최일환은 일부러 허허 하며 허세를 부렸다.

"이 레스토랑, 가끔 손님 접대를 하려고 서울시에서 임대했지. 임대 기한이 한 20년 남았나? 이 정도면 자네 모친 노후는 챙겨드릴 수 있겠지. 셰프도 자네가 데리고 쓰게."

"신영주 씨는 돈에 움직일 사람이 아닙니다."

동준은 최일환이 한심하고 답답한 듯 한마디 거들고 나섰다.

"그럼 뭐에 움직일 사람이지? 이건 어때? 내가 무너지면 정일이가 태백을 가질 거야."

그 말에 영주는 칼질을 멈추고 최일환을 쳐다보았다.

"태백의 힘으로 신창호 씨 재판을 손에 쥐고 흔들겠지. 자네 부친은 누명을 쓴 채 세상을 떠날지도 몰라. 자네 때문에."

동준은 영주를 힐긋 바라보았다. 추악하지만 충분히 가능성 있는 겁박이었다. 최일환은 영주가 살짝 동요하는 것을 눈치채고 나직한 어조로 어르기 시작했다.

"자네가 본 일, 지워만 주면 정일이는 내가 법정에 세우겠네."

영주는 뭐라 말하려다 그만두고 헛웃음을 지으며 최일환을 쳐다보았다.

"잘 계산해보게. 여기 계산은 내가 하지."

최일환은 끝까지 태연한 얼굴로 자리에서 일어났다.

송태곤이 먼저 주차된 차 앞에 가서 최일환을 기다리고 있었다. 그런데 송태곤은 평소와 달리 최일환을 똑바로 쳐다보며 차 문을 열지 않았다. 심상치 않은 분위기를 감지한 기사가 다가와 차 문을 열려 하는데, 최일환이 손으로 가볍게 제지했다. 기사는 어쩔 수 없다는 듯 먼저 차에 올랐다.

"송비서, 지금 내가 버티는 건 자네를 생각해서야."

송태곤은 이제 이런 말이 하나도 마음에 와 닿지 않았다.

"내가 무너지면 자넨 변호사 자격증도 없으니 일자리도 어려울 거고, 태백에 묻은 먼지가 자네 몸에도 묻었으니 옥살이도 할 거고, 사체 유기까지 했으니 중형을 받겠군."

송태곤은 최일환과 이미 더럽게 얽혀 있어 다른 길이 없음을 깨닫고 낮은 한숨을 내쉬었다.

"자네 인생까지 내 등에 지고 있자니…… 나도 힘들어, 송비서."

최일환이 미소를 지으며 차 문을 열라고 고갯짓하자, 송태곤은 눈을 잠시 감았다가 떴다. 그는 어쩔 수 없다는 듯 일그러진 얼굴로 최일환에게 정중히 고개 숙이고 차 문을 열었다. 최일환은 송태곤의 어깨를 가볍게 두드려주고 차에 올랐다.

동준과 영주는 저만치서 떠나는 최일환의 차를 보았다.

"최일환 대표를 잡으면 강정일이 살고, 강정일을 잡으면 최일환 대표가 살고, 딜레마군요."

동준은 난감한 표정을 지었다.

"딜레마였겠네. 원칙대로 재판을 했으면 이동준 씨는 재임용도 탈락하고 구속까지 됐을 거고, 청부 재판을 하면 태백의 사위가 되는 건데. 다시 그 상황에 서면 이동준 씨는 어떻게 할까?"

동준은 솔직히 그 상황으로 돌라간다면 어떻게 할지 아직도 확신이 없었다.

"딜레마를 벗어나는 방법은 간단해요. 원칙대로 해요. 내가 목격한 것. 세상 사람들도 목격하게 만들어야죠."

영주는 단 한 번도 흔들린 적 없는 마음의 답이 있는 듯 자신 있게 말했다.

"송태곤 비서실장의 당일 행적, 계속 추적합시다."

동준도 결심이 선 듯 고개를 끄덕이며 말했다.

"강유택의 시신을 찾으면 끝나요, 이동준 씨."

두 사람은 한강변에 서서 결연한 각오를 다지며 서로를 바라보았다.

*

"송태곤 실장은 회장님이 실종된 당일도 퇴근하고 바로 집에 갔더

라. 이후에도 일정이 다 확인이 돼요. 시신을 유기하고 매장할 시간이 안 나온다. 정일아, 우리 형사 범죄학 시간에 배웠잖아. 범인은 시신을 빠른 시간 내에 처리하려고 한다는데…… 왜…….”

조경호는 정일의 집무실 소파에 앉아 뭔가 아귀가 안 맞는 듯 답답한 표정을 지었다.

“누군가의 눈 때문에 처리를 못하고 있을지도.”

정일은 깊은 생각에 잠긴 얼굴로 머릿속에서 아버지의 죽음과 관련된 퍼즐을 맞추고 있었다.

“그래. 정일아, 내가 송태곤 실장 뒤를 캐다 보니까 앞서간 사람이 있더라. 나보다 꼭 한 발 먼저.”

“누구야?”

정일은 살짝 기대 섞인 얼굴로 조경호를 바라보았다.

“그야 모르지. 일단 송태곤 실장 차량부터 확인해볼게.”

조경호는 나가려다 뒤돌아 정일의 이름을 나지막하게 불렀다.

“정일아…….”

“경호야, 아버지 찾아서 엄마 옆에 모시게 도와줘. 그게 네가 해줄 수 있는 위로야.”

조경호는 그 말에 울컥하는 마음을 누르며 짧게 대답하고 밖으로 나갔다.

“……어.”

정일은 아직도 믿기지 않는 듯 마른세수를 했다. 그의 눈이 붉게 충혈되어 있었다.

조경호는 지하 주차장으로 내려가 송태곤의 차량을 향해 걸어가다 멈칫하며 벽 뒤에 숨었다. 차량을 향해 먼저 다가가는 사람이 있었다.

조경호는 놀란 눈으로 그들을 보았다. 영주와 노기용이었다. 차량 앞에 멈춰 선 두 사람은 잠시 주위를 둘러보더니, 노기용이 도구를 이용해 차 문을 땄다. 순간 차량 경보음이 요란하게 울렸다. 영주는 보안요원들이 오기 전에 다급하게 트렁크 문을 열었지만 기대했던 바와 달리 트렁크는 텅 비어 있었다. 경보음 소리를 듣고 보안요원들이 달려왔다. 영주는 인상을 찌푸린 채 트렁크를 닫고 노기용과 함께 다급히 몸을 피했다. 달려온 보안요원들은 주변을 둘러보았지만 이미 아무도 없었다. 조경호는 벽 뒤에 숨어 의문 가득한 얼굴로 이 광경을 보고 있었다.

수연과 최일환은 집무실 소파에 앉아 서로의 얼굴을 묵묵히 바라보고 있었다.

"알고 싶은 게 많겠지. 물어봐라. 아비가 강유택을 어떻게 했는지."

최일환의 목소리는 의외로 따뜻하고 차분했다. 수연은 젖은 눈으로 고개를 가로저었다.

"나한테 묻고 있어. 나 때문에…… 아빠 손에 피가 묻었는데……. 어떡하지. 보고만 있어도 되나. 내가…… 닦아줘야 하나……."

수연의 눈빛이 처연했다. 최일환은 딸의 마음과 갈등이 느껴져 가슴이 아팠다.

"수연아……."

그때 집무실 문이 벌컥 열리면서 송태곤이 달려 들어왔다.

"신영주가 차량까지 확인하고 있습니다, 대표님. 처리를 서둘러야 할 것 같습니다."

송태곤의 얼굴에 불안한 기색이 역력했다.

"신영주, 그 아이를 현장에서 목격한 사람이 있다고 했지?"

최일환은 인상을 살짝 찌푸리며 귀찮은 듯 송태곤을 쳐다보았다.

"건물 청소하는 분입니다. 언제든 진술할 수 있도록 준비 중입니다. 강정일도 제 행적을 추적 중입니다, 대표님."

"신영주가 무너지면 정일이도 같이 무너질 거야. 내가 그림을 그려놓지."

최일환의 눈빛이 뭔가를 결심한 듯 단호했다.

*

노트북 화면에는 태백 지하 주차장에 차를 주차하고 내린 송태곤이 굳은 얼굴로 트렁크를 연 뒤 그 안을 잠시 들여다보는 모습이 찍혀 있었다. 송태곤은 머리를 쥐어뜯으며 깊은 한숨을 내쉬더니 트렁크를 닫고 저만치 걸어갔다.

한밤중에 동준의 집무실에 모인 동준과 영주, 노기용은 소파에 앉아 테이블 위에 놓인 노트북으로 동영상을 보고 있었다.

"몇 번이나 확인했어요. 강유택이 살해당한 당일 저녁 지하 주차장 CCTV화면이에요. 외부에서 들어온 송태곤은 차량 트렁크를 확인했어요. 저 안에 시신이 있었을 텐데. 다른 곳으로 옮길 시간도 없었을 텐데……."

순간 영주는 그 화면에서 얼핏 뭔가를 본 듯 눈이 커졌다.

"줌인해요, 줌인."

동준은 마우스를 클릭해서 차량 번호만 보일 때까지 화면을 줌인했다. 노트북 화면에 보이는 번호는 '4562'였다. 영주는 그 화면을 보며 노기용이 열었던 차의 번호를 떠올렸다. 그 차는 '3910'이었다.

"차량이 바뀌었어요. 그날 이후로 송태곤은 다른 차량으로 운행 중이에요."

영주는 이제야 의문이 풀린 얼굴이었다.

"기용아, 송태곤이 사건 당일 운행했던 4562는 공용 차량이야. 지금 어디에 있는지 배차팀에 확인해봐."

노기용은 고개를 끄덕이고 일어나 다급히 어디론가 전화를 걸었다.

"4562. 그 차량 안에 시신이 있는 게 확실하군요. 우리 추적을 피해 시신을 처리할 시간이 없었으니까."

영주는 노트북 화면 속 송태곤의 얼굴을 보며 생각에 잠겼다.

"4562 차량은요, 그날 송태곤 실장이 퇴근할 때 타고 나가서 아직 안 들어왔다는데요."

노기용이 전화를 끊고 다가오며 다급하게 말했다.

"퇴근할 때 타고 나갔는데 그 차량은 사라졌다. 그날 송태곤은 10시에 퇴근했어, 아파트에 도착한 시간은 11시야. 가는 동선 어딘가에 차량을 은닉했을 거야."

동준은 일어나 뭔가 생각날 듯 말 듯한 얼굴로 집무실 안을 서성이며 상황을 정리하려 애썼다. 영주는 동준의 얘기를 한쪽으로 흘려들으며 송태곤의 스틸 사진을 뚫어지게 보다가 빙그레 웃었다.

"송태곤. 검사 시절에 형사부였다고 했나? 범죄 수법은 아주 잘 알겠네, 나처럼."

동준은 무슨 말인지 이해가 안 가는 표정이었다.

"마약 조직들이 거래 전에 경찰 수색을 피해서 마약이 든 차량을 보관하는 방법이 있어요. 국가에 잠시 맡겨두는 거죠."

동준은 전혀 납득이 안 된다는 얼굴로 영주를 보았다. 영주는 노트북 키보드를 쳐서 견인차량 조회 사이트 들어가 차량 번호 '28소 4562'

를 입력했다. 잠시 검색 중이라는 메시지가 뜨더니, '4562. 견인 조치. 보관 중. 보관 장소: 한강 견인차량 보관소'라고 화면에 떴다.

영주와 동준은 동시에 옅은 미소를 지었다.

영주는 노기용과 함께 곧바로 한강 견인차량 보관소로 달려갔다.

그 시각에 송태곤은 한강 견인차량 보관소 사무실에서 과태료와 견인료를 정산하고 있었다. 정산을 마친 송태곤은 차량으로 다가가 주변을 살핀 뒤, 심호흡을 하고 트렁크를 열어 그 안에 있는 대형 가방을 들여다보았다. 그는 마치 울 것처럼 잠시 얼굴이 일그러졌다가 트렁크를 쾅 하고 닫았다. 그는 착잡한 표정으로 운전석에 올라 차를 출발시켰다. 송태곤이 탄 차가 견인차량 보관소 앞을 빠져 나오는데, 맞은편에서 영주가 운전하는 차가 스쳐 지나갔다. 영주는 송태곤의 차를 발견하고 그 자리에서 유턴해 그 차를 뒤쫓았다.

동준은 집무실에서 영주의 연락을 기다리며 생각에 잠겨 있었다. 그는 소파에 앉은 채 생각에 잠겨 있다가 문득 묵음으로 켜져 있는 텔레비전 화면을 보았다. 그런데 뉴스 화면에 영주의 사진과 함께 '강유택 회장 실종 사건 용의자 신영주'라는 자막이 보였다. 동준은 화들짝 놀라 리모컨으로 볼륨을 높였다.

─보국산업 강유택 회장의 실종 사건을 수사 중인 경찰은 전직 경찰 신영주 씨를 유력한 용의자로 보고 수사망을 좁혀가고 있습니다. 신영주 씨는 실종 당일 강유택 회장이 머물던 사무실에 침입했으며, 목격자도 있는 것으로 알려졌습니다.

동준은 보도 내용을 들으며 소스라치게 놀란 얼굴로 영주에게 전화를 걸었다.

송태곤은 음주 단속에 응하려 운전석 창을 내리다가 룸미러를 흘깃

보는 순간 멈칫했다. 룸미러로 영주의 모습이 보였다. 송태곤은 잠시 인상을 찌푸렸다가 뭔가가 떠오른 듯 비릿한 미소를 지었다. 영주는 차에 앉아 음주 단속에 응하고 있는 송태곤의 모습을 보고 있었다. 그 때 영주의 휴대폰이 울렸다. 영주는 발신자가 동준인 걸 알고 전화를 받았다.

―텔레비전 켜봐요. 어서요.

동준의 목소리가 몹시 다급했다. 영주가 차량용 DMB TV를 켜는 데, 화면에 인터뷰를 하는 어떤 청소부 아주머니의 얼굴이 나왔다. 그 아주머니는 기자가 내미는 영주의 사진을 보며 말했다.

―이 사람 맞아요. 그 사무실에는 드나드는 사람이 없어서요. 희한 하다 싶어서 내가 몇 번을 봤어요.

―경찰은 신영주 씨에 대한 긴급 수배령을 내리고, 조기에 체포할 수 있도록 최선을 다할 것이라고 밝혔습니다.

영주와 노기용은 뉴스 앵커의 말에 소스라치게 놀라며 잠시 정신이 나간 표정으로 멍하니 있었다.

―어서 피해요. 휴대폰은 끄고. 위치 추적이 될 겁니다. 연락은 기용 이 통해서 해요. 어서요.

휴대폰에서 동준의 목소리가 들려오자 영주는 그제야 정신이 돌아 왔다. 그때 영주의 눈에 음주 단속을 마친 송태곤이 경찰에게 뭔가 속 삭이는 모습이 보였다. 송태곤의 차가 출발하자, 경찰이 영주의 차를 보며 어딘가로 무전을 했다. 그러자 주변 경찰들이 모여들며 영주의 차로 천천히 다가왔다. 경찰들과 거리가 점점 좁혀지자 영주는 어쩔 수 없다는 듯 입술을 깨물고 유턴해서 전속력으로 도망쳤다. 그 모습 을 보고 다급히 경찰차에 올라탄 경찰들은 영주의 차를 맹렬히 뒤쫓기 시작했다.

영주는 후미진 골목으로 접어들자 미등까지 끄고 숨듯이 차를 주차시켰다. 경찰차가 저만치 사이렌을 울리며 대로를 지나가는 모습이 보였다. 사이렌 소리가 점점 멀어지자, 영주와 노기용은 안도의 한숨을 내쉬었다. 영주의 얼굴이 당황과 분노로 벌겋게 달아올랐다.

4

"신영주 씨는 유택이 아저씨를 해칠 이유가 없어요……. 경찰에서도 살해 동기를 못 찾으면, 아빠……."

수연의 걱정과 달리 최일환은 빙그레 웃었다.

"범행 동기 중에 가장 큰 건 복수야. 수천 년 전에도 그랬고 지금도 그렇다."

수연은 의미를 모르겠다는 얼굴로 최일환을 바라보았다.

"정일이가 신창호한테 누명을 씌웠지. 신창호는 죽어가고 있다. 그래서 신창호의 딸이 강정일의 아버지를 살해한 거야."

수연은 자신도 모르게 심호흡을 했다. 아빠가 이런 그림을 그릴 거라고는 상상도 못했다.

"아버지를 잃은 딸이 범인의 아버지를 살해했어. 누구나 믿을 거다."

수연은 최일환의 계획에 혀를 내둘렀다. 최일환이 아니라면 누구도 쉽게 생각해내지 못할 방법이었다.

영주와 통화를 마친 동준은 서둘러 요양원으로 달려갔다. 신창호가 이 뉴스를 보지 못하게 해야 했다. 동준이 신창호의 병실로 다급하게 달려 들어가는데, 묵음의 텔레비전 뉴스 화면에 영주와 관련된 뉴스가 나오고 있었다. 동준은 난감한 표정을 지으며 안으로 들어갔다. 조연화가 안절부절못하는 얼굴로 신창호의 곁을 지키고 있었다.

"판…… 사님…… 콜록콜록."

신창호가 하얗게 질린 얼굴로 동준에게 무슨 말을 하려 하는데 기침이 나기 시작했다.

"영주가 전화가 안 돼요. 휴대폰도 안 받고 문자에 답도 없어요."

조연화는 신창호의 등을 쓰다듬어 기침을 진정시키려 애쓰며 걱정스럽게 말했다.

동준은 안쓰러운 표정으로 신창호에게 다가갔다.

"신영주 씨 문제, 금방 해결될 겁니다. 작은 오해가 있어서요."

동준은 신창호를 안심시키려 했지만, 그는 그 말을 믿지 않았다.

"나도…… 낚시터에서 경찰들이 붙잡았을 때 작은 오해라고 생각…… 했습니다. 금방 해결될 줄 알았는……."

잠시 잦아들던 기침이 다시 심해지더니 신창호는 각혈을 했다. 조연화는 각혈을 닦아내고 기침을 진정시키려 했지만 기침은 점점 더 심해지며 멈추지 않았다. 그때 노기용에게 전화가 왔다. 동준은 당황한 얼굴로 전화를 받았다.

—이동준 씨, 요양원에 도착했죠? 아빠랑 통화하고 싶어요.

휴대폰 너머에서 영주의 목소리가 들렸다. 동준은 그 목소리를 들으며 난감한 표정으로 신창호를 바라보았다. 신창호는 숨이 넘어갈 듯 기침하며 계속 각혈을 쏟아냈다. 동준은 전화를 끊고 다급히 119에 전화를 걸었다.

　잠시 후 신창호는 구급차에 실렸다. 모든 피가 몸에서 빠져나가버린 듯 그의 얼굴은 백지장처럼 창백했다. 동준은 그런 신창호를 애잔한 눈으로 보며 영주와 통화했다.

　"지금 병원으로 모실 겁니다."

　구급차 근처에서 서성이면서 전화를 하던 동준은 뭔가 이상한 낌새를 눈치채고 주위를 둘러보다 멈칫했다. 경찰들이 근처에 차를 주차해두고 잠복하고 있었다.

　"여기 오면 안 돼요, 신영주 씨. 경찰들이 있어요."

　요양원까지 들이닥친 경찰들을 보며 동준은 영주가 얼마나 버틸 수 있을지 걱정되었다. 신창호를 태운 구급차가 출발하자 동준은 곧바로 그 뒤를 쫓아 한강병원으로 향했다.

　구급차가 한강병원에 도착하자, 조연화는 구급대원들과 함께 병상을 안으로 옮겼다. 그 모습을 지켜보던 형사들은 병상이 안으로 들어가자 차에서 내려 주변을 둘러보며 그 뒤를 따랐다.

　영주는 조금 떨어진 곳에 주차하고 차 안에서 이 모든 상황을 지켜보고 있었다. 영주는 도저히 참을 수 없어 차에서 내리려 했다. 순간 옆에 앉은 노기용이 영주의 팔을 잡으며 고개를 가로저었다. 저 안으로 들어간다면 단박에 형사들에게 잡힐 게 불 보듯 뻔했다.

　"……아빠를 봐야겠어. 정말…… 보고 싶다."

　영주는 간절한 눈빛으로 노기용을 쳐다보더니 차에서 내렸다. 노기용은 차마 영주를 말릴 수가 없었다. 영주가 잡힌다면 아마 이게 마지막 만남일 수도 있겠다는 생각이 들었다. 차에서 내린 영주는 구급차 근처로 갔다. 차 안에는 아무도 없었다. 열린 문으로 조수석을 힐긋 보니, 구

77

급대원이 두고 내린 점퍼와 바닥에 떨어진 구급대원 모자가 보였다.

신창호는 병상에 실린 채 조연화와 구급대원들의 호위를 받으며 한강병원 복도를 지나갔다. 형사들은 주변을 둘러보며 그 뒤를 따라갔다. 그때 맞은편에서 구급대원 점퍼를 입은 한 사람이 걸어왔다. 신창호는 호흡기를 댄 채 힘겨운 호흡을 하다가 걸어오는 그 사람과 눈이 마주쳤다. 순간 신창호는 그 사람이 영주라는 것을 알아차렸다. 병상에 누운 신창호와 영주는 누구도 눈치채지 못하게 눈빛을 서로 교환하며 지나쳐갔다. 영주의 손과 신창호의 손이 아주 짧은 순간 스쳤다. 신창호는 먹먹한 눈으로 영주의 뒷모습을 바라보았다. 영주는 모자를 푹 눌러쓴 채 병상의 뒤를 따르는 형사들 옆을 지나갔다. 형사들을 지나치고 나서야 영주는 뒤를 돌아 멀어지는 아버지의 병상을 바라보았다. 그런데 병상 위의 신창호를 보는 순간 영주는 이상하게도 마음 한구석을 칼로 도려내는 듯한 통증을 느꼈다. 왠지 다시는 아버지를 볼 수 없을 것 같은 불길한 예감이 영주를 휘감았다.

"재판에 딸 문제까지 겹쳐서 그런가. 종양이 전이 속도가 빨라. 한 달 넘기기가 힘들 것 같다."

이호범은 한강병원 원장실 소파에 앉아 신창호의 검사 기록 차트를 들여다보고 있었다. 이호범은 방법이 없다는 듯 고개를 가로저으며 차트를 내려놓고 앞에 앉은 동준을 바라봤다.

"동준아, 세무조사 말이다."

"사람이 죽어가고 있습니다."

동준은 죽어가는 신창호를 두고 세무조사 운운하는 이호범에게 환멸을 느꼈다.

"네가 죽는 건 아니잖아. 세무조사 강도가 세다. 성형센터도 무산될 것 같아. 이런 식으로 가면 한강병원이 위험해. 동준아, 네가…….."

"내가 위험한 건 아니잖아요, 아버지."

그 말에 이호범은 멈칫했다. 이호범은 비아냥거리는 아들을 보며 조금 억울하다는 생각이 들었다. 자신은 모든 것을 버리고 한강병원을 택했다. 동준에게는 잃었던 신념을 되찾는 것이 삶의 이유겠지만, 이호범은 한강병원을 지키는 것이 삶의 이유였다. 한강병원은 이호범에게 생명과도 같았다. 한강병원이 무너져 내리는 것은 이호범의 생명이 꺼지는 것이나 다름없었다.

*

태백 로비의 세 방향에서 최일환, 정일, 동준이 각각 출근하고 있었다. 최일환은 수연을 비롯해 황보연과 송태곤을 대동하고 로비를 걷고 있었다.

"경찰청장 그 친구, 지난 청문회 통과할 때 내가 문을 열어줬어. 신영주 그 아이, 하루 이틀 안 넘기고 잡힐 거야."

최일환은 수연을 안심시키려 했다. 그때 맞은편에서 정일과 조경호가 걸어오는 모습이 보였다.

"목격자까지 나왔어. 현장에 신영주가 있었던 건 분명해."

"뭔가를 봤을 거야. 그래서 용의자로 몰려고 하는 거겠지."

정일은 분명 최일환이 모든 인맥을 총동원해 사건을 조작할 거라 확신했다.

동준은 휴대폰으로 통화를 하며 걸어오다 저만치 다가오는 최일환과 정일을 보고 걸음을 멈췄다.

79

"신창호 씨는 응급조치를 마치고 요양원으로 옮겼어요. 신영주 씨, 움직이지 말아요. 경찰 병력이 두 배로 충원……."

동시에 각각의 곳에서 걸어오던 최일환과 정일 일행도 걸음을 멈췄다. 세 사람은 그 자리에 멈춰 잠시 서로를 바라보았다. 이윽고 동준과 정일은 최일환에게 고개 숙여 정중히 인사했다.

"수고가 많군. 애들 쓰게."

최일환은 인자한 인상과 달리 비웃는 듯한 미소를 지으며 동준과 정일의 사이를 스쳐 지나갔다. 동준은 최일환의 뒷모습을, 정일은 그런 동준의 뒷모습을 바라보았다.

동준은 로비에서 만났던 최일환의 얼굴을 떠올리며 걱정스런 얼굴로 소파에 앉아 있었다. 겉으로는 여유로워 보였지만 최일환은 일을 서두르고 있었다. 동준이 머리가 복잡한 듯 얼굴을 찡그리며 한숨을 쉬는데, 정일이 집무실 안으로 들어왔다.

"고등학교 국사 시간에 배운 게 기억나네요. 신라하고 백제가 손을 잡으면 나제 동맹, 고구려와 백제가 손을 잡으면 여제 동맹. 지금 태백도 삼국시대인가."

정일은 동준의 집무실 소파에 앉으며 농담을 던졌다.

"아버지를 찾고 있습니다. 어머니 옆에…… 모실 겁니다. 신영주 씨가 뭔가를 본 것 같은데. 알고 싶습니다."

"나도 알고 싶은 게 있습니다."

정일은 말해보라는 듯 손짓했다.

"낚시터에서 강정일 씨가 한 짓이 뭔지, 백상구는 지금 어디에 있는지……."

80

그 물음에 정일이 미간을 살짝 찌푸렸다.

"고해성사를 하려면 같이 해야죠."

동준의 말에 정일은 후우 낮은 한숨을 쉬었다.

"신영주 씨가 위험합니다. 먼저 구해야죠."

"악마를 잡겠다고 괴물의 손을 잡을 수 있나."

동준은 정일을 살짝 비아냥거렸다.

"참, 아버님 일은 안타깝게 생각합니다, 강정일 씨."

동준은 좀전의 비아냥거리는 듯한 얼굴을 지우고 진심을 담아 정일을 위로했다. 하지만 정일은 동준의 말이 마음에 와 닿지 않는지 살짝 뒤틀린 얼굴이었다.

한편 수연은 복도를 지나가다 동준의 집무실 안을 들여다보았다. 집무실 안에는 동준과 정일이 소파에 마주 앉아 서로를 바라보고 있었다. 수연은 그 두 사람을 보며 일을 서둘러야 한다는 생각에 자신의 집무실로 다급히 들어갔다.

"백상구의 수하들을 접촉하고 있습니다. 우리가 백상구를 확보하면……."

황보연은 수연의 책상 앞에 서서 백상구와 관련해 보고를 했다. 그때 휴대폰이 울리자 황보연은 돌아서서 통화를 하더니 환한 얼굴로 전화를 끊었다.

"백상구 은신처 알아냈습니다. 양평에 있는……."

"별장이겠네. 오빠하고 자주 갔었는데."

양평이라는 말에 수연은 어딘지 바로 알아차렸다. 몇 년 만나는 동안 정일에 대해 모르는 게 없었다는 사실을 깨닫고 씁쓸하게 웃었다.

수연은 황보연을 대동하고 곧바로 정일의 별장으로 향했다. 황보연은 운전하고 가는 내내 걱정스런 마음을 지울 수가 없었다.

"이건 위험해요. 백상구의 수하들은 강정일 팀장이 매수했습니다. 지금이라도 보안팀에 신변 보호 요청을……."

"내 신변을 보호해주는 건 돈이야. 그 사람들이 거부할 수 없는 제안을 할 거야."

수연은 보안팀을 부르는 건 쓸데없는 짓이라는 표정으로 황보연에게 통장을 건넸다. 황보연은 통장을 열어보고, 그 엄청난 액수에 입을 다물지 못했다. 황보연은 수연의 말처럼 통장에 적힌 금액이 보안팀보다 더 안전할 것 같다는 생각이 들었다. 황보연은 더 이상 아무 말도 하지 않고 별장까지 운전했다.

별장 앞에서 차가 멈추자 황보연이 운전석에서 내려 차 문을 열었다. 수연은 조금 긴장한 얼굴로 차에서 내려 별장 계단을 천천히 올라갔다. 수연이 벨을 누르기 전에 심호흡을 한 번 크게 하는데, 별장 문이 스르르 열렸다. 순간 수연의 얼굴이 화석처럼 굳었다. 정일이 문 앞에서 미소를 띠고 수연을 바라보았다.

정일과 수연은 거실 소파에 마주 앉았다. 정일이 각자 앞에 놓인 잔에 와인을 따르자 병은 바닥을 드러냈다. 그 모습을 지켜보다 수연은 쓸쓸하게 정일을 바라봤다.

"작년 크리스마스 때 오빠랑 여기서 보냈었지. 이건 그때 남은 와인이고. 우리 사이에 아직 비울 게 남았었네."

"신영주 씨가 그런 말을 했어. 피를 왜 속이지? 후……. 최일환의 딸 최수연."

수연은 자신을 바라보는 정일에게 밀리지 않고, 잔을 들어 가볍게 건배를 권했다.

"백상구는 내가 찾아낼 거야. 내 증언 동영상에 백상구 그 사람까지 증언하면 오빠는……."

정일은 수연의 말에 답하듯 가볍게 건배를 권했다.

"못 찾아. 멀리 보냈거든. 수연이 네 손이 안 닿는 곳으로."

정일은 배 안에 생선을 보관하는 푸른색 좁은 공간에 갇혀 벽을 두드리며 고래고래 소리치는 백상구의 모습을 잠시 상상했다.

"백상구가 무슨 말을 하든 너한테 안 들리는 곳으로."

정일은 와인을 다 마시고 잔을 내려놓으며 부드럽게 물었다.

"수연아, 아버지 어디에 계셔?"

순간 수연은 흠칫 놀랐지만, 마땅히 둘러댈 말이 떠오르지 않아 입을 다문 채 와인 잔을 비웠다.

"내가 찾아내야지. 우리가 비운 와인. 이 빈 병을 뭘로 채울까? 수연이 너의 눈물?"

정일은 그건 아니라는 듯 고개를 가로저었다.

"최일환 대표의 피? 그게 낫겠네."

수연은 서늘한 표정으로 자신을 보며 웃고 있는 정일을 두려운 눈빛으로 바라보았다.

*

별장에서 돌아오는 내내 수연의 얼굴은 돌처럼 굳어 있었다. 정일의 반격이 만만치 않을 것 같았다. 정일의 눈빛은 섬뜩했다. 수연은 답답한 마음으로 복도를 지나 자신의 집무실로 들어가려다가 불현듯 동준의 집무실을 돌아보았다. 동준은 소파에 앉아 심각한 얼굴로 테이블에 펼쳐놓은 뭔가를 보고 있었다. 수연은 잠시 생각하더니, 동준의 집무실 문을 열고 들어갔다. 갑작스런 수연의 방문에 동준은 보고 있던 송태곤 비서실장의 일정표를 엎어서 옆으로 치웠다.

"전화 한 통으로 국무총리를 부를 수도 있어요. 청와대는 보안 손님으로 언제든 출입할 수 있고. 내 옆에 있으면 이동준 씨는 그렇게 살 수 있는데."

동준을 탐색하러 온 수연은 별 의미 없는 말들을 내뱉으며 소파에 앉았다.

"벌은 충분히 받았어. 당신하고 같은 방에서 보낸 시간. 나한텐 벌이야. 그럼 이만."

동준은 더 이상 수연을 상대할 의미가 없다는 듯 차분하게 나가라는 손짓을 했다.

"부부 사이에 대화가 좀 필요하지 않나?"

수연은 좀더 동준의 동향을 파악할 생각으로 말을 이어갔다.

"부부 사이에도 각자의 시간은 필요하지."

동준은 수연이 말을 더 이상 이어가지 못하게 쐐기를 박아버렸다. 그때 테이블 위에 놓여 있던 동준의 휴대폰이 울렸다. 동준은 수연을 의식하며 전화를 받았다.

―이동준 씨, 만나요. 계획이 있어요.

영주의 목소리에 동준은 수연을 힐끗 쳐다보고는 담담한 목소리로 통화를 했다.

"그래, 엄마. 며칠 안에 들를게."

수연이 어딘가 어색한 동준의 모습을 의미심장하게 보며 일어나는데, 소파 옆에 놓인 종이 가방이 보였다. 그 안을 살짝 들여다보니, 티

셔츠 등 가벼운 여자 옷이 들어 있었다. 수연은 통화하고 있는 동준을 잠시 쳐다보다 천천히 밖으로 나갔다.

동준은 집무실에 있던 종이 가방을 들고 조심스럽게 한강변 풀숲으로 들어섰다. 저만치서 주변을 경계하듯 둘러보며 서 있던 노기용이 동준을 발견하고 다가와 인사했다. 동준은 긴장한 얼굴로 살짝 고개를 끄덕이고, 한강을 보고 선 영주에게 다가갔다.

"기다리면서 잠깐 졸았어요. 어릴 때 아빠가 만들어준 연이 있는데, 그 연이 실이 끊어져서 멀리 날아가는 꿈을 꿨어요. 아빠……."

영주는 매우 불길한 꿈이라고 생각했다. 그녀는 조금은 불안한 얼굴로 동준을 바라보았다.

"안 좋아요. 한 달…… 넘기기 힘드실 것 같다고…….."

예상했던 일이지만 막상 듣고 나니 영주는 가슴이 철렁했다. 그녀는 애써 괜찮은 척하려고 어색한 미소를 지었다.

"솔직해서 좋네."

영주는 말은 그렇게 했지만, 뭔가가 울컥하고 올라오자 한강을 보며 몸속에 바람을 집어넣듯 심호흡을 했다. 영주는 마음을 겨우 진정시키고 다시 사무적인 얼굴로 동준에게 물었다.

"송태곤의 동선 확인했죠?"

"견인차량 보관소에서 4562 차량으로 이동한 그날도 송태곤은 한 시간 뒤에 아파트로 돌아갔습니다. 시신 매장은 못한 것 같아요. 이후 일정도 다 확인했어요. 아직 강유택의 시신은 4562 차량 트렁크 안에 있을 겁니다."

"내가 잡히면 우리 추적도 끝이 날 테니까. 그 뒤에 시신을 유기할 생각이겠죠. 이동준 씨, 내 계획은 이래요. 송태곤이 4562 차량을 움직이게 만들 거예요."

그때 한강변에 주차된 영주의 차량 옆으로 차 한 대가 스르르 와서 멈췄다. 잠시 후 그 차에서 검은 옷을 머리까지 뒤집어쓴 건장한 남자가 내렸다. 뒤집어쓴 옷 때문에 얼굴은 잘 보이지 않았다. 그 남자는 저 멀리 있는 동준과 영주를 조용히 바라봤다.

"4562 차량, 경찰에 도난 신고를 해요. 차량 안에 수억대의 귀중품이 들어 있었다고 보험사에 말해요. 그럼 긴급 사항으로 처리해서 도난 차량을 집중 수색할 거예요."

동준은 이제야 영주의 계획을 알 것 같았다.

"그럼 송태곤이 4562 차량을 움직여서……."

"시신을 처리하겠죠. 그때 내가 움직일 거예요."

"아뇨. 내가 움직일 겁니다. 신영주 씨는 수배 중입니다. 위험해요."

동준은 더 이상 영주를 위험에 빠뜨릴 수 없었다.

"안전한 적이 있었나, 나한테."

영주는 지금 자신과 함께하는 건 앞에 선 동준뿐이라는 생각에 살짝 투정 부리듯 말했다. 그 말에 동준은 깊이 심호흡을 하고 살짝 격정적인 목소리로 소리쳤다.

"그러다 당신이 잡히면, 신창호 씨가 떠나면, 난!"

동준은 뒷말을 더 잇지 못하고 강을 향해 돌아서며 호흡과 마음을 고르려 애썼다.

"신영주 씨 당분간 지낼 곳 준비했어요. 숨어 있어요. 내가……."

"고마워요."

영주는 동준이 말이 채 끝나기도 전에 자신도 모르게 진심이 새어나왔다. 동준은 그 말에 멈칫하며 영주를 보았다. 두 사람은 서로를 보는 눈빛을 통해 마음이 서로에게 닿고 있다는 것을 어렴풋이 깨달았다. 순간 영주는 어색한 표정을 지으며 동준이 들고 있던 종이 가방을 챙겼다.

"나 갈아입으라고 챙겨왔나? 옷 고르는 안목은 있네."

영주는 동준의 시선과 마음이 조금 쑥스러운 듯 돌려 말했다.

"나 태어날 때 난산이었대요. 엄마가 조산원에서 애쓰는 동안 열 시간 넘게 아빠는 산실 밖에서 기도했대요. 우리 아빠, 나 그렇게 마중했어요. 그래서요……, 이동준 씨. 아빠 가는 길, 내가 꼭…….."

영주는 잠시 감정을 추스르는 듯 말을 멈췄다

"……배웅해야겠어요. 서둘러줘요."

동준은 애잔한 얼굴로 영주를 보며 고개를 끄덕였다.

"기용이는 데려가요. 문제가 생겨도 나 혼자 다쳐야죠. 옷은 잘 입을게요."

영주는 동준에게 가볍게 웃어 보이고 자신의 차가 있는 쪽으로 향했다. 동준은 그런 영주를 안타까운 얼굴로 한참을 바라보았다.

"이동준이 4562 차량을 경찰에 도난 신고했습니다. 보험 회사는 피해액이 크다고 보는지 집중 수색을 요구하고 있습니다."

송태곤은 집무실 소파에 앉아 있는 최일환에게 업무 보고하듯 상황을 설명했다.

"그림을 마무리해야겠군."

최일환은 자신이 생각했던 방향으로 영주가 움직이자 흡족한 미소를 지었다.

하지만 송태곤은 아직 마음이 불편한 얼굴로 최일환을 쳐다보았다. 최일환은 그 시선을 의식하고 부드러운 미소를 지으며 송태곤을 바라보았다.

"자네가 날 어떻게 생각하는지 알아."

최일환은 소파에서 일어나 송태곤 앞으로 다가서며 말했다.

"송비서, 좋은 사람들하곤 같이 술을 마시게. 등산도 하고, 여행도 좋겠지. 근데 말이야. 일은 나한테 꼭 필요한 사람하고 하는 거야."

송태곤 역시 그럴 수밖에 없다는 걸 누구보다 잘 알고 있었다.

"일. 시작하지."

송태곤은 낮은 한숨을 쉬며 최일환에게 고개 숙여 인사하고 밖으로 나갔다.

노기용은 서류 한 장을 들고 동준의 집무실로 뛰어 들어갔다. 그는 다급한 얼굴로 동준에게 서류를 내밀었다.

"송태곤 비서실장 오늘 일정표입니다. 확인해봤는데요. 2시에는 고문단 회의, 4시에는 법무부 장관하고 미팅이 있고요. 7시에 한강병원에서 진료를 받습니다. 이호범 원장님한테 직접 진료를⋯⋯."

"아버지는 대통령 주치의야. 총리, 장차관, 최일환 대표, 그룹 회장, 그 정도만 진료를 하는데⋯⋯ 왜 태백의 비서실장을⋯⋯."

동준은 서류를 보다 뭔가 이상하다는 걸 알아차리고 서둘러 휴대폰으로 전화를 걸었다. 화면에 뜬 이름은 '노기용'이었다.

"신영주 씨, 7시에 한강병원으로 가요. 송태곤이 나타날 겁니다. 출입 기록만 남기고 진료를 안 받을 거예요. 알리바이를 만들 생각이겠죠. 그 시간에 송태곤이 움직일 겁니다. 조심해요, 신영주 씨."

동준은 걱정 가득한 얼굴로 전화를 끊었다.

"이호범 원장님은…… 변호사님 아버지신데 여기에 왜 개입을 하셨을까요?"

노기용은 뭔가 이상하다는 듯이 동준에게 물었다. 그 이유를 모르는 건 동준도 마찬가지였다. 동준은 이 일에 아버지가 어떤 역할을 하고 있지 잘 파악이 되지 않았다.

영주는 한강병원 주차장에서 차에 탄 채 입구를 주시하고 있었다. 동준이 알려준 정보에 따르면 송태곤은 분명 이곳에 나타날 것이다. 그때 송태곤이 주차장으로 들어서면서 스마트 키를 눌렀다. 삐빅 소리와 함께 잠금이 해제되자, 송태곤은 차 문을 열고 그 안에서 작은 가방을 집어 들더니 다시 문을 닫았다. 그는 작은 가방을 들고 주차장 귀퉁이로 걸어갔다. 영주는 의아한 얼굴로 천천히 차를 몰아 송태곤의 뒤를 따랐다. 조금 걷던 송태곤은 작은 가방에서 스마트 키를 꺼내 버튼을 눌렀다. 삐빅 소리가 나면서 주차장에 있는 또 다른 차가 반응했다. 영주는 반응하는 차를 주의 깊게 살펴보았다. 그 차의 번호는 4562였다. 영주는 그 문제의 차가 한강병원 주차장에 있다는 사실에 놀랐다. 게다가 그 차 옆에 세워진 팻말에는 'VIP 주차장'이라고 쓰여 있었다. 영주는 놀란 얼굴로 송태곤을 주시했다. 그는 주위를 한번 둘러보더니 차에 올라타 출발했다. 영주는 잔뜩 긴장한 얼굴로 그 뒤를 따랐다.

동준은 최일환의 부름을 받고 그의 집무실로 가는 내내 마음이 복잡했다. 도대체 그가 무슨 일을 꾸미고 있는지, 왜 갑자기 아버지가 이 일에 관계된 건지 알 수 없었다. 동준은 표정을 감추고 집무실 안으로 들어갔다. 그 순간 동준은 소파에 앉아 있는 이호범을 보고 흠칫 놀라 그 자리에 멈춰 섰다. 그는 최일환과 수연과 함께 차를 마시고 있었다.

"세무조사 중단해주셔서 고맙다는 인사를 드리러 왔어. 온 김에 얼굴이나 보고 가라고 널 불러주셨다."

동준은 그 자리에 선 채 경멸하는 얼굴로 이호범을 쳐다보았다.

"이번에는 뭘 돕기로 했습니까? 아버지."

"내 도움이 필요한 분은 대표님이 아니지. 나를 돕는 거다. 신창호는 못 살려도 한강병원은 살려야지."

동준이 어이없다는 표정으로 이호범을 보는데 영주에게서 전화가 왔다. 동준은 자리에서 일어나 뒤돌아선 채 전화를 받았다.

—송태곤 차량 추적 중이에요. 저 앞에 경찰이 있어요.

동준은 최일환 앞이어서 뭐라 말하지는 못한 채 영주의 말을 묵묵히 듣고만 있었다. 그런데 동준은 뭔가 이상한 느낌이 들어 뒤돌아 세 사람을 쳐다보았다. 세 사람 모두 동준을 보며 비웃는 듯한 미소를 짓고 있었다.

영주는 송태곤의 차를 계속 뒤쫓고 있었다. 한적한 도로에서 사고가 났는지 경찰들이 차량을 통제하고 있었다. 송태곤의 차가 그 앞에 멈춰 섰다. 영주는 지금이 기회라고 생각했다. 영주는 경찰들이 송태곤의 트렁크를 열게 하면 모든 게 끝날 거라고 믿어 의심치 않았다.

"여기서 끝낼게요, 이동준 씨."

영주는 전화를 끊고 달리던 속도 그대로 송태곤의 차를 뒤에서 들이받았다.

쿵! 그 바람에 송태곤이 탄 차의 트렁크 문이 열려 위로 올라갔다. 경찰들이 소리를 듣고 송태곤의 차와 영주의 차를 향해 다가왔다. 한 명은 송태곤에게 다가가고 한 명은 트렁크로 가서 열린 트렁크 안을 들여다보았다. 영주는 이제 모든 게 다 끝났다는 생각에 흡족한 미소를 지었다. 그런데 경찰은 트렁크를 들여다보고는 아무렇지도 않은 듯 영주에게 다가왔다. 동시에 송태곤이 차창 밖으로 머리를 내밀고 경찰에게 뭐라고 말하는 모습이 보였다. 영주는 불길한 예감이 들었다. 동시에 영주의 차로 다가온 경찰이 잽싸게 차 문을 열면서 영주를 끌어내렸다.

"강유택 회장 실종 사건 용의자야. 차량 수색해."

송태곤 쪽에 있던 경찰이 동료들에게 소리쳤다. 순간 영주는 자신이 함정에 빠졌다는 걸 직감하며 달아나려 했지만, 경찰 서너 명이 덤벼드는 바람에 차 후방에서 붙잡히고 말았다. 동시에 경찰 한 명이 트렁크에서 영주가 쫓고 있던 대형 가방을 발견했다. 영주는 도저히 믿을 수 없다는 얼굴로 멍하니 가방을 바라보았다.

동준은 영주의 계획이 성공할 거라 확신하며 이호범에게 경고했다.

"어디까지 알고 어디까지 개입했는지는 몰라도 무사하지 못할 거예요, 아버지."

그 말에 수연이 풋 하고 웃었다.

"시신은 발견되겠죠. 신영주 씨 차 안에서."

'송태곤의 차가 아니라 영주의 차라고?'

동준은 수연의 말을 곱씹어보다 뭔가 알아차린 듯 대번에 얼굴이 사색이 되었다.

"그림은 아빠가 그렸어요. 무대는 내가 만들었죠."

수연은 여자 옷가지가 든 종이 가방을 들고 나가는 동준을 보고 바로 최일환에게 보고했다.

"신영주가 동준이를 만난다?"

"시신을 추적할 겁니다. 어떡합니까? 대표님."

송태곤이 바짝 긴장하며 물었다.

"송비서, 동준이 따라가서 유택이 그놈 넘겨주고 와."

송태곤은 최일환의 지시에 따라 영주가 한강 풀숲에서 동준을 만나는 사이 영주의 차 트렁크에 강유택의 시신이 든 대형 가방을 옮겨 실었다.

동준은 감당할 수 없는 충격으로 할 말을 잃고 말았다.

"국과수 부검의들이 다 이원장 제자라고 했던가? 앞으로도 자네 힘이 많이 필요할 거야."

'아버지의 역할이 이런 것이었다니…….'

동준은 최일환의 치밀함에 놀라움을 금치 못했다.

경찰은 영주의 차 트렁크에서 발견된 가방의 지퍼를 열었다. 제압당한 채 가방을 보던 영주는 그 가방 안의 내용물을 확인하고 충격으로 두 눈을 질끈 감았다. 눈을 감은 영주의 귀에 경찰의 무전 소리가 들려왔다.

"용의자 체포했다. 신영주를 체포했다고! 그래. 차 안에서 시신도 발견했다."

경찰들이 영주의 손에 수갑을 채웠다. 영주는 한순간에 살인 용의자가 되어 수갑이 채워진 자신의 손목을 황망한 얼굴로 하염없이 바라보았다.

5

정일과 조경호는 믿을 수 없다는 얼굴로 정일의 집무실 벽면에 걸린 텔레비전을 보고 있었다. 경찰에 끌려가는 영주의 모습이 화면에 나오고 있었다.

―강유택 회장 실종 사건의 용의자 신영주 씨가 방금 전 경찰에 체포됐습니다. 경찰은 신영주 씨의 자동차 트렁크에서 강유택 회장의 시신을 발견했다고 밝혔습니다.

정일은 "강유택 회장의 시신"이라는 말에 입술을 아프도록 깨물었다. 아버지의 죽음을 확인하는 순간이었다. 정일은 화면에 대형 가방이 보이자 헉 하고 짧은 숨을 몰아쉬었다.

그 시각에 동준은 다급하게 요양원 복도를 걸어가고 있었다. 동준은 혹시나 신창호가 수갑을 찬 영주의 모습을 봤을까봐 마음이 급했다.

동준은 병실로 들어서다 가슴이 쿵 하고 내려앉았다. 호흡기를 착용한 채 누워 있는 신창호가 믿을 수 없다는 얼굴로 뉴스를 보고 있었다.

그 옆에서 영주 엄마는 털썩 주저앉은 채 넋이 나가 있고, 조연화는 어이없는 얼굴로 머리카락을 쓸어 넘기며 뉴스를 보고 있었다. 동준은 그 가난하고 힘없고 누추한 가족을, 한때 자신이 짓밟았던 사람들을, 터질 것 같은 마음을 누르며 바라보았다.

　—신영주 씨는 김성식 기자 살인 사건으로 재판 중인 전직 기자 신창호 씨의 딸입니다. 경찰은 원한 관계에 의한 범행일 가능성에 초점을 맞추고 수사를 진행하고 있습니다. 또한 당일 밤 일어난 화재도 살해 현장을 훼손하기 위한 신영주 씨의 범행으로 보고, 추가 조사를 진행할 예정입니다.

　최일환은 자신의 침실에서 텔레비전을 보다가 무거운 얼굴로 방에 딸린 기도실로 향했다. 잠옷 차림으로 욕실에서 나온 윤정옥은 침대가 비어 있는 걸 보고 기도실로 다가가 문을 살짝 열어 안을 들여다보았다. 최일환이 기도실에서 두 손 모으고 뭐라고 중얼거리며 간절히 기도하고 있었다. 윤정옥은 최일환의 눈가에 눈물 한 방울이 흘러내리는 것을 보며 조용히 기도실 문을 닫았다.

　—시신으로 발견된 강유택 회장은 국내 방산업체의 대부로, 1980년대 이후 우리 군의 무기 현대화 사업에 헌신한 인물로 알려지고 있습니다. 급히 마련된 빈소에는 각계의 조문 행렬이 이어지고 있습니다.

　윤정옥은 침대에 앉아 뉴스를 잠시 보다가 한숨을 쉬며 리모컨으로 텔레비전을 꺼버렸다.

*

　동준은 급히 차를 몰아 경찰서로 향했다. 한시라도 빨리 대책을 세우지 않으면 영주도 신창호처럼 빠져나오지 못할 함정에 빠질 게 분명했다. 동준은 마음이 급했다. 그는 차를 주차하자마자 경찰서로 뛰어들어갔다. 취조실로 향해 걸어가는데, 맞은편에서 배계장이 비릿한 표정을 지으며 그를 막아섰다.

"아유, 이게 누구신가? 여긴 경찰서, 요긴 취조실. 일반인이 드나들 곳이 아닌데."

배계장은 취조실 앞에 서서 문을 가리키며 동준에게 돌아가라고 손을 내저었다. 동준은 단호한 얼굴로 그 손을 한 손으로 잡고 다른 한 손으로 주머니에서 꺼낸 명함을 쥐어주었다.

"신영주 씨 담당 변호사 이동준입니다."

그 말에 배계장은 인상을 살짝 찌푸리며 취조실 문을 열어주었다.

동준은 배계장을 따라 취조실로 들어서다 멈칫했다. 그는 수갑을 찬 영주의 모습을 먹먹한 눈으로 바라보았다.

"한 달 전인가. 그때 신영주를 공문서 위조로 집어넣었으면, 강유택 회장, 그 사람 목숨은 살리는 건데."

배계장이 손으로 이를 쑤시며 비아냥거렸다. 그 말에 동준은 욱했지만, 감정을 누르며 담담하게 말했다.

"피의자 인권 보호 규정부터 지킵시다. 취조 시에 포승과 수갑은 금한다. 수갑은 풀어요."

배계장은 못마땅한 표정을 지으며 영주의 수갑을 풀었다.

"자정 이후의 취조는 피의자 동의 없이는 불가능합니다. 지금 시각이 11시 50분, 10분 뒤에 유치장으로 옮겨요. 변호인으로서 오늘 취조는 동의하지 않겠습니다."

배계장은 어이없는 듯 불만 가득한 얼굴로 동준을 쳐다보았다.

"변호인과의 면담 시에 경찰의 퇴거를 요청할 수 있다."

동준은 배계장에게 나가라는 손짓을 했다.

"나가세요."

배계장은 동준을 노려보다 어쩔 수 없이 밖으로 나갔다. 배계장이 나가자 동준은 의자를 끌고 와 영주 바로 앞에 앉았다.

"내 차 트렁크에다 시신을 옮긴 건 송태곤 비서실장일 거예요."

취조실 문이 닫히자 영주가 다급한 목소리로 말했다.

"다친 데는 없어요?"

동준은 걱정스런 얼굴로 진심을 담아 다정하게 물었다. 영주는 그 따뜻한 말에, 걱정에, 잠시 말을 멈추고 동준을 보다 고개를 끄덕였다.

"언제 옮겼을까? 송태곤 실장이 시신을 옮겨 실었다는 증거만 있으면……."

동준은 자신의 손수건으로 영주의 이마에 묻은 먼지며 검댕을 말없이 닦아주었다. 영주는 먹먹한 눈으로 자신을 보며 따뜻하게 닦아주는 동준을 말없이 바라보았다. 이제야 마음이 조금 가라앉는 것 같았다. 영주는 바로 앞에, 숨결이 느껴지는 거리에 있는 동준을 보며 마음이 편안해지는 것을 느꼈다. 동준은 영주의 이마를, 볼을, 조심스런 손길로 닦아주었다.

"묵비권을 행사해요. 어떤 진술을 해도 최일환 대표 귀에 들어갈 겁니다. 왜곡하고 선제 대응할 거예요. ……부탁할 말 있으면 해요."

"……아빠가 몰랐으면 해요."

그 말에 동준은 체념한 눈으로 이미 알고 있다는 듯 고개를 가로저었다. 순간 영주는 숨이 멎을 듯 가슴에 통증을 느꼈다.

"신창호 씨는 지금 자발적인 호흡이 불가능한 상태예요. 인공호흡기를 착용하고 있습니다."

영주는 그 말의 의미를 바로 알아차렸다. 시간이 얼마 남지 않은 것이다. 영주의 손이 사시나무처럼 떨렸다. 동준은 영주의 손을 가만히 보다 꼭 잡아주었다.

"신창호 씨의 마지막 시간, 신영주 씨가 배웅하게 해드리겠습니다."

동준은 자신에게 다짐하듯 굳건한 표정으로 영주를 바라보았다. 그때 배계장이 형사들을 데리고 들어왔다. 동준은 맞잡은 영주의 손을 놓아주었다.

"유치장으로 잘 모셔드려라."

배계장의 지시에 형사들이 영주에게 다가갔다. 동준은 영주의 귀에 입을 대고 귓속말을 했다.

"날 믿어요."

영주는 고개를 끄덕였다. 두 사람은 서로를 깊이 신뢰하는 눈빛으로 애틋하게 바라봤다.

*

각계각층에서 조문 온 사람들로 북적이는 강유택의 장례식장 입구에 검은색 승용차 몇 대가 연이어 도착했다. 선두에 있는 차에서 송태곤이 내려 뒷좌석 문을 열자, 최일환과 수연이 굳은 표정으로 내렸다. 최일환과 수연은 짧게 심호흡을 한 뒤 장례식장으로 들어갔다. 그들 앞에는 대형 조화를 양쪽에서 든 두 비서가 절도 있게 걸어가고 있었다. 압도적인 규모의 조화에 '근조. 태백 대표 최일환'이라고 적혀 있었다. 그 조화에 이어 수연과 최일환이 걸어가고, 송태곤과 변호사로 보이는 십여 명이 행렬을 이뤄 그 뒤를 따라갔다. 삼삼오오 모여 있던 검은 양복의 사내들이 최일환을 보자 다가가 정중하게 고개 숙여 인사했다. 최일환은 그들에게 눈인사를 하고 강유택의 빈소로 들어갔다.

수연과 최일환은 국화를 올리고 강유택의 영정에 묵념을 했다. 상주복을 입은 정일은 옆에 서서 그들을 바라보았다. 정일은 표정을 애써 가다듬으며 묵묵히 그들을 보았다. 최일환과 수연은 묵념을 마치고 정일에게 다가가 고개 숙여 예를 표했다.

"장의 위원회가 꾸려졌네. 각계에서 추대를 해서 내가 장의 위원장이 됐어."

그 뻔뻔한 모습을 보며 정일은 분노를 누르고 또 누르느라 가슴이 터져버릴 것 같았다.

"발인이 내일이지? 추도사는 수연이가 할 거야. 유택이가 우리 수연이를 많이도 아꼈지."

최일환은 눈빛 하나 변하지 않고 강유택의 영정을 바라보았다.

"너무 많은 신세를 지는 것 같습니다."

정일은 정중하게 예를 갖췄다.

"친구로서 당연히 해야 할 일 아닌가."

'친구⋯⋯.'

정일은 기가 막혔지만 표정을 감췄다.

"이 신세, 빠른 시간 안에 꼭 갚겠습니다."

최일환과 정일은 서로 속내를 다 아는 눈빛으로 잠시 서로를 바라보았다. 최일환은 정일의 시선을 그대로 받아들이다 먼저 시선을 거두며 장례식장 밖으로 나갔다.

"오빠."

최일환이 나가자 수연은 형식적인 위로라도 한마디해야 할 것 같아 조심스레 입을 열었다. 하지만 정일은 비호같이 빠르게 손가락을 올려 자신의 입가에 대며 "쉿!" 했다. 수연은 정일의 날 선 모습에 순간 당황했다.

"수연아, 우리 아버지 추도사 잘 부탁한다. 대표님 추도사는 내가 준비해둘게."

정일의 싸늘한 목소리에 수연은 긴장한 듯 자기도 모르게 마른침을 삼켰다.

*

'그림은 아빠가 그렸어요. 무대는 내가 만들었죠.'

동준은 복도에서 수연과 마주치자, 그녀가 했던 말이 불현듯 떠올랐다. 수연이 지나가자 동준은 뭔가 생각난 듯 다급히 집무실로 들어갔다. 집무실에 들어서자 소파에 앉아 있던 노기용이 동준 앞으로 다가왔다.

"송태곤이 타고 간 차. 그 차에 분명히 흔적이 남아 있을 거야."

동준은 다급하게 노기용에게 지시했다.

"배차팀에 알아봤는데, 도난 신고가 해지됐답니다. 차량을 찾았대요. 근데…… 어젯밤에 폐차 처리를 하라고 결재가 떨어졌답니다."

순간 동준은 자신의 짐작이 맞았음을 확신했다.

"기용아, 폐차장으로 가. 그 차량 우리가 확보해야 돼. 어서!"

노기용은 서둘러 집무실에서 나갔다. 동준은 한발 늦었다는 생각에 안절부절못하며 집무실 안을 서성이다 뭔가 생각난 듯 밖으로 달려나갔다.

"어, 유진아, 아빠야. 자고 있었어? 아, 거긴 밤이겠구나. 아빠가 미안하다."

송태곤은 집무실 책상 의자에 앉아 딸에게 전화를 하고 있었다. 송태곤은 딸의 목소리를 들으니 요즘 자신의 상황이 떠올라 울컥했다.

"그냥 아빠가…… 많이 미안하다. 그래, 우리 유진이 잘 자. 아빠가 또 전화할게."

아쉬운 얼굴로 통화를 끝내는데, 노크 소리와 동시에 동준이 들어왔다. 동준은 송태곤이 앉아 있는 책상 앞으로 저돌적으로 걸어갔다.

"살해 현장에서 깨진 도자기가 발견됐습니다. 강유택 회장 등 뒤에서 도자기를 든 사람이 선배입니까?"

동준은 책상을 짚고 서서 송태곤을 빤히 보며 물었다. 송태곤은 움찔했지만 밀리지 않으려 그 시선을 피하지 않았다.

"어이, 동준아."

"신영주 씨가 잘못돼도 내가 남습니다. 스폰서 검사 재판 때 겪어봤잖아요. 나 아주 질긴 놈입니다."

송태곤은 여유 있어 보이려고 애쓰며 헛웃음을 지었다.

"최일환 대표가 어떤 사람인지도 알겠네. 내가 다가가면 선배를 버릴 겁니다. 선배가 도자기를 든 걸로 만들 사람이죠."

송태곤은 태연한 척했지만 눈빛이 흔들리는 건 어쩔 수 없었다.

"협박에 의한 불가항력, 시신 유기. 좋은 변호사 쓰면 2, 3년이면 끝날 일입니다. 잘 생각해보세요. 시간은 드리죠."

송태곤이 아무 대꾸도 없이 담담한 척하는데 휴대폰이 울렸다. 그는 마침 잘됐다는 듯 전화를 받았다.

"네. 알겠습니다."

송태곤은 전화를 끊고 동준을 보며 말했다.

"동준아, 같이 가자. 대표님이 찾으신다."

송태곤은 비릿한 미소를 지으며 밖으로 나갔다. 동준은 개운치 않은 얼굴로 그를 따라나섰다.

최일환의 집무실에 동준이 모르는 낯선 남자가 앉아 있었다. 동준은 경계하는 눈빛으로 그 남자를 보았다.

"경찰청장이야. 신영주 문제로 알아볼 게 있어서 왔다는군."

최일환은 마치 소개시켜주듯 동준을 보며 말했다.

"강유택 회장, 건장한 체격이에요. 여자 혼자서 어떻게 시신을 옮기고 트렁크에 실었을까."

수연은 잠시 말을 멈추고 동준을 빤히 쳐다봤다.

"조력자가 있는 건 아닐까? 합리적 의심이죠."

동준은 최일환이 자신을 왜 이 자리에 불렀는지 알 것 같았다. 동준을 조력자로 몰아갈 수 있다고 경고하는 것이었다.

"신영주가 도피 중에 옷을 갈아입은 정황이 있습니다."

송태곤 역시 동준을 쳐다보며 말했다.

"옷가지를 제공한 사람이 공범일 가능성이 높습니다."

동준은 서서히 자신을 조여오는 올가미의 그림자를 느꼈다.

"바쁜 사람을 오래 잡고 있었군. 참, 경찰청장 출신으로 행정안전부 장관 자리에 간 사람이 몇이나 되지? 경찰 사기를 생각해서 한 명쯤 나올 때가 됐어."

최일환의 말에 남자는 황송한 얼굴로 정중하게 고개 숙여 인사하고 밖으로 나갔다. 남자가 나가고 문이 닫히자, 동준은 어이없다는 표정으로 그들을 쳐다보았다.

"강유택 회장 살인 사건에 저를 공범으로 세팅할 생각입니까?"

최일환은 대답하지 않고 여유 있는 얼굴로 동준을 쳐다보았다. 그때 노기용에게서 전화가 왔다.

"차량은?"

동준은 자신에게 카드가 남아 있음을 보여주려는 듯 송태곤을 보며 노기용에게 물었다.

—차는 이미 폐차됐답니다. 부품은 러시아로 수출하는 배에 벌써 실었고요, 변호사님. 나사 하나 남은 게 없습니다. 젠장.

동준은 이제 더 이상 남은 카드가 없음을 깨닫고 전화를 끊었다.

"이호범 원장 20년째 우리 집안 주치의야. 그쪽 집안에 불행한 일이 안 생기길 바라는 마음이야. 동준아, 여기서 멈춰라."

"잘 생각해봐라. 시간은 줄게, 동준아."

송태곤이 옆에서 거들었다. 동준은 이 상황이, 이들의 말도 안 되는 힘이 어이없는 듯 허탈한 표정을 지었다.

＊

"정일아, 한 시간 뒤에 발인이다. 오늘 장례 마치고 나면 병실 잡아놨으니까 입원해서 며칠 몸조리하면서……."

조경호는 장례식장 로비로 나오면서 정일에게 조언을 하다 말을 멈췄다. 정일이 뭔가를 뚫어질 듯 보고 있었다. 조경호는 정일의 시선을 따라가보았다.

빈소를 안내하는 디지털 화면이었다. 'VIP 1호실 강유택'이라는 문구가 떠 있었다. 그 문구를 보는 정일의 눈빛이 결연했다.

"내일부터 출근해야지. 할 일이 많다."

정일은 그 화면이 마치 환영 같았다. 그는 그 환영을 시리도록 차가운 미소를 띤 채 바라보았다.

"회장님 가시고 너 며칠째 밤새웠어. 내가 너라면, 정일아……."

"내 입장 생각하지 말고, 이동준 입장을 생각해봐."

조경호는 무슨 말인지 모르겠다는 표정이었다.

"신영주가 누명을 썼어. 자동차 트렁크에서 시신이 발견됐지. 무죄를 입증하고 싶을 거야. 경호야, 이동준이라면 뭘 할까?"

정일은 오직 이동준이 어떻게 움직일지, 어떤 마음일지를 생각했다. 그걸 알아야 답이 보일 것 같았다.

경찰서 취조실 탁자 위에 놓여 있는 A4 용지에는 한강, 블랙박스, 트렁크 등 사건과 관련된 단어들이 쓰여 있었다. 동준은 영주 바로 옆에 의자를 놓고 앉아 볼펜으로 써가며 이야기를 나누고 있었다.

"한강에서 우리가 만날 때 신영주 씨 자동차 트렁크에 넣었을 겁니다. 그 현장을 증명할 방법은 있어요. 그날 한강 주차장에 출입한 차량 중에 블랙박스가 장착된 차량을 찾을 겁니다."

동준은 자신의 계획을 말하면서 메모하다 영주를 힐긋 보았다. 그녀는 딴생각을 하는 것처럼 담담했다.

"이 옷은 누가 가져다준 거지?"

뜬금없는 영주의 말에 동준은 의아한 얼굴로 그녀를 보았다.

"혼자서 그 큰 가방을 어떻게 트렁크에 실었지?"

동준은 영주가 무슨 말을 하는지 모르겠다는 표정이었다.

"수사관들이 어제부터 집중적으로 묻고 있어요. 당신을 조력자나 공범으로 만들 생각인가? 큰일 났다, 이동준 씨. 후회되겠네."

"후회합니다. 왜 신창호 씨의 작은 목소리를 외면했을까?"

영주는 농담처럼 던진 말에 동준이 진심을 보이자 마음이 흔들렸다.

"왜 더 일찍 신영주 씨의 손을 잡지 않았을까……. 큰일은 났는데 마음은 편하네."

동준의 장난스런 말투가 영주는 친근하고 미덥게 느껴졌다. 이제야 영주는 탁자 위의 메모를 들여다보며 동준의 계획에 대해 적극적으로 의견을 제시하기 시작했다.

"한강 차량 관리소에서 협조 안 할 거예요. 그날 드나든 차량 확인 어려울 텐데. 경찰 협조 없으면 차적 조회도 힘들 거고요."

동준은 난감한 얼굴로 영주를 보았다.

"나 없으면 어떡하냐? 이동준 씨."

영주는 싱긋 웃으며 농담처럼 말했다.

"우리한테 힘든 일, 쉽게 하는 사람들이 있잖아요. 그 사람들이 움직이게 만들죠 뭐."

그때 배계장이 건들거리며 들어오자, 동준이 앞에 놓인 종이를 구기려는 듯 잡는데, 영주의 손이 먼저 종이를 가볍게 빼내면서 슬쩍 바닥에 흘렸다. 그 순간 배계장이 떨어지는 종이를 주워서 힐긋 보곤 탁자에 올려놓았다.

"내일은 몇 시에 오실 건가요, 변호사님? 유치장에 있으니까 기다려지네."

영주는 배계장이 탁자 위에 올려놓은 종이에 적힌 메모를 힐긋 보는 모습을 곁눈질로 확인하며 엷은 미소를 지었다.

배계장은 취조실에서 나오자마자 주변을 살피더니 곧바로 어딘가로 전화를 걸었다.

"변호사하고 주고받는 메모를 확인했습니다."

배계장의 전화를 받은 송태곤은 그길로 당장 최일환의 집무실로 향했다.

"이동준이 그날 한강 공원에 출입한 차량들 블랙박스를 확인할 것 같습니다."

송태곤이 집무실에 들어서면서 다급하게 말했다. 최일환은 귀찮게 됐다는 듯 얼굴을 살짝 찌푸렸다.

"정일 오빠는 어제 발인 마치고 오늘 출근했어요. 회의 마치고 바로 업무 들어간 거 같던데."

수연은 정일이 앞으로 어떤 반격을 할지 걱정이 되었다.

최일환은 생각에 잠긴 채 자신의 계획을 점검하듯 나지막이 중얼거렸다.

"정일이가 신창호한테 누명을 씌웠어. 신영주는 그 보복으로 강유택을 살인한 거야. 둘 중 하나가 틀어지면……."

최일환은 거기서 말을 끊고 다시 깊은 생각에 잠겼다.

그 시각에 정일은 단호한 얼굴로 태백의 대표실로 향하고 있었다. 조경호가 큰 상자를 들고 그 뒤를 따라 걸었다. 정일은 잠시 심호흡을 하고 문을 열었다.

"덕분에 아버지 배웅 무사히 마쳤습니다. 선산 어머니 옆에 모셨습니다. 추도사까지 하느라 수고했다. 안 잊을게, 수연아."

정일은 소파에 앉으며 말했다. 최일환은 그의 의도를 가늠하려는 눈으로 정일을 보았다.

"장의 위원장으로 수고해주셔서 감사합니다. 작은 선물을 마련했습니다."

정일은 옆에 선 조경호에게 눈짓을 했다. 조경호가 천천히 상자를 열어 물건을 꺼냈다. 그건 바로 옛날 최일환의 사무실에 있던 도자기였다.

최일환은 그 도자기를 보는 순간, 강유택을 도자기로 내리찍던 자신이 떠올랐다. 그는 애써 그 기억을 지우며 당황한 표정을 숨겼다.

"저건 진품이겠군. 진품은 정일이 네 방에 놔둘 거라고 들었는데."

"이사를 할 때는 짐이 먼저 들어오는 법입니다. 사람은 나중에 들어오겠죠. 이 방에 두세요, 대표님."

정일은 최일환에게 정중하게 인사하고 조경호와 함께 밖으로 나갔다. 최일환은 그 말이 무슨 뜻인지 잘 알고 있었다. 그는 굳은 얼굴로 도자기를 보고는 뭔가 결심한 얼굴로 말했다.

"하나씩 해결하지, 송비서. 어서 동준이 가는 길부터 막아."

그 말에 송태곤은 얼마 전에 동준이 한 말이 떠올랐다.

'최일환 대표가 어떤 사람인지도 알겠네. 내가 다가가면 선배를 버릴 겁니다. 선배가 도자기를 든 걸로 만들 사람이죠.'

송태곤은 도자기를 내려다보며 비릿한 웃음을 지었다.

"저 혼자선 힘들 것 같습니다. 최수연 팀장 도움이 필요합니다."

최일환은 송태곤의 의도를 짐작했다.

"사람 두엇 써. 자네가 믿을 만한 놈으로 골라서……."

"최수연 팀장이 함께해야 저도 움직일 겁니다."

최일환은 송태곤을 쳐다보았다. 그 얼굴은 마치 '감히 내 딸을…….' 이라고 말하는 듯했다.

"내 딸을 이 사건에 끌어들일 순 없네."

"저도 살아야겠습니다, 대표님."

송태곤의 의사는 단호했다. 최일환과 송태곤은 한 치의 양보도 없이 서로를 노려보았다.

"내가…… 뭘 하면 되죠? 송비서님."

수연은 어쩔 수 없다는 듯 송태곤에게 물으면서 최일환을 안심시키려는 듯 미소를 지으며 바라보았다.

*

"정일아, 너 클라이언트 만날 때도 계획을 숨겼어. 근데 이렇게 다 드러내면……."

조경호는 걱정이 되는 동시에 평소와 다른 정일의 모습에 의아하기도 했다.

"어차피 들킨 발톱이야. 더 날카롭게 보여야지. 최일환 대표가 서두를 거야. 이동준한테는 기회가 되겠지. 그 기회, 우리가 가져올 거야."

정일은 자신의 집무실 창가에 복도를 바라보며 서 있었다.

"피곤해 보인다. 오늘은 좀 쉬어라."

조경호는 충혈된 눈으로 뭔가를 찾아 헤매는, 몹시 굶주리고 지친 야수처럼 버티고 서 있는 정일을 안쓰럽게 바라보았다.

"나 대신…… 아버지가 쉬고 계시잖아."

정일은 계속 창가를 보며 담담하게 말했다. 그때 정일의 눈에 수연과 황보연이 다급히 나가는 모습이 보였다. 그 모습을 보고 정일의 눈이 번뜩였다.

수연은 황보연과 함께 송태곤의 집무실로 갔다.

"한강 차량 관리소에서 회신이 왔어요. 그 시간대에 주차된 차량은 모두 열일곱 대예요."

황보연이 송태곤에게 서류 한 장을 내밀었다.

"다 체크할 순 없어. 블랙박스가 설치된 차량만 체크해보자."

송태곤의 지시를 받고 황보연은 다급히 어딘가로 향했다. 그녀가 복도를 지나간 자리 코너에서 노기용이 커피 두 잔을 들고 조심스레 그 뒷모습을 주시하며 걸어갔다.

황보연은 수연의 집무실로 서류 한 장을 들고 뛰어 들어왔다. 황보연은 수연과 송태곤에게 서류 한 장을 내밀었다.

"보험회사 통해서 확인했어요. 블랙박스가 장착된 차량은 모두 아홉 대예요."

"범위를 더 줄였으면 좋겠다."

수연은 송태곤을 보며 말했다. 송태곤은 고개를 끄덕이고 밖으로 나갔다. 그는 빠른 걸음으로 로비를 지나갔다. 서두르는 얼굴이었다. 그런 그의 모습을 조경호가 멀리서 지켜보고 있었다.

종일 바삐 움직인 송태곤과 수연, 황보연은 그날 밤 수연의 집무실에 다시 모였다. 송태곤이 주차장 사진 몇 장을 수연에게 내밀었다.

"한강 주차장 안에 설치된 CCTV에서 확인된 차량들입니다. 내가 주차한 자리에는 CCTV가 없네. 일곱 대는 위치가 확인됐고, 주차 위치가 파악 안 되는 차량은 두 대."

송태곤이 쳐다보자 수연은 그 의미를 바로 알아차리고 황보연에게 지시했다.

"경찰에 차적 조회 의뢰하고 와."

"경찰에 흔적을 남기면 안 되지. 태백 안에 있잖아. 해상사고 처리팀 내부에 교통사고 대응팀! 거기서 차적 조회합시다."

송태곤이 비릿한 미소를 지으며 말하자, 수연이 황보연에게 고개짓을 했다. 수연은 송태곤의 의도를 뻔히 알 것 같았지만 그냥 모른 척 넘어갔다.

'해상사고팀'이라는 큰 표지가 보이는 사무실 내 한쪽에 '교통사고 대응팀'이라고 작게 적혀 있는 곳으로 노기용이 커피 두 잔을 들고 다가갔다. 그는 여직원 앞에 한 잔을 내려놓았다.

"나 남자친구 있다고 했잖아요. 싫다는데, 정말. 며칠째 왜 이래요?"

여직원은 귀찮은 얼굴로 주변 직원들의 눈치를 살피며 소리 낮춰 말했다. 며칠째 노기용은 커피 두 잔을 들고 이곳을 방문했다. 그는 딱히 뭐라 변명할 말이 없어 그냥 미소를 지으며 여직원을 바라보았다. 그때 남자 직원 한 명이 다급하게 다가와 여직원에게 서류 한 장을 내밀었다.

"비서실 긴급 지시 사항이야. 차적 조회해서 어서 보고해."

그 말에 노기용의 눈이 반짝였다. 며칠째 커피를 들고 이곳을 방문한 보람이 있었다. 여직원은 컴퓨터에 차 번호를 입력했다. 번호가 입력되자 화면에 차주의 이름과 휴대폰 번호와 차종이 줄줄이 뜨기 시작했다. 노기용은 이때다 싶어 휴대폰을 살짝 들어 사진을 찍으려는데 여직원이 획 돌아보았다.

"어서 가요. 창피해, 정말."

노기용은 여직원이 자신을 계속 의식하자 휴대폰을 숨기고는 미소를 띤 채 컴퓨터 화면을 뚫어지게 보며 입으로 뭔가를 웅얼거렸다.

노기용은 소리 없이 뭔가를 계속 외우며 종종걸음으로 동준의 집무실로 들어갔다. 집무실에 들어서자마자 노기용은 종이를 찾아 뭔가를 썼다. 종이에는 두 대의 차량 번호와 휴대폰 번호가 적혀 있었다. 노기용은 다 적고 나서야 후우 한숨을 쉬며 소파에 털썩 주저앉았다.

"제가요. 빨리 기억하고 빨리 까먹는 놈입니다. 벌써 다 까먹었네."

동준은 노기용을 보며 잘했다는 듯 웃어 보였다.

"한 대는 승용차, 한 대는 태권도 학원 버스입니다, 변호사님. 어딜 먼저 가볼까요? 최수연도 지금 출발했을 텐데."

"그 한강 공원에는 야영장이 있어. 학원 버스는 야영할 학생들이 타고 왔을 거야. 우리는 승용차부터 체크한다."

동준과 노기용은 서둘러 움직이기 시작했다.

정일과 조경호는 태백 건물 앞에 차를 세워놓고 뭔가를 기다리고 있었다. 그때 수연과 황보연이 탄 차와 동준과 노기용이 탄 차가 나오더니 각기 반대 방향으로 갔다.

조경호는 이쪽저쪽을 한 번씩 보더니 난감한 표정을 지었다.

"우린 누굴 따라가냐?"

"최수연과 이동준. 누굴 따라갈까? 쉬운 문제야."

정일은 피식 실소를 보였다. 조경호는 곧바로 그 의미를 알아차리고는 동준의 차를 뒤따르기 시작했다.

"블랙박스에 저한테 꼭 필요한 화면이 찍혔을 수도 있습니다. 잠시면 됩니다. 부탁드립니다."

승용차의 주인을 찾아온 동준은 그 주인의 아파트 문 앞에서 간절하고 정중한 얼굴로 부탁했다. 잠시 망설이던 여자는 고개를 끄덕였다.

아파트 지하 주차장으로 내려온 여자는 "저 차예요." 하며 앞장서서 자신의 차로 걸어가다 놀라면서 걸음을 멈췄다. 동준은 여자가 가리키는 차를 보고 당혹스러웠다. 자동차의 앞 유리가 깨져 있고, 블랙박스는 사라지고 없었다. 그때 요란한 자동차 소리가 들리자 동준은 뒤를 돌아보았다. 조경호가 운전하는 차가 동준 옆을 스쳐 지나갔다. 정일은 조수석에서 동준을 보며 가볍게 고개를 끄덕였다. 저 멀리 사라지는 정일의 차를 동준은 황망하게 쳐다보았다.

6

집무실에 모인 최일환, 수연, 송태곤의 얼굴이 모두 무거웠다.

"강정일 팀장이 아무런 움직임이 없습니다. 평소처럼 회의를 주재하고 클라이언트를 만나고 있습니다."

송태곤은 난감한 얼굴이었다.

"블랙박스는 정일 오빠가 가져갔어요. 근데 왜 공개하지 않을까요?"

최일환은 깊은 생각에 잠겨 있다가 낮은 목소리로 천천히 말했다.

"공개해도 정일이가 원하는 걸 얻을 수 없으니까. 그러지 않을까? 수연아."

최일환은 말은 그렇게 했지만, 정반대일 수도 있다는 걸 알고 있었다. 최일환은 정일이 얼마나 음흉한 놈인지 잘 알고 있었다. 그는 블랙박스 화면에 원하는 것이 없었거나, 아니면 너무 확실한 증거가 있어 움직이지 않는 거라고 생각했다. 최일환의 얼굴에 살짝 초조한 기색이 감돌았다.

초조한 건 동준과 영주도 마찬가지였다. 경찰서 취조실을 찾은 동준은 영주 옆에 의자를 바짝 끌고 와 앉았다.

"강정일이 블랙박스를 가져간 지 이틀이 지났어요. 그런데 왜 아직 아무⋯⋯."

"강정일이 확보한 블랙박스에 촬영이 안 됐거나, 아니면 그 영상으로는 송태곤 실장, 최일환 대표의 개입을 확증할 수 없기 때문이겠죠."

영주와 동준은 아무 말 없이 각자 깊은 생각에 잠겼다.

사실 정일은 블랙박스 화면에 담긴 영상이 만족스럽지 못했다. 정일은 굳은 얼굴로 소파에 앉아 화면에 영상을 띄우고 조경호와 함께 몇 번이고 돌려보고 있었다.

영주의 차 트렁크가 열려 있었다. 집업 차림의 건장한 남자가 영주의 차 트렁크에 대형 가방을 옮겨 싣는 뒷모습이 보였다. 그 남자가 타고 온 차의 번호는 각도상 보이지 않았다. 남자가 대형 가방을 트렁크에 싣는 동안 저 멀리 강가에 서 있는 동준과 영주의 모습이 흐릿하게 찍혀 있었다.

정일은 그 화면을 다시 되돌렸다.

"저 떡대 봐라. 딱 송태곤 실장이네. 그러면 뭐하냐? 얼굴이 안 나오는데."

정일은 아무 말 없이 영상을 뚫어질 듯 보았다.

"저기 신영주지? 어떤 놈이 시신을 옮기는 데 신영주는 딴 데 있네. 정일아, 이건 신영주 무죄만 밝혀주는 증거라고. 이거 오픈하면 최일환 대표는 못 잡고 신영주만 풀려날 건데, 아, 신영주 풀어주면 너 잡자고 덤빌 거고. 어떡하냐? 이건 반쪽짜리 증거라고!"

"생각 중이다. 반쪽짜리 미끼로 어떻게 월척을 낚을지."

정일은 화면을 수도 없이 돌려보며 생각에 잠겼다. 잘 요리하면 모두를 속이고 뭔가 큰 걸 얻어낼 수도 있을 것 같았다.

*

"신영주 씨 담당 형사, 배영철이라고 했나? 그 사람 접촉해서 어서 기소하라고 해요."

수연은 자신의 집무실에 와 있는 송태곤에게 지시했다.

"아, 오늘 내가 고문단 만찬 준비를 해야 해서."

송태곤은 능치는 얼굴로 배계장의 명함을 수연에게 건넸다.

"직접 연락하는 게 좋을 거 같은데, 앞으로 이 사람 컨택은 최수연 팀장이 직접 하세요. 난 옆에서 자알 돕겠습니다."

수연은 자신을 더 깊이 끌어들여 본인의 안전을 도모하려는 송태곤의 의도를 알면서도 명함을 받아 들 수밖에 없었다. 수연은 그 명함을 황보연에게 내밀었다.

"저도 업무가 밀려서요. 신창호 씨 재판은 계속 팔로할게요."

황보연이 살짝 한발 빼는 듯이 굴자, 수연은 그 모습을 보며 최일환이 했던 말을 떠올렸다.

'다 빼앗아라. 다 잃었을 때, 수연아, 네가 손을 내밀어라. 그럼 평생 널 따르게 될 거다.'

수연은 일단 속내를 감추고, 황보연을 보며 그렇게 하라는 듯 고개를 끄덕였다.

"신창호 씨 재판에 증인 하나 신청해줘. 그건 해줄 수 있을까?"

"네."

수연은 일어나 책상 쪽으로 가며 어딘가로 전화를 걸었다.

"오늘 점심 나하고 먹어야 할 거 같아, 오빠."

수연은 뭔가 결심한 얼굴로 정일과 통화를 했다.

한강이 내려다보이는 레스토랑 창가에 앉은 정일과 수연은 말없이 식사를 했다. 두 사람 사이에 침묵이 흘렀다. 정일은 수연이 만나자고 한 의도를 탐색하려는 듯 가볍게 입을 열었다.

"블랙박스는 나한테 있어. 거래를 하고 싶으면……."

"미국에 있을 때 쓰지도 못할 물건 사들인다고 오빠한테 많이 혼났는데."

수연은 조금은 얄밉게 정일에게 눈을 찡긋해 보였다.

"블랙박스에 오빠가 원하는 그림이 없겠지. 그 블랙박스 안 살래."

정일은 그사이 수연이 만만찮은 상대가 됐다고 느꼈지만, 태연한 척 식사를 계속하며 물었다.

"신창호 씨 재판에 날 증인으로 신청했더라."

"빨리 끝내려고. 알잖아. 하기 싫은 일 서둘러서 끝내는 거. 나도 법정에 나갈 거야. 오빠랑 나, 대질신문하겠네."

수연은 식사하며 가벼운 얼굴로 대답했다.

"너하고 나, 증언이 상충되면 판사가 힘들겠다."

"그 판사, 아빠가 만나고 있어."

그 말에 정일은 멈칫하며 식사를 멈추고 수연을 보았다. 수연은 판사와 아빠의 만남을 상상하며 정일에게 미소 지었다.

그 시각, 최일환과 마주 앉은 판사는 어쩔 수 없다는 듯 고개를 끄덕였다. 최일환은 흡족한 미소를 지었다.

"아내가 논문을 표절했나 봐. 교수 임용에도 문제가 있었고. 아내를 엄청 사랑하나 봐. 신영주 씨는 아저씨 살해범으로, 오빠는 김성식 기자 살해범으로 처리될 거야. 어쩌면 둘이 같은 교도소에서 만나겠다."

정일은 포크를 내리고, 많이 달라져 조금은 낯선 수연을 찬찬히 바라보았다.

"많이 변했네."

"스키도 포켓볼도 오빠한테 배웠는데. 변하는 것도 배웠네……. 재판 전에 오빠……."

수연은 식사를 멈추고 정일을 한참 동안 바라보았다.

"가라."

그 말에 정일이 의미를 모르겠다는 표정을 짓자, 수연이 핸드백에서 항공권을 꺼내 정일 앞에 놓았다.

"비행기 티켓이야. 우리 스키 여행 갔던 스위스 별장 비워뒀어. 아저씨가 남긴 재산은 우리 변호사들 통해서 스위스 은행에 넣어줄게. 이름도 바꾸고, 결혼도 하고, 아이도 낳고 그렇게 살아."

정일은 묵묵히 비행기 티켓을 내려다보았다.

"사진은 한 장 보내줘. 오빠 닮은 아이, 보고는 싶다."

수연은 진심을 담아 엷은 미소를 지었다. 하지만 정일은 티켓을 수연에게 도로 밀었다.

"수연아, 이 티켓 넣어둬. 네가 도피할 때 써야지."

"마지막 배려야. 오빠."

수연은 정일이 이 제안을 받아들이기를 진심으로 바랐다. 잠시 수연을 바라보던 정일은 그녀의 옷에 묻은 스테이크 소스를 손으로 가리키며 옆에 놓인 냅킨을 내밀었다.

"나도……."

수연과 정일은 상처받은 눈으로 서로를 바라보았다.

정일은 들고 있는 A4 용지 아래쪽에 라이터를 대고 불을 붙였다. 타들어가는 종이에는 사진이 인쇄되어 있었다. 한강 근처에서 집업을 입은 남자가 트렁크에 가방을 옮겨 싣는 화면이었다.

정일은 반쪽짜리 미끼의 일부를 들고 영주를 찾아갔다. 영주와 동준은 타들어가는 A4 용지를 보면서 마음이 착잡해졌다. 영주가 범인이 아니라는 걸 확실히 증명해줄 수 있는 사진이었다. A4 용지가 반쯤 타들어갈 즈음 조경호가 휴지통을 갖다 대자 정일은 그 사진을 휴지통에 버렸다.

"세상 문제의 절반은 나한테 필요한 걸 다른 사람이 갖고 있어서 생기죠. 내가 필요한 건 신영주 씨가, 신영주 씨가 필요한 건 내가 가지고 있네. 블랙박스 영상, 나한테 있습니다."

영주는 팽팽한 눈으로 조용히 정일을 쳐다보았다. 정일은 일어나 동준과 영주 근처를 걸으며 말했다.

"최일환 대표의 계획은 이렇습니다. 내가 신영주 씨의 부친에게 누명을 씌워서 신영주 씨가 내 아버지를 보복 살인했다. 근데 신영주 씨, 당신하고 나, 우리 둘이 최일환 대표가 쳐놓은 덫에서 빠져나올 방법이 있습니다."

정일은 탁자에 두 손을 짚고 영주를 빤히 쳐다보았다.

"신창호 씨 재판, 항소를 취하하세요. 그럼 재판은 중단될 겁니다."

그 말에 영주의 미간이 꿈틀거렸다.

"신창호 씨가 자백을 해줬으면 하는데. 자신이 돈 때문에 김성식 기자를 살해했다고."

영주의 입에서 허 하고 허탈한 웃음이 짧막하게 새어나왔다.

"경호야."

"간헐적으로 혼수상태가 오고 있다네. 주기도 짧아지고."

정일이 조경호를 부르자, 그는 준비해온 차트 복사본을 탁자에 올리며 신창호의 상태를 설명했다.

신창호는 요양원 병실에 누워 힘겹게 호흡을 이어가고 있었다. 영주 엄마는 눈물이 그렁그렁 맺힌 채 신창호의 이마에서 땀을 닦아냈다.

"지금 상태로는 일주일을 넘기기 힘들다는데……."

조경호의 설명에 영주는 숨이 턱 막혀왔다.

"저희 아버지도 떠나셨습니다. 신영주 씨 아버지도 떠나시겠죠. 우리는 살아야죠."

"강정일 씨!"

동준은 더 이상 못 듣겠다는 듯 정일을 제지하고 나섰다. 하지만 정일은 쉿 하며 동준이 개입하지 못하게 막아섰다.

"신영주 씨하고 나, 우리 둘의 대화입니다."

"대화는 사람끼리 하는 거 아닌가."

영주가 분노를 누르며 살짝 비아냥거렸다. 하지만 정일은 개의치 않고 오히려 답답하다는 듯 한숨을 내쉬었다.

"최일환 대표가 기소를 서두르고 있어요. 신영주 씨는 곧 구속될 겁니다."

"법으로 싸워야지. 판사도 검사도 다 최일환이 매수해도……."

영주는 단호한 얼굴로 말하다 동준을 한번 힐끗 보았다.

"쓰러진 자리에서 다시 일어나려는 사람이 어딘가에는 또 있겠죠."

정일은 한심하다는 듯 영주를 쳐다보았다.

"신창호 씨 얼굴도 못 보고 보내는 거, 후회할 겁니다."

그 순간 영주의 눈빛이 살짝 흔들렸다.

"나도…… 아버지 보내고 그게 후회되네. 얼굴 자주 볼걸. 얘기도 많이 나눌걸."

마음에 가장 걸리는 부분을 건드리자 영주는 입술을 깨물었다.

"연락 기다리겠습니다."

정일은 나가려다 다시 돌아서서 영주를 바라봤다.

"참, 오래 기다리진 못할 겁니다. 신창호 씨한테 남은 시간이 얼마 안 되니까요."

동준은 취조실을 나서는 정일과 조경호를 끓어오르는 분노를 누르며 보았다.

"거짓은 참을 이길 수 없다. 후…… 엄마가 그랬어요. 아빠가 평생 믿고 살아온 그게…… 미신이라고."

동준은 영주의 처연한 얼굴을 보다 뭔가를 결심한 듯 무겁게 입을 열었다.

"신영주 씨 차 트렁크에서 발견된 시신, 누군가의 음모로 몰아가겠습니다. 강유택 회장이 살해당한 그 시각에 신영주 씨가 다른 곳에 있었다는 알리바이를 만들겠습니다."

영주는 무슨 말인지 모르겠다는 얼굴로 동준을 바라보았다.

"거짓을 이기기 위해서, 신영주 씨, 우리도 거짓말을 합시다."

영주는 동준의 결연한 표정이 왠지 마음에 걸렸다. 영주를 위해 동준이 자기 자신에게 치명적인 상처를 입힐 것만 같았다.

동준은 요양원 앞에 차를 주차하고 잠시 생각에 잠겼다. 평소와 달리 오늘은 요양원에 들어가는 것이 마음이 편치 않았다. 자신이 지금 하려고 하는 일이 안명선에게 얼마나 상처를 줄지 생각하니 마음이 아팠다. 동준은 무거운 발걸음으로 차에서 내려 요양원으로 들어갔다.

동준은 먼저 조연화부터 찾았다. 마침 그녀가 복도 맞은편에서 걸어오고 있었다. 동준은 그녀에게 다가가 진지한 표정으로 말했다.

"조연화 씨, 도움이 필요합니다."

조연화는 동준의 표정이 뭔가 심상치 않음을 알아차렸다.

동준은 원장실에 들어서려다 잠시 멈춰 섰다. 안명선이 책상 위에 쌓인 잡지들을 보며 흐뭇한 미소를 짓고 있었다. '대법원장에 맞선 신념의 판사', '재임용 위협에도 굴하지 않는 판사의 기개' 등의 제목이 동준의 사진과 함께 잡지에 실려 있었다. 동준은 안명선 앞으로 천천히 다가가 섰다. 그제야 동준이 온 것을 알아차린 안명선은 함박웃음을 지었다.

"어제 동창회에 갔었어. 다들 널 칭찬하더라. 너 같은 아들 둬서 좋겠다고 어찌나 부러워들 하는지. 그래서 커피는 엄마가 샀다."

그런 엄마의 마음에 찬물을 끼얹는 것 같아 동준은 쉽게 입을 뗄 수가 없었다.

"엄마, 열 배, 아니 더 많은 비난을 받을 거야. 난 견딜 수 있는데, 힘들게 해서 미안해, 엄마."

안명선은 뭔가 아들에게 견딜 수 없는 시련이 닥쳐올 것을 예감했다. 가슴이 철렁했지만, 아무것도 묻지 않고 괜찮다는 눈으로 아들을 따스하게 바라보았다.

"당신하고 이 방에서 보내는 시간도 이제 끝나가네. 당신한테는 악몽이었겠다. 나한테도 그랬는데. 이제 잠에서 깰 시간인가."

수연은 지치고 힘든 표정으로 침실로 들어서는 동준을 비꼬았다.

동준은 수연을 똑바로 쳐다보며 나지막이 속삭였다.

"아니, 이제 악몽은 시작이야."

동준의 서늘한 시선에 수연이 멈칫하는 순간 전화가 울렸다. 황보연이었다. 수연은 의아한 표정으로 전화를 받았다.

─신영주 씨 친구가 SNS에 글을 올렸어요. 두 사람이 연인 관계라고요.

수연은 그 말에 놀란 얼굴로 동준을 쳐다보았다.

'악몽의 시작이라고…….'

수연은 방금 동준이 한 말을 되새겼다.

─강유택 회장이 살해당한 그 시각에, 두 사람이 요양원 이동준 씨 방에서 밀회를 나누고 있었다고 주장하고 있어요. 알리바이를 만들려는 것 같아요.

수연은 휴대폰으로 통화하면서 분노하는 눈으로 동준을 보았다. 동준은 수연의 시선을 느끼며 침대로 갔다.

"먼저 잔다. 수연아, 내일은 힘든 하루가 될 거야."

수연은 일이 또 꼬였다는 표정으로 깊은 한숨을 쉬었다.

＊

태백 건물 앞에 동준과 수연이 탄 차가 멈추자 기자들이 몰려들었다. 수연은 난감한 표정으로 차에 잠시 머물다 황보연에게 문을 열라고 손짓했다. 황보연이 문을 열자 동준과 수연이 차에서 내렸다.

"신영주 씨와 연인 관계라는 소문이 사실입니까?"

"신영주 씨 변호를 맡은 이유도 불륜 관계가 외부로 새는 걸 막기 위해서라는데, 맞습니까?"

동준과 수연이 내리자마자 기자들의 질문이 쏟아졌다. 동준은 수연을 에스코트하며 단호한 표정으로 기자들에게 답했다.

"전 신영주 씨와 업무 관계 그 이상도 이하도 아닙니다. 그리고 전, 제 아내만을 사랑합니다. 미안하다. 오해를 받게 해서."

동준은 다정한 눈길로 수연을 바라보았다. 수연은 그런 동준을 증오스런 눈빛으로 쳐다보았다.

동준과 수연은 기자들을 겨우 따돌리며 로비로 들어섰다. 두 사람이 안으로 들어서자, 달려 나온 보안팀에 의해 기자들은 문밖에서 제지당했다. 수연과 함께 몇 발자국 걷던 동준은 기자들의 눈에서 멀어지자, 먼저 빠르게 앞서가며 전화를 걸었다.

"조연화 씨, 다음 단계 시작하세요."

그런 동준을 수연과 황보연은 황당한 눈으로 쳐다보았다.

"이동준 변호사, 의도가 뭘까요?"

황보연이 뭔가 석연치 않은 표정으로 수연에게 물었다. 수연은 아무 말 없이 감정을 겨우 억누르며 동준을 노려보았다. 동준은 취조실에서 영주와 나눈 대화를 떠올리며 로비를 걸었다.

"거짓을 이기기 위해서, 신영주 씨, 우리도 거짓말을 합시다."

영주는 동준이 무슨 생각을 하는지 도무지 짐작할 수 없었다.

"우린 연인이었고, 강유택 회장이 살해당한 그 시각에, 요양원에 있는 내 방에서…… 같이 있었어요."

"……이동준 씨."

영주는 동준의 의도를 알고 멈칫했다.

"증거는 있습니다. 그날 밤 동영상 원본은 없어졌지만, 당신이 태백의 SNS에 올린 건 남아 있습니다. 결혼식 전날 밤 호텔에 출입한 기록도 찾을 수 있을 거예요."

영주는 상상조차 못할 일을 제안하는 동준에게 아무 말도 할 수 없었다.

"난 우리 둘 사이를 부인할 겁니다. 증거는 계속 나올 거고 사람들은 내 말보다 당신 말을 믿게 되겠죠."

"대법원장에 맞선 신념의 판사. 그 명예를 버리겠다는 건가요?"

"다행입니다. 나한테 아직 버릴 게 남아 있어서. 신창호 씨를 위해 버릴 수 있어서요."

동준은 엷은 미소를 띠며 영주를 보았다. 영주는 동준의 그 쓸쓸한 미소를 먹먹한 눈으로 바라보았다. 영주는 자신을 구하기 위해 목숨보다 소중히 여기던 신념과 명예를 버리려는 남자를 처연한 눈으로 바라보았다.

동준은 영주의 그 처연한 눈빛을 떠올리며 다시 한 번 결연한 의지를 다졌다.

한편 동준에게서 두 번째 지시를 받은 조연화는 다음 단계로 넘어갔다. 조연화는 노기용이 전해준 칩에 있는 동영상들을 인터넷에 올리기 시작했다.

정일은 굳은 얼굴로 집무실에서 조경호와 텔레비전을 보고 있었다. 화면에는 모자이크 처리된 동침 동영상의 스틸 컷과 영주와 동준이 각각 호텔에서 나오는 모습의 스틸 컷이 나오고 있었다. 앵커는 영상의 내용을 설명했다.

―신영주 씨의 친구가 공개한 동영상이 파장을 일으키고 있습니다. 얼굴을 확인할 수는 없지만, 당일 아침 호텔에서 나오는 CCTV 화면까지 공개돼 신영주 씨의 주장에 신빙성이 높아지고 있습니다.

그 시각, 최일환의 집무실에서도 수연, 최일환, 송태곤이 그 뉴스를 보고 있었다.

—이날은 이동준 씨의 결혼식 당일로 밝혀져 더 큰 충격을 주고 있습니다. 신영주 씨의 주장이 하나씩 사실로 드러나는 가운데, 강유택 회장 살해 당일도 두 사람이 함께 있었다는 주장이 사실로 밝혀지면 수사는 원점에서 시작될 수도 있어, 경찰은 보강 조사에 총력을 기울이고 있습니다.

최일환은 부글부글 끓어오르는 눈으로 화면이 뚫어질 듯 뉴스를 보았다. 반면에 송태곤과 수연은 일이 꼬여간다는 생각에 불안한 기색이 역력했다.

같은 시각 안명선은 요양원 원장실에 설치된 텔레비전으로 이 뉴스를 눈물을 훔치며 보고 있었다.

—이동준 변호사는 지금도 신영주 씨와의 관계를 부인하고 있어, 비난의 목소리가 높아지고 있습니다.

안명선은 리모컨으로 텔레비전을 끄고 책상으로 다가갔다. 책상 위에는 '두 얼굴의 법조인, 피의자의 딸을 농락, 연인 관계마저 부정'이라는 기사 제목이 박힌 신문이 놓여 있었다. 안명선은 참담한 심정으로 신문 기사를 내려다보았다. 그녀는 이 모든 걸 예상하면서도 동준의 부탁을 차마 거절할 수 없었다.

"엄마가 해줘야 할 게 있어."

그 말에 안명선은 아무 말 없이 아픈 눈으로 동준을 바라보았다.

"강유택 회장이 살해당한 그 시간에, 내가 신영주 씨하고 요양원에 같이 있었다고 말해줘. ……내가 거짓말을 해달라고 부탁했는데, 엄마는 도저히 그럴 수 없어서 진실을 말한다고. 그럼…… 사람들이 믿을 거야. 신영주 씨, 나올 수 있어."

안명선은 눈물이 그렁그렁한 눈으로 깊은 한숨을 쉬며 가슴을 움켜쥐었다.

"이동준에 대한 비난이 거세지고 있습니다. 여성단체는 진상 조사를 요구하고 있고요. 어쩌면 사건이 원점으로 돌아갈지도 모릅니다, 대표님."

송태곤은 일이 다시 꼬이는 것 같아 초조해 견딜 수가 없었다. 하지만 최일환은 담담했다.

"먼 길을 왔는데 돌아갈 순 없지. 수연아, 부부 사이의 문제야. 그림은 아비가 그려놓으마."

최일환은 뭔가 계획이 있는 듯한 얼굴로 미소를 지었다.

담담한 얼굴로 책상 앞 의자에 앉아 있는 동준과 달리 노기용은 억울해 미치겠다는 듯 집무실 안을 왔다갔다하며 가만있지 못했다.

"변호사님, 저요. 정말 미치겠습니다. 전요, 누가 한 명만 욕해도 열 받거든요. 근데요. 지금 수백만 명이 변호사님한테 손가락질을 ……."

"박수를 받을 땐 마음이 불편했는데, 지금은 마음이 편하다."

노기용은 동준의 미소에 어이없다는 듯 허탈한 웃음을 지었다.

"한 시간 뒤에 엄마 인터뷰가 있어. 기자들 몇 불렀으니까. 기용아, 네가 가서 챙겨드려."

"알겠습다."

인사를 하고 나가는 노기용에게 동준은 눈인사를 했다. 그때 아버지 이호범에게서 전화가 걸려왔다. 동준은 반갑지 않은 얼굴로 전화를 받았다.

"네, 아버지."

―동준아, 차 한잔하자.

동준은 잠시 망설이다 알겠다고 말하며 전화를 끊고 한강병원으로 향했다. 병원에 들어서자마자 사람들은 동준에게 따가운 눈초리를 보냈다. 하지만 동준은 주변에서 간호사와 의사들이 흘깃거리고 수군대도 전혀 개의치 않고 저벅저벅 걸어 원장실로 향했다.

원장실 문을 여는 순간 동준은 이호범과 함께 있는 수연을 보고 인상을 찌푸렸다. 동시에 여기저기서 플래시가 터졌다. 그제야 동준은 기자들을 발견하고 난감한 표정을 지었다.

"앉아라."

이호범이 인자한 미소를 띠며 동준을 불렀다. 동준은 어쩔 수 없이 소파에 앉았다.

그러자 이호범은 친절한 얼굴로 기자들에게 설명하기 시작했다.

"아까 드린 자료 보셨죠? 신영주 씨가 동준이하고 같이 있었다고 주장하는 그 시각에, 우리 며늘애하고 아들은 병원 산부인과에서 상담을 받고 있었습니다."

그 말에 동준은 소스라치게 놀라며 수연을 바라보았다. 수연은 자기는 잘 모른다는 얼굴로 어깨를 으쓱하며 미소를 지어 보였다.

"저희가 진료를 했습니다."

이호범 뒤에 서 있던 의사와 간호사가 앞으로 나섰다.

"결혼하고 이이한테 들었어요. 뜨거웠던 추억이 있다고. 결혼 이후에는 신영주 씨와의 관계는 정리한 걸로 알아요."

수연은 옆에 앉은 동준의 손을 잡았다.

"이이가 마음이 약해요. 내가 말렸는데도 신영주 씨가 부탁한다고,

불쌍하다면서 변호를 맡더니, 내가 뭐랬어요? 헤어진 사람 부탁은 들어주지 말랬죠?"

동준은 이 기막히고 난감한 상황이 그저 황당할 뿐이었다.

"그 시간에 남편은 저와 산부인과 상담 중이었어요. 신영주 씨는 살해 장소에서 목격됐다는 증언이 이미 나온 걸로 아는데……."

"기자님들! 신영주 그 사람은 말을 하고, 우린 기록을 드렸으니 판단은 국민들이 하겠죠."

동준은 기자들에게 인자한 미소를 짓는 이호범을 싸늘하게 바라보았다. 동준은 자신을 향해 터지는 카메라 플래시에 눈이 부신 듯, 무산된 계획이 안타까운 듯, 눈을 질끈 감아버렸다.

수연은 기자회견을 마치고 동준과 한강병원 복도를 걷다가 피식 웃었다.

"당신은 클린턴, 난 힐러리가 됐네. 신영주 씨는 끝났고. 위로해줘요, 신영주 씨. 힘들 텐데."

그 말에 동준은 걸음을 멈추고 머리가 아픈 듯 관자놀이를 눌렀다. 수연은 동준을 한번 쳐다보고는 앞장서서 다시 걸어갔다.

—이동준 씨의 행적이 확인된 가운데, 신영주 씨의 주장은 허위로 드러났습니다. 경찰은 내일 중으로 신영주 씨를 살인 및 시신 유기 혐의로 구속영장을 청구할 방침이라고 밝혔습니다.

정일은 리모컨으로 텔레비전을 끄면서 집무실 소파에서 일어났다. 조경호도 따라 일어섰다.

"여기까지 몰리면 우리랑 손잡을 때도 됐는데, 이동준, 신영주, 걔들은 왜 망설이냐?"

"경호야, 우린 사람들을 돕고 싶어서 변호사가 됐잖아. 결정을 도와드리자."

정일은 이제 마지막 방법을 써야겠다는 듯 비장한 얼굴로 조경호를 바라봤다.

경찰서 취조실에 영주와 마주 앉은 동준은 침통한 얼굴이었다. 동준은 할 말이 있는 듯했지만, 차마 입이 떨어지지가 않았다. 동준은 잠시 뜸을 들이다가 어렵게 입을 열었다.

"구속영장이 청구됐어요, 내일 구속적부심이 있을 겁니다. 목격자 증언만으로 범행을 특정할 수 없다고 항변할 겁니다. 사무실에서 일어난 화재는 신영주 씨와의 연관성을 경찰도 찾아내지 못했어요. 그러니까……."

"자동차 트렁크에서 시신이 발견됐어요. 알리바이도 무너졌고. 그런데도 구속을 피할 수 있나요?"

동준은 체념의 빛이 짙은 얼굴로 자신을 바라보는 영주의 시선을 옆으로 살짝 피했다.

"아빠하고 통화하고 싶은데……."

영주는 동준이 휴대폰을 건네자 조연화의 번호를 눌렀다.

"어, 연화야, 아빠 바꿔줄래……. 아빠……."

―영…… 주야…….

영주는 신창호의 힘없는 목소리에 울컥했지만 울음을 삼켰다.

"난 걱정 마. 이동준 씨가 변호해줄 거야. 아빠…… 성식이 아저씨…… 사건도…… 내가…… 꼭 해결할게."

―아비가…… 너무…… 미안하다.

"아빠…… 먼저 가……. 아빠가 남긴 일은 내가 다 마치고…… 30년,

아니 50년 뒤에…… 아빠 만나러 갈게. 성식이 아저씨하고…… 좋아하는 낚시하면서…… 기다려, 아빠…….”

영주는 터지는 울음을 견디며 신창호의 얘기를 듣다가 힘겹게 전화를 끊었다. 동준은 고개를 숙인 채 울음을 견디며 어깨로만 흐느끼고 있는 영주를 애잔하게 바라보았다.

신창호는 영주와 통화를 끝내고 눈가가 붉그스름해진 채 조연화에게 휴대폰을 건넸다. 그때 노크 소리와 함께 정일과 조경호가 안으로 들어왔다. 정일은 의심스런 눈길로 쳐다보는 조연화에게 다가가 명함을 건넸다.

“법률회사 태백의 M&A 팀장 강정일입니다. 신창호 씨와 단둘이 얘길 하고 싶습니다.”

조연화는 그래도 되는지 묻는 듯한 눈빛으로 신창호를 바라봤다.

“보국산업 강유택 회장이 제 선친이십니다.”

그제야 신창호는 누군지 알고 조연화에게 고개를 끄덕였다. 조연화는 뭔가 개운치 않은 표정으로 밖으로 나갔다.

정일은 신창호의 병상에 다가가 이불을 여며주며 낮낮한 어조로 말했다.

“신영주 씨는 살인 혐의로 구속될 겁니다. 나오게 할 수는 있죠. 신창호 씨가 조금만 도와주시면.”

신창호는 눈물이 가득 고인 눈으로 정일을 쳐다봤다.

“따님한테 좋은 세상 물려주고 싶었다고요? 살인 혐의로 들어가면 20년은 족히 감옥에서 보내게 될 텐데, 신창호 씨, 따님한테 지옥을 물려주시겠습니까?”

그 말에 신창호의 얼굴에 어두운 그림자가 드리워졌다.

　"검찰이 제시한 영장 청구 사유는 세 가지입니다. 첫째, 목격자의 증언만으로는 범행을 입증할 수 없습니다. 둘째, 트렁크에서 발견된 시신! 몸무게 50킬로그램인 여자가 혼자서 남자의 시신을 옮긴다는 게 가능한지 의문입니다. 셋째, 사무실에서 발생한 화재를 입증할 그 어떤 증거도 검찰은 제출하지 않고 있습니다."

　동준은 구속적부심 재판정 변호인석에 서서 영주의 변론을 하고 있었다. 동준이 변론을 끝내고 자리에 앉자 검사가 자리에서 일어났다.

　"트렁크의 시신에서 발견된 범죄의 증거가 확실합니다. 조력자나 공범의 유무를 따져봐야 할 것이므로 구속 후 보강 조사가 필요합니다, 판사님."

　판사는 검사의 말에 동의하듯 고개를 끄덕였다. 그 모습을 동준이 불안한 눈빛으로 바라보는데, 옆문으로 들어온 정리가 판사석 아래 앉아 있던 정리에게 칩을 건네며 속삭였다. 그 칩을 받은 정리가 판사에게 다가가 보여주며 뭐라고 말했다. 그 모습을 동준과 영주는 의아한 눈으로 쳐다봤다.

　"피의자 측에서 추가 증거를 제출했다는데, 확인해봅시다."

　판사의 지시로 한쪽에 프로젝션 화면이 내려지고 영상이 나오기 시작했다. 그 영상은 한강 근처에서 찍힌 블랙박스 화면이었다. 의문의 사내가 탄 차가 도착하고, 내리고, 트렁크를 열고, 대형 가방을 영주의 차량에 옮겨 싣는 모습이 모두 담겨 있었다. 그러는 사이 영주는 저만치 강가에 서 있었다. 그 영상을 보며 검사는 깜짝 놀라고 판사는 신중한 얼굴이었다.

130

한편 영주는 '저게 왜 제출됐을까?' 생각하며 불안과 의문에 휩싸여 동준을 바라봤다. 동준 역시 전혀 알지 못하는 일이었다. 두 사람은 그 영상이 왠지 마음에 걸렸다.

"트렁크에 시신을 운반한 의문의 인물이 확인되었지만, 검찰 측은 그에 대한 조사가 미흡하다 할 것이다. 하여 시신의 존재만으로 범인을 특정할 수는 없고, 목격자의 증언만으로 살인을 증빙하기에는 논쟁의 여지가 있다. 하여 신영주에 대한 구속영장 청구를 기각한다."

영주는 판사가 판결을 내리는 법봉 소리가 마치 자신의 마음을 탕탕탕 내리치는 것 같아 불안했다. 정일이 아무 대가도 바라지 않고 저 영상을 보내지는 않았을 거라는 확신이 들자, 영주는 불길한 예감에 휩싸였다.

"강정일이 제출했을 거예요. 뭘 받았을까……."

영주는 경찰서 앞에 차를 세워두고 기다리던 동준을 보자마자 불안한 얼굴로 물었다. 그때 동준의 휴대폰이 울렸다. 전화를 받자마자 조연화의 목소리가 들려왔다.

―영주 바꿔줘요. 아저씨가…… 아저씨가…….

동준은 다급하게 영주에게 휴대폰을 건넸다.

―너거 아빠 갈라는갑다. 영주야, 퍼뜩 온나. 퍼뜩. 영주 옵미더. 쪼매만 기다리소.

휴대폰에서 엄마가 오열하는 소리가 들려왔다.

"엄마, 지금 바로 갈게."

동준과 영주가 다급하게 차에 올라타자, 노기용이 바로 차를 출발시키는데, 차 안 DMB TV에서 뉴스가 나오고 있었다.

―김성식 기자 살인 사건의 범인으로 지목, 1심에서 15년형을 선고받은 신창호 씨가 2심 항소를 취하했습니다.

그 순간 영주는 소스라치게 놀라며 동준을 바라봤다. 정일이 무엇 때문에 영주의 올가미를 풀어줬는지 알 것 같았다. 영주의 얼굴이 사색이 되었다.

―신창호 씨는 복역 중 폐암 선고를 받고 병보석으로 외부에서 진료를 받아왔습니다.

그 시각 최일환과 수연, 송태곤은 최일환의 집무실에서 굳은 얼굴로 뉴스를 보고 있었다. 최일환은 이 뉴스를 들으며 웃고 있을 정일을 생각하니 분노가 치밀어 올랐다.

―신창호 씨는 진술서와 영상을 통해 범행 일체를 자백, 이를 검찰과 법원에 제출하고 언론에 공개했습니다.

최일환의 예상대로 정일은 자신의 집무실에서 희미한 미소를 띤 채 뉴스를 보고 있었다.

신창호의 생명은 서서히 꺼져가고 있었다. 병상에 누운 채 그는 꺼져가는 목숨을 간신히 붙들고 병실 한편에 놓인 텔레비전에 나오는 자신의 얼굴을 참담한 얼굴로 보고 있었다.

―김성식 기자한테 3000만 원을 빌렸습니다. 근데…… 갚을 길이 없어서……. 낚시터에 있다는 걸 알았습니다. 성식이 혼자 있는 걸 알고…… 찾아갔습니다.

달리는 차 안에서 영주는 차마 믿을 수 없다는 얼굴로 눈물을 흘리며 DMB 화면에 나오는 신창호를 보고 있었다. 영주는 가슴이 옥죄어 숨을 쉬기가 힘들었다.

—제가…… 성식이를 죽였습니다. 시신을…… 호수에 가라앉히려고 했는데…… 경찰이 왔습니다.

신창호는 뉴스 속 자신을 보며 한이 담긴 눈물 한 방울 떨어뜨리고는 마지막 호흡과 함께 손을 아래로 툭 떨궜다. 동시에 영주 엄마의 한 맺힌 통곡이 터져 나왔다.

"영주 아부지!"

요양원 복도로 막 들어서던 영주는 엄마의 통곡 소리를 듣고 병실로 달려갔다.

—기자로서…… 부끄러운 짓을 했습니다. 동료 기자들, 선후배들께 사과드립니다.

영주는 병실로 들어서다 오열하는 엄마와 조연화를 발견하고 가슴이 턱 막혀왔다. 영주는 두 눈 가득 눈물이 고인 채 이미 숨을 거둔 아버지를 향해 한 걸음씩 다가갔다.

—세상에 폐만 끼치고 갑니다. 죄송합니다. 미안합니다.

영주는 텔레비전에서 나오는, 세상에서의 마지막 아버지 말에 실신하듯 주저앉았다.

"아빠!"

영주는 무너져 내리며 신창호를 끌어안고 미친 사람처럼 오열했다.

7

　동준은 검은 양복을 입고 무거운 발걸음으로 신창호의 장례식장으로 걸어 들어갔다. 빈소 앞에는 '고인 신창호. 상주 신영주, 김숙희'라고 적힌 종이가 붙어 있었다. 초라하기 그지 없는 빈소 앞에는 단 하나의 조화가 놓여 있었는데, '명복을 빕니다. 강정일'이라고 적혀 있었다. 동준은 허탈한 분노로 그 이름을 차갑게 노려봤다.

　동준은 신창호의 영정에 국화를 올리고 묵념을 한 뒤 상복 차림의 영주를 바라보았다. 초췌하고 처연한 영주의 얼굴에 동준은 마음이 무너져 내렸다.

　"조문객이 없네. 하루 종일 열 명도 안 돼요. 엄만 걱정인가봐요. 발인할 때 관 들 사람도 없다고……. 친척들한테 연락해도…… 오겠다는 사람이…… 없어서."

　동준과 영주는 장례식장 앞 벤치에 나란히 앉아 어둠을 응시하고 있었다.

"내가 들게요. 기용이하고 사람 몇 불러서⋯⋯."

그 말에 영주는 잠시 동준을 쳐다보았다.

"그래도 되나? 내가⋯⋯ 신창호 씨 마지막 길⋯⋯ 관을 들어도 되나⋯⋯."

영주의 눈을 바라보던 동준은 안 되겠다는 듯 고개를 가로저었다.

"사람들 구해볼게요, 난⋯⋯."

"아뇨. 이동준 씨가 들어줘요."

동준은 차마 대답할 수 없었다.

"아버지 장례, 기자협회장으로 해달랬는데, 자격이 없다고⋯⋯ 거절당했어요."

동준은 자격이 없다는 말에 울컥했다. 그는 신창호가 누구보다도 좋은 기자였다는 걸 잘 알고 있었다. 동준은 법정에서 신창호와 처음 만난 때를 떠올렸다. 그때 그는 신창호에게 물었다.

'뛰어난 사회부 기자였는데, 사측의 제안을 받아들였으면 지금은 보도국장, 본부장이 될 수도 있었을 텐데⋯⋯.'

'좋은 일 하려고 기자가 됐는데, 기자 자리 지키려고 나쁜 놈 손 들어줄 순 없었습니다.'

동준은 마음이 아려왔다.

"아는 목사님한테 발인 예배 부탁했는데⋯⋯ 곤란하대요. 살인자라서⋯⋯ 그런가. 아버지 고향에 모시려고 했는데, 고향분들이⋯⋯ 오지 말래요. 부끄럽다고⋯⋯ 어쩌다⋯⋯ 이렇게⋯⋯."

동준은 살인자라는 죄명을 씌운 것이 자신이라는 사실이 뼈저리게 아팠다.

'피고 신창호에게 형법상 살인, 시신 유기 미수를 적용, 징역 15년을

선고한다.'

"엄마하고 나. 우리 가족 말고, 아빠가 어떻게 살았는지 믿어주는 사람은…… 이동준 씨뿐이에요. 아빠 가는 길…… 배웅해줘요. 관을 들려면…… 여섯 명은 필요하다는데…….."

영주의 목소리가 떨려왔다.

"이 세상에…… 우리 아빠 믿어주는 사람…… 여섯 명도 안 될 거 같아서……."

영주는 결국 울음이 터져 나왔다. 그저 고개를 숙인 채 새어나오는 울음을 막으며 흐느껴 울었다. 자신은 그녀에게 어떤 위로도 해줄 자격이 없다는 걸 깨달으며 동준은 눈물을 흘리며 영주의 울음에 함께했다. 동준은 날개가 꺾여 더 이상 날지 못하는 한 마리 새처럼 흐느껴 우는 영주를 가슴 시린 눈으로 바라봤다.

*

동준이 최일환의 저택 식당으로 들어서자 모두들 의외라는 표정이었다. 한동안 동준은 아침 식사 자리에 얼굴을 드러내지 않았다. 최일환, 윤정옥, 수연은 멀뚱한 표정으로 동준을 잠시 쳐다봤다.

"며칠 아침도 안 들고 가더니, 그래, 오늘 아침은 같이 들어."

윤정옥이 먼저 동준에게 말을 건넸다.

"오늘 기도는 제가 드리겠습니다."

동준이 자리에 앉으며 담담하게 말했다.

최일환은 그러라는 듯 고개를 끄덕이며 눈을 감고 손을 모았다. 눈을 감고 기도를 드리는 세 사람과 달리 동준은 두 눈을 뜬 채 소리 내어 기도하기 시작했다.

"원수를 사랑하라 하셨습니다. 그 말씀 따르지 못하겠습니다."

그 말에 최일환은 미간을 찌푸리며 눈을 떴다. 그 순간 자신을 쏘아보는 동준과 눈이 마주쳤다. 최일환은 오늘 동준이 식탁에 앉은 이유를 알 것 같았다.

동준은 최일환을 보며 기도를 이어갔다.

"복수는 하나님의 것이니, 너희는 다투지 말라 하셨습니다. 그 말씀도 따르지 못하겠습니다."

그 말에 이번에는 수연이 눈을 뜨고 동준을 바라봤다. 동준의 시선이 최일환을 향하고 있는 것을 보았다.

"당신이 주신 저의 모든 것을, 의로운 자를 위한 복수의 도구로 바치겠습니다."

"아멘."

수연은 입에서 가볍게 공기를 털어내듯 "아멘"을 읊으며 동준의 기도문을 끝맺게 했다. 수연은 이제 갈등을 끝내고 싸움을 시작하려는 자의 팽팽한 눈빛으로 동준을 바라봤다. 하지만 동준은 수연과 같은 눈빛으로 최일환을 바라보고 있어 그 사실을 알아차리지 못했다.

"이동준 씨는 무슨 생각일까?"

수연은 최일환을 따라 대표실 안으로 들어와 소파에 앉으며 독백하듯 중얼거렸다.

"동준인 뭐라. 무슨 생각을 하든 무기가 없어. 적당한 때 이원장 면을 세워주면서 내보낼 거다."

하지만 수연은 아침 식탁에서 보았던 동준의 눈빛이 개운치 않았다.

"그보다…… 정일이가 움직일 거야. 김성식 기자 살인 혐의에서 벗어났어. 고삐가 풀렸어. 수연아, 넌 아비 뒤에 숨어 있어."

수연은 태백밖에 모르는 아버지가 자신을 챙기자 처음으로 아버지
의 따뜻함을 느꼈다.

"정일이놈. 보국산업 승계를 하겠지. 인수인계를 하다 보면 날 못 건
드린다는 걸 알게 될 거야. 보국산업하고 태백, 30년 세월이 얽혀 있어.
날 건드리면 보국산업도 무너질 거다. 수천억이 넘는 재산이야. 포기
할 순 없을 거다."

그때 집무실 문이 벌컥 열리더니 송태곤이 달려 들어왔다. 어디서
뛰어왔는지 숨을 헐떡거리며 거칠게 숨을 몰아쉬었다.

"1층 브리핑룸에서…… 강정일 팀장이 기자회견을……."

송태곤은 리모컨을 찾아 들고 텔레비전을 켰다. 화면에 기자회견장
단상에 오르는 정일의 모습이 나오고 있었다. 최일환과 수연은 너무
놀라 입을 다물지 못한 채 멍하니 화면만 바라보았다.

─얼마 전 작고하신 보국산업 강유택 회장의 아들 강정일입니다. 선
친의 유지를 받들어 보국산업을 국가에 헌납하겠습니다. 헌납하기 전
에 보국산업의 30년 동안의 사업과 관련된 모든 장부와 서류를 제출하
겠습니다. 감사원에서 정밀 감사를 통해 그 공은 격려해주시고, 과는
엄중히 처리해주시길 바랍니다.

최일환은 도저히 믿을 수가 없었다. 수천억의 재산을 내던지며 정일
이 얻으려는 게 무엇인지 납득이 되질 않았다. 그는 전혀 예상치 못한
정일의 행보에 당황한 얼굴로 화면에서 눈을 떼지 못했다.

─감사원의 정밀 감사를 거친 뒤, 국가에 헌납된 보국산업이 선친의
꿈이었던, 국가 안보와 국방 강화를 위한 토대가 되기를 바랍니다.

정일이 기자회견을 마치고 인사를 한 뒤 고개를 들면서 어딘가를 응

시하자, 화면 속 정일의 눈과 최일환의 눈이 마치 서로를 보듯 마주쳤다. 최일환은 화면 속 정일을 이글거리는 눈으로 노려보았다. 송태곤은 머리가 아픈 듯 인상을 찌푸렸다. 점점 일이 복잡하게 꼬여가고 있었다. 수연은 정일을 노려보다 벌떡 일어나 밖으로 나갔다.

수연은 다급하게 누군가를 찾으며 복도를 걷다가, 집무실로 들어가는 정일을 보고 그 뒤를 따라갔다.

"보국산업을 감사원에 맡기면, 오빠, 아저씨가 평생 어떻게 살아왔는지가 드러날 거야."

정일이 막 책상 의자에 앉으려는데 수연이 들어오며 따지듯 물었다.

"아버지 인생의 상처가 드러나겠지. 최일환 대표 몸에 난 흉터도 드러날 거고. 방위산업과 연관된 두 분의 비리가 세상에 알려지겠지. 처벌은 최일환 대표가 받을 거고."

정일은 수연을 힐끗 쳐다보더니 자리에 앉아 서류를 뒤적이며 대수롭지 않다는 듯 말했다.

"살아남은 자의 슬픔. 대표실이 비겠네."

정일은 수연을 보고 옅은 미소를 짓더니, 자리에서 일어나 서류를 들고 소파에 앉았다.

"이삿짐은 벌써 들어갔고, 내가 그 방에……."

"보국산업 자산 평가액만 수천억이야. 그걸 어떻게……."

수연은 어이없는 표정으로 정일을 바라보았다.

"헌납할 줄은 몰랐겠지. 이재구 감사원장, 보기 드문 공직자야. 대쪽이라고들 하지. 최일환 대표 손이 안 닿는 인물이다. 수연아, 가서 대표님 손이라도 잡아드려."

"오빠!"

정일의 조롱이 견딜 수 없다는 듯 수연이 소리쳤다.

정일은 소파에서 일어나 수연에게 바짝 다가가 의미심장한 미소를 띠며 속삭이듯 말했다

"보국산업을 던져서 최일환 대표를 잡을 거다. 와인 병, 채워야지."

그 말의 의미를 알아듣고 수연은 미간을 찌푸렸다. 수연은 얼마 전 별장에서 정일이 했던 말이 떠올랐다.

'우리가 비운 와인. 빈병을 뭘로 채울까? 수연이 너의 눈물?'

정일은 고개를 가로저었다.

'최일환 대표의 피? 그게 낫겠네.'

"오빠가 마신 거야. 눈물이든 피든 오빠 걸로 채우게 해줄게."

수연은 정일에게 한발 더 다가가 차가운 미소를 지으며 속삭였다.

"아버지를 잃고 얼마나 힘들었을까? 그래서 오빠, 난 아버지 안 잃을래. 최선을 다해볼게."

수연과 정일은 입김이 닿을 거리에서 한 치의 양보도 없이 팽팽하게 서로를 응시했다.

*

바닥에 주저앉아 오열하는 영주 엄마 곁에 조연화가 앉아 위로하며 함께 눈물을 흘리고 있었다. 그 옆에 선 영주는 흐르는 강물에 신창호의 유골을 한 줌씩 뿌렸다. 한 인간이 한 줌의 재가 되어 쓸쓸하게 사라지고 있었다. 동준은 그 모습을 저만치 뒤에서 보고 있었다. 그는 바람에 날려 하늘로 휘날리다 강으로 사라지는 신창호의 뼛가루를 보았다. 미동도 없이 서서 신창호의 삶이 사라지는 모습을 지켜보는 그의 눈빛에 비장함이 서려 있었다.

정미경은 이호범과 이동민의 식사 자리에 나타난 동준을 보고 불청객 보듯 인상을 확 찌푸렸다. 반면 이동민은 자리에서 일어나며 동준을 반갑게 맞이했다.

"제가 불렀어요. 제 생일이니 형도 같이 있는 게 좋을 것 같아서요."

떨떠름한 표정을 짓는 정미경에게 동민이 말했다. 이호범은 그저 '저놈이 웬일로 이곳에 왔을까?' 하는 표정으로 입을 다물고 있었다.

동준은 굳은 표정으로 가지고 온 서류 봉투를 동민에게 건네며 자리에 앉았다.

"동민아, 생일 선물이다. 한때는 이 자리에 같이 있고 싶었습니다. 아버지 아들로, 이 집안 식구로. 동민이한테 위협이 되는 게 겁나서 저를 밀어내신 거 서운했는데, 지금은 고맙네요. 이런 집안의 식구가 안 되게 해주셔서."

"동준아!"

이호범이 낮고 준엄한 목소리로 꾸짖듯이 동준을 불렀다.

"형, 이게……."

동민은 봉투 안의 서류를 꺼내 보다 놀란 얼굴로 동준을 보았다. 이상한 낌새를 눈치챈 정미경이 서류를 빼앗아 훑어보았다.

동준은 태연한 얼굴로 가운데 놓인 음식을 조금 덜어서 접시에 가져다 먹었다.

"성형센터 관련 서류입니다. 인허가 과정에 부정 자금 대출에 비리가 있었습니다. 동민아, 네가 성형센터장이지?"

동준은 정미경을 빤히 쳐다보았다.

"어떡하죠? 아드님이 다칠 거 같은데."

"오늘은 동민이 생일이야. 이게 뭐하는 짓이야!"

정미경이 버럭 소리를 질렀다. 하지만 동준은 전혀 개의치 않고 담담한 표정으로 이호범을 바라보았다.

"아버지, 오늘은 신창호 씨 장의를 치른 날입니다."

이호범은 동준의 무슨 의도로 이곳에 왔는지 가늠해보려 했다.

"오늘부터 아버지한테 아들은 동민이뿐입니다. 하나 남은 아들은 지키세요, 아버지."

"아비가 뭘 하면 되냐?"

"아버지한텐 낯선 일입니다. 잘못된 결정을 바로 잡는 것. 모르죠. 한번 해보면 익숙해지실지도."

이호범은 이제야 아들이 이곳에 온 진짜 이유를 알 것 같았다.

*

영주는 조금 긴장한 얼굴로 경찰 제복 차림의 심사위원들 앞에 앉아 있었다. 동준이 변호인 자격으로 옆에 서 있었다. 어제 복직 신청을 했는데, 오늘 바로 복직 심사가 열려 영주는 조금 당황했다. 동준은 먼저 심사위원들 앞에 자신을 신영주의 변호사로 소개하고 본격적인 변론에 들어갔다.

"신영주는 민간인 폭행 및 수사 자료 유출의 혐의로 해직을 당했습니다."

동준이 리모컨을 켜자 벽면 텔레비전 화면에 백상구의 사진이 떴다.

"하나! 민간인 폭행! 당시 신영주에게 폭행을 당했다고 주장한 백상구입니다. 백상구는 철거 용역을 하는 조직 폭력배로 현재 해외 도피 중인 자입니다. 증언은 증인의 신뢰성에 기반합니다. 10년 동안 우수 경찰로 인정받아온 신영주와 철거 용역 백상구. 둘 중 누구를 신뢰할 수 있을까요?"

심사위원들은 탐탁지 않은 얼굴로 고개를 흔들었다.

"하나! 자료 유출……."

동준은 영주를 보며 고개짓을 했다. 영주는 자리에서 일어나 들고 온 서류를 심사위원들 앞에 올리고 다시 자리로 돌아가 앉았다.

"지난 3년간 수사 자료 유출 혐의로 징계를 받은 경찰의 명단입니다. 감봉 다섯 명, 견책 열두 명이에요. 상부의 지시를 거부하고 자료를 유출한 행위는 징계를 받아야 합니다. 감봉이나, 견책으로."

심사위원들이 조금 술렁이며 서로 낮게 뭔가를 속삭였다.

"신영주 경위는 강유택 회장 살인에 연루된 혐의가 아직 남아 있어."

심사위원장이 고개를 가로저으며 말했다.

"어떤 혐의입니까? 트렁크에서 발견된 시신은 누군가가 옮긴 것으로 입증됐습니다. 신영주 경위는 강유택 회장 살인 사건의 증인, 또는 참고인 신분입니다. 여기 계신 분들도 각종 사건의 참고인으로 법정에 자주 출석하실 텐데요."

그 시각에 이호범은 청와대 비서실에서 비서실장을 만나고 있었다.

"이번 VIP 유럽 순방에 동행해주셔야겠습니다. 일정표를 보내겠습니다. 참, 우리 작은 아들 수술을 부탁드리고 싶은데, 순방 전에 가능할지……."

"저도 부탁 하나 드리겠습니다, 비서실장님."

막상 부탁을 하면서도 이호범은 영 내키지 않는 얼굴로 딴 데를 보았다. 이호범의 부탁을 받은 청와대 비서실장은 복직 심사위원장에게 전화를 걸었다.

복직 심사위원들은 뭔가 곤란한 얼굴로 서로 낮게 속삭이며 의견을 조율하고 있었다. 그때 심사위원장의 휴대폰이 울렸다. 그는 귀찮은 표정으로 전화를 받다가 상대가 누구인지 알고는 깜짝 놀랐다.

동준은 심사위원장이 당황한 채 공손한 얼굴로 전화를 받는 모습을 담담히 지켜보았다. 동준은 그 전화가 누가 건 전화인지 이미 알고 있었다. 심사위원장은 전화를 끊고 심각한 얼굴로 심사위원들을 바라보았다.

"신청인 신영주를 해직 이전의 직위인 경위로, 해직 이전의 직급인 형사계장으로 복직을 허한다."

심사위원들은 청와대 비서실장의 전화를 받고 한참을 논쟁한 뒤 결국 영주의 복직을 허가했다. 심사위원장이 두드리는 봉 소리가 복직위원회 사무실에 울려 퍼졌다.

노기용이 영주의 비서실에서 박스 두 개를 챙겨 나오다 저만치 걸어오는 동준과 영주를 발견하고 쪼르르 달려갔다.

"오늘부터 저 방은 제가 쓰는 겁니까?"

노기용이 신난 얼굴로 동준에게 물었다. 동준은 미소로 답해주었다.

"신영주 씨 짐은 차에 갖다 둬."

"넵!"

노기용은 살짝 들뜬 목소리로 대답하며 복도를 걸어갔다.

동준과 영주는 노기용의 뒷모습을 잠시 바라보다 집무실 안으로 들어갔다. 안으로 들어오자 영주는 할 말이 있는 듯 동준을 빤히 쳐다보았다.

"복직 신청한 다음 날 위원회가 열렸고, 당일에 복직 결정이 났어요. 있을 수 없는 일이에요. 어떻게……."

"신영주 씨하고 나, 같은 걸 잃었습니다. 나도……."

동준은 책상 앞에서 서류를 챙기다 잠시 멈추고 영주를 바라보았다.

"아버지를…… 잃었거든요."

그 말에 영주가 멈칫하는데 동준의 휴대폰이 울렸다. 동준과 영주는 동시에 휴대폰 화면에 적힌 발신자 이름을 보았다. '아버지'였다. 동준은 잠시 머뭇거리다 전화를 받았다.

—저번에 넥타이핀을 두고 갔더구나.

"뭘 남기고 뭘 버려야 할지 알았으니까요. 동민이는 남았고, 전 아버지 곁을 떠났습니다. 동민이한테는 미안하다고 전해주세요."

영주는 통화하는 동준이 왠지 안쓰러워 보였지만 더 이상 아무것도 묻지 않았다.

"상대는 태백의 대표예요. 어쩌면 패배가 보이는 싸움이에요."

"해야 할 싸움이죠. 난 팀장 회의에 가야 해서."

동준은 책상 위에 있던 서류들을 챙겨 들고 나갈 준비를 했다.

"나도 작별 인사는 해야죠."

영주는 동준을 따라나섰다.

회의실에 앉아 있던 정일과 수연을 비롯해 조경호, 황보연과 두어 명의 변호사들은 동준과 영주가 들어오자 얼굴에 잠시 당황하는 기색이 감돌았다. 뜻밖의 등장에 수연과 정일이 얼굴을 살짝 찌푸렸다. 동준은 서 있는 영주에게 말하라는 듯 손짓을 하고 자리에 앉았다.

영주는 가방에서 조의금 봉투 하나를 꺼내 정일에게 다가가 그 앞에 내려놓았다.

"오늘 태백을 떠나게 됐어요. 조의금으로 받기에는 너무 큰 금액이네요. 이건 돌려드릴게요. 난 아버지가 강정일 씨한테 준 거, 돌려받을 겁니다."

정일은 영주가 뭘 말하는지 잘 알고 있었다. 정일은 신창호가 영주를 위해 거짓 자백을 하던 모습을 떠올렸다.

'제가…… 성식이를 죽였습니다.'

"경찰로 복직이 됐어요."

그 말에 정일과 수연은 자기도 모르게 흠칫 놀랐다.

"죄가 없는 분들은 놀랄 필요가 없을 텐데. 최수연 팀장님, 이제 영어 연설문은 못 도와드리게 됐네요. 나중에 진술서 쓰는 건 도와드릴게요."

당황한 수연은 영주의 비아냥에도 아무런 대꾸를 하지 않았다.

"그동안 고마웠어요."

영주는 수연과 정일을 한 번씩 쳐다보며 의미 있는 미소를 지었다.

"몇 분은 경찰서 취조실에서 곧 뵙게 되겠네요."

영주는 살짝 고개 숙여 인사하고 밖으로 나갔다. 영주가 나가고 문이 닫히자 회의실 안에 잠시 정적이 흘렀다.

"오늘 안건이 뭡니까? 강정일 팀장님, 회의 시작합시다."

동준은 정적을 깨며 아무렇지도 않은 듯 정일을 쳐다보았다.

8

"경위 신영주! 2017년 5월 2일부로 복직을 명받았습니다."

영주는 정복을 입고 경찰서장 앞에서 복직 신고를 했다. 서장은 경례를 받고 영주에게 다가가 어깨에 경위 견장을 부착해주었다. 영주는 결연한 얼굴로 자신의 어깨에 부착되는 견장을 바라보았다. 엄마에게 경찰 정복을 다시 입은 모습을 빨리 보여주고 싶었다.

영주 엄마는 경찰 정복을 입고 반찬 가게로 들어서는 영주를 보며 울컥했다. 영주는 책상 서랍에서 낡은 연을 꺼냈다. 영주는 그 연을 추억에 잠기듯 만졌다.

'우리 영주 초등학교 때였나? 방학 숙제로 연 만들 때, 남들 다 사는 문방구 연 말고 제대로 된 걸 만들겠다고, 한지에 풀 먹이고 연실에 유리 갈아서 며칠을 만들었는데……'

'뜨지도 않았잖아. 균형이 안 맞아서. 그 연 아직 내 방에 있어.'

'손재주만 엉망인 줄 알았는데 인생도 젬병이었어. 좋은 세상 만들어서 영주 너한테 주려고 했는데, 짐만 됐구나. 미안하다, 영주야.'

147

영주는 연을 만지며 아버지의 말을 부정하듯 고개를 가로저었다. 책상 위에 연을 조심스레 올려놓다가 사진 속 아버지의 얼굴을 보자 눈물이 흘렀다. 과거에 자신이 아버지에게 했던 약속을 떠올렸다.

"걱정 마. 엄마하고 나 잘살 거야. 결혼도 할 거고. 내 아이한테 말할 거야. 할아버지같이 살라고. 엄마가 가장 존경했고 가장 사랑했던 사람이라고."

영주는 아버지 신창호의 영정에 경례를 했다. 영주는 실룩이는 입술을 앙다물고 아버지에게 약속하듯 경례를 했다.

영주는 경찰서 정문 앞에 서서 잠시 감회에 젖었다. 한때는 세상에 정의를 실현한다며 나쁜 놈들 잡으러 뛰어다녔던 곳이고, 또 한때는 피의자로 수갑을 차고 들어온 곳이었다. 그리고 이제 영주는 다시 이곳으로 들어가려 했다. 이번에는 아버지가 이루고자 했던 세상을 위해, 아버지의 잃어버린 삶과 명예를 위해 제대로 싸워볼 생각이었다. 영주는 결연한 얼굴로 당당하게 경찰서로 들어갔다.

영주는 가지고 온 박스에서 가장 먼저 가족사진을 꺼내 책상 위에 올려놓았다. 영주는 가족사진을 잠시 바라보고는 감회에 젖은 눈으로 주변을 둘러보았다. 그런데 바로 옆자리, 박현수가 있던 자리가 비어 있었다. 그러고 보니 현수와 연락을 안 한 지가 꽤 된 것 같았다. 한때는 하루에도 몇 번씩 연락하던 사이였다. 영주의 입가에 쓸쓸한 미소가 번지는데, 저만치서 배계장이 다가오고 있었다. 배계장은 못마땅한 눈으로 영주를 쳐다보았다.

"박현수는 자원해서 지방으로 갔어요. 다들 서울로 오고 싶어 난리인데, 그놈은 고향에 갔다. 누구 때문에. 어이, 신영주야. 우리 과거는 잊고 미래로 가자. 나도 먹고살자고 한 짓이다."

"돈 벌고 싶으면 밀수를 하든지 사기를 치지. 왜 형사가 됐을까? 진짜 형사들 일해야 되니 살짝 비켜주시죠."

배계장은 여전히 영주가 눈에 거슬린다는 얼굴로 고개를 절레절레 흔들며 밖으로 나갔다.

영주는 배계장이 나가자 휘하의 형사들을 회의 테이블로 불렀다.

"자자. 일루 컴온."

영주의 호출에 형사 세 명이 테이블에 모여 앉았다.

"진행 중인 수사 올 스톱. 지금부터 이놈만 판다."

영주는 탁자 위에 송태곤의 사진을 올려놓았다.

"법률회사 태백, 비서실장 송태곤!"

영주의 눈에서 강한 의지가 뿜어나왔다.

＊

송태곤은 최일환의 집무실을 서성이며 안절부절못했다.

"신영주가 현장에 있었습니다. 우리가 그 건물에 들어가는 것도 봤습니다. 근데 그 사람이 경찰로 복직이 됐다고요."

"그날 유택이 아저씨 만나러 갔던 사람이, 박기사, 송비서, 그리고 아빠……."

수연은 소파에 앉은 채 대응책을 마련해보려는 듯 그날의 상황을 되짚었다.

"박기사는 미국 법인으로 보낼 생각이다. 거기서 애들 키우면서 한 5년 보내다 보면……."

"안 됩니다. 박기사는 제가 데리고 있겠습니다, 대표님."

149

송태곤은 최일환의 말을 자르며 그를 빤히 쳐다보았다.

"박기사가 없으면 현장에 대표님이 있었다는 걸 말해줄 사람이 없습니다."

송태곤은 일그러진 얼굴로 최일환을 쳐다보았다. 그는 이러다 잘못하면 혼자 죽게 될 거라 확신했다.

"송비서!"

최일환은 경고하듯 송태곤을 불렀다.

"수사가 코앞까지 오면, 대표님이 하신 일, 말할 수밖에 없습니다."

"자네 미래는 없어질 거야."

"그런 일 안 생기게 해주십시오. 부탁드립니다, 대표님."

송태곤은 진심을 담아 간절하게 말했다.

수연은 송태곤을 보며 뭔 일이 생길 것 같은 불안감을 떨쳐버릴 수가 없었다.

영주가 복직됐다는 소식에 정일과 조경호 역시 긴장하기 시작했다.

"신창호 사건은 끝났어. 자백을 하고 떠났지. 재판도 취하됐고. 정일아, 나 변호사 짬밥 10년이다. 신영주가 널 잡을 방법은 없어."

"그런데…… 경호야! 신영주, 이동준, 두 사람이 최일환 대표의 살인을 밝혀낸다면……."

정일은 최일환이 사라진 뒤 대표실 의자의 주인공이 누가 될지 상상해보았다.

"태백 대표실 의자에는 누가 앉게 될까?"

대표실 의자가 빙글빙글 돌아가고 있다.

빙글빙글 돌아가던 의자가 멈추면 그 의자에 동준이 앉아 있고, 그

곁에 경찰 정복 차림의 영주가 서 있다.

"이동준은 태백의 주인이 될 생각이야. 태백의 주인 이동준의 힘. 경찰로 복직한 신영주의 분노. 양날의 검이 나를 노리겠지."

조경호는 동준의 의도를 짚어보며 긴장한 얼굴로 안경을 올렸다.

"하지만…… 경호야, 대표실 의자에는 내가 앉을 거다."

정일은 대표실 의자에 앉아 그 옆에 놓인 도자기를 바라보는 자신을 상상하며 피식 웃었다.

"아버지가 내 옆에 계실 거야. 내가 태백의 주인이 되면 이동준도 신영주도……."

정일은 손바닥을 올리고 가볍게 후우 입김을 불었다. 정일은 둘 다 가볍게 날려버릴 수 있다는 듯 미소를 띠며 자리에서 일어났다.

"지금 이동준하고 나, 같은 적을 겨누고 있어. 선물 하나 주고 올게."

동준은 소파에 앉아 송태곤의 프로필 문서를 보고 있다가 정일이 들어오자 문서를 덮어 옆으로 치웠다.

"군대에서 사격 훈련을 한 적이 있습니다. 실탄은 열 개인데, 내 과녁판에 스무 개의 탄흔이 찍혔습니다. 옆에 훈련병이 내 과녁에 사격을 했죠. 최일환 대표! 과녁은 하나인데, 총구는 두 개. 나, 그리고 이동준 씨."

동준은 다가와 소파에 앉는 정일에게 옅은 미소를 지었다.

"총구는 하나, 과녁은 두 개입니다. 최일환 대표, 그리고 강정일 씨."

정일은 일단 알겠다는 표정을 짓더니, 그 앞에 놓인 신문 기사를 가리켰다. '장현국 전 대법원장, 김영란법 위반 1심 내일 첫 공판'이라고 쓰여 있었다.

"생각나네. 이동준 씨가 재임용에서 탈락될 때 어머님이 운영하는 요양원 문제, 의료보험 공단에 단순 문의한 걸 누가 부당 청탁으로 부풀렸을까?"

동준은 뜻밖의 말에 미간이 움찔했다.

"그 일만 없었으면 이동준 씨는 태백에 들어왔을까? 신창호 씨 청부 재판을 받아들였을까?"

"무······슨 말입니까?"

"듣고 싶으면······ 차 한 잔 주시죠."

정일은 알 듯 말 듯한 미소를 지으며 동준을 바라보았다.

동준은 허탈한 웃음을 지으며 최일환의 저택 2층 계단을 한 계단씩 천천히 올라갔다. 오늘따라 이 계단이 더욱 힘들게 느껴졌다. 동준은 침실 앞에서 잠시 심호흡을 하고 안으로 들어갔다.

"부부 사이에 한 침대를 쓴 적은 없지만, 일은 같이 할 수 있지 않나?"

차를 마시던 수연은 들어오는 동준을 보며 미소를 지어 보였다.

동준은 할 말이 있는 얼굴로 수연 앞으로 가서 소파에 앉았다.

"송태곤 실장 조사하는 거 알아요."

수연은 차 한 모금을 마시며 잠깐 뜸을 들였다.

"정일 오빠부터 처리해요, 우리. 신창호 씨 재판, 재심 신청할 수 있어요. 당신 맘에 걸리는 건 신창호 씨 아닌가? 그분 누명 벗기는 데 내가 도움이 될 거예요."

"재임용 심사 때 의료보험공단에 갔었나?"

동준은 담담하게 물었지만 목소리에 날이 서 있었다.

수연은 그 말에 멈칫하며 들고 있던 찻잔을 내려놓았다. 동준은 오늘 낮에 정일에게 들은 얘기를 떠올렸다.

'자기 사람으로 만들 때 최일환 대표가 쓰는 방법입니다. 완전히 다 빼앗은 뒤에 손을 내밀죠.'

"……대법원장도 만났었고?"

동준의 목소리가 조금씩 떨려오기 시작했다.

수연은 예상치 못한 질문에 당황한 듯 어색한 미소를 지었다.

'모친이 운영하는 요양원의 의료비 과다 청구 심사를 무마한 정황이 포착됐네. 판사의 직위를 이용해서 공단 직원에게 압력을 행사했어.'

동준은 대법원장의 말이 생각나자 목소리가 떨렸고 입가를 씰룩거렸다.

"그때도 그림은 최일환 대표가 그렸겠지. 무대는 수연이 네가 만들었고."

"청부 재판, 나와의 결혼. 선택을 한 건 당신이에요."

그 사이 어느 정도 감정을 추스른 수연은 평소 같은 표정으로 담담하게 대답했다.

동준은 피식 실소를 보이고는 손으로 마른세수를 했다. 다시 고개를 들었을 때 동준의 얼굴은 얼음처럼 차가웠다.

"그래. 이번에도 내가 선택하지. 과녁은 그대로야. 송태곤을 뚫고 최일환 대표까지 관통할 거야. 파편이 튈 거다. 조심해라, 수연아."

동준은 차가운 분노의 시선으로 수연을 바라보았다. 수연은 그 시선을 피하지 않고 팽팽하게 받아냈지만, 눈빛에 살짝 두려움이 묻어 있었다.

　주유소 사무실 CCTV 화면에는 화재 발생 당일 차 뒷좌석에 휘발유 통을 싣고 있는 송태곤의 모습이 찍혀 있었다. 송태곤은 그 모습을 보며 골치 아픈 듯 관자놀이를 눌렀다.

　"경찰이 와서 이걸 가져갔다고요? 언제 가져갔습니까?"

　송태곤이 다급하게 주유소 직원에게 묻는데 휴대폰이 울렸다. 액정 화면에 '신영주'라고 뜨는 걸 보고 인상을 찌푸리며 전화를 받았다.

　─점심 같이 하죠. 주유소 뒤에 일식집이 있으니까 그리 오세요. 밥은 시켜놓을게.

　송태곤은 골치 아프게 됐다는 얼굴로 전화를 끊었다.

　송태곤은 얼굴을 잔뜩 찌푸린 채 일식집 방 안으로 들어섰다. 영주는 간단하게 차려진 식사를 앞에 두고 이미 음식을 먹고 있었다.

　"높은 자리 있는 분들, 자기 돈 안 쓰는 버릇은 못 버리네. 사건 당일에 법인카드로 주유했던데. 그 차 가득 채우면 십만 원. 근데 십오 만 원을 결제했네요."

　영주는 카드 사용 명세표를 송태곤에게 툭 던졌다.

　"차에 기름만 넣지. 휘발유는 왜 사 갔을까? 그것도 화재 발생 30분 전에."

　"출장이 잦아서. 시골에는 주유소가 없기도 하고, 비상용으로……."

　송태곤은 자리에 앉으며 어설픈 변명을 늘어놓았다.

　영주는 여전히 식사를 계속하며 사진 한 장을 다시 툭 내밀었다. 블랙박스에 찍힌 남자의 뒷모습이 찍힌 사진이었다.

　"이 옷, 자주 입으시는 것 같던데."

영주는 송태곤이 찍힌 다른 사진 두어 장도 툭툭 던졌다. 그 옷을 입고 찍은 체육대회 사진과 어린 딸과 함께 꽃밭에서 찍은 사진이었다.

"이건 흔한 옷인데……."

송태곤은 마음이 조여들었지만 다소 허세를 부리며 태연한 척했다.

영주는 그럴 수도 있겠다는 듯 고개를 끄덕이며, 식탁 위에 놓인 휴대폰의 음성 인식 시스템을 이용해 말했다.

"시경 화재 감식반에 문자 보내줘. 영등포서 신영주예요. 신길동 화재 당시 촬영한 영상, 파일로 보내줘요."

그 순간 송태곤은 얼굴빛이 살짝 변했다.

영주는 전송되는 문자를 확인하며 송태곤에게 물었다.

"범죄심리학 배우셨겠네. 방화범의 절반 이상이 현장 근처에 있다가 영상에 찍힌다는데, 정말 그런가?"

영주는 고개를 끄덕이며 혼잣말처럼 중얼거렸다. 송태곤은 자기도 모르게 마른침을 삼켰다.

"그렇구나. 화재 발생 30분 전에 휘발유를 산 것도 우연, 이 옷도 우연, 근데 화재 현장 영상에 그쪽이 있으면 그것도 우연일까?"

송태곤은 줄곧 입을 다물고 있었다. 영주는 테이블 위에 놓인 사진들 중 아이와 함께 찍은 사진을 보며 말했다.

"일곱 살이라던데. 지금 자수하면 얘가 시집가기 전에는 출소할 수 있어요. 오늘 자수하면 밥값은 내가 내죠."

"나 태백 비서실장이야. 내 말 한마디면 너 전출시키는 건……."

송태곤은 마지막 허세를 부려보았다.

"해보시지. 수사 중인 형사를 건드리면 범행을 자백하는 거나 마찬가지 아닌가."

송태곤은 아무 말도 못하고 참담한 표정만 지었다. 영주는 혀를 차며 고개를 살짝 들어 가로저었다.

"일단 송태곤 씨. 오늘 밥값은 각자 내죠. 다음엔 내가 사게 해줘요."

영주는 다시 고개를 파묻고 열심히 식사를 했다. 송태곤은 당황한 표정으로 그 모습을 보았다.

영주는 경찰서 형사과로 들어서면서 동준에게 전화를 걸었다.

"송태곤한테 기름은 내가 부었어요."

―불은 내가 붙이겠습니다.

"생각보다 우리 둘, 호흡이 잘 맞네."

―지금까진. 더 오래 두고 봅시다.

영주는 동준의 마지막 말에 잠시 멈칫하는 기분으로 서 있다가, 피식 미소 지으며 자리에 앉았다.

동준이 영주와 통화를 끝내고 복도를 걸어가는데 맞은편에서 송태곤이 수심 가득한 표정으로 걸어왔다. 동준은 입가에 옅은 미소를 지으며 송태곤에게 다가갔다.

"최일환 대표 운전기사, 박기사던가? 오늘 미국으로 출국했습니다. 가족도 같이 갔어요."

동준이 가볍게 던진 그 말에 송태곤은 소스라치게 놀랐다.

"그 사람들 보낸 이유는 알 거고, 생각해봅시다. 왜 선배는 남겨됐을까?"

"……."

"검사 시절에 경제사범 꽤 만져봤으니 잘 알겠네. 재벌 회장들 문제 생기면, 사장단 중에 하나 옥살이 시킵니다. 보는 눈이 많으니까 대가는 후불로 받는데, 어떡하지? 그룹이 무너지면 몸은 상하고 돈도 놓치고. 태백 못 버팁니다. 최일환 대표 무너질 겁니다. 평생 지켜온 소신대로 하세요. 이번에도 비겁하게, 살아남아야죠, 선배."

송태곤은 아무 말도 하지 않았지만 눈빛이 심하게 흔들리고 있었다.

"신영주 씨 명함 받았습니까? 편하게 전화하세요."

동준은 가려다 다시 돌아서서 농담하듯 말했다.

"참, 휴대폰 무제한 통화죠? 길게 통화해도 되겠네."

동준은 송태곤의 어깨를 툭 치며 지나갔다. 송태곤의 얼굴에 감당할 수 없는 갈등이 요동치고 있었다. 그는 마음을 겨우 진정시키며 자신의 집무실로 들어가 책상 의자에 앉았다.

어떤 결정을 내려야 이 미로 같은 늪에서 빠져나갈 수 있을지 도무지 알 수가 없었다. 그때 송태곤의 눈에 앞에 놓인 결재 서류가 들어왔다. '5월 1주차 수임료 정산액 124억 원'이라고 적혀 있었다. 그리고 그 위 결재란에는 '비서실장 전결'이라고 되어 있었다. 송태곤은 굳은 얼굴로 그 '124억 원'을 뚫어지게 쳐다보았다. 이 돈이면 세계 어느 나라로 달아나도 살아갈 수 있으리라. 하지만 그는 어떤 결정도 내릴 수 없다는 듯 벌떡 일어나 머리를 헝클어뜨리며 묵음의 고함을 질렀다.

*

"총리 조카, 장관 딸, 청와대 비서실장 아들. 이번에 들어오는 신참 변호사들은 법률 지식이 너무 떨어지는 인력이에요."

황보연은 수연과 나란히 복도를 걸으며 불만 가득한 얼굴로 말했다. 하지만 수연은 어쩔 수 없다는 듯 가볍게 대응했다.

"어쩌겠어? 못난 자식이 월급 받아가면 일은 부모들이 알아서 해주겠지."

수연은 좀전에 최일환의 지시를 받고 청와대 비서실에 다녀왔다. 비서실장과는 평소 친분이 있는 사이였다. 수연은 비서실장 앞에서 마음에도 없는 소리를 하며 그의 아들을 태백으로 스카우트했다.

"큰 아드님이 이번에 로스쿨 졸업하죠? 그런 인재는 우리 태백에서 모시고 싶어요. 다른 로펌에 보내시면 절대 안 돼요, 실장님."

비서실장은 수연의 말에 쑥스럽다는 듯 고개를 끄덕였지만 얼굴에는 함박웃음을 지었다.

수연은 황보연에게 미소를 지어 보이고 최일환의 집무실로 함께 들어갔다.

"비서실장 만나고 왔어요, 아빠. 보국산업 헌납 문제는 국회로 보내서 시간을 끌어보겠대요. 수천억 되는 돈을 어디다 쓸지 여야가 다투다 보면 두어 달은 금방 가겠네."

수연은 소파에 앉으며 최일환에게 보고했다.

"두 달 뒤면 감사원장 임기가 끝난다. 그럼 내가 컨트롤할 수 있는 놈을 그 자리에 앉힐 생각이다. 정일이놈, 보국산업만 잃게 될 거야."

그때 황보연의 휴대폰이 울렸다. 황보연은 고개 돌리고 전화를 받다가 크게 놀라며 전화를 끊었다.

"저…… 대표님……."

황보연은 최일환을 보며 당황하더니 리모컨으로 텔레비전을 켰다.

화면에 감사원 건물 전경이 보이더니, 정일과 감사원장이 서로 악수를 나누는 모습이 나오고 있었다.

—보국산업을 국가에 헌납하겠다고 밝힌 강유택 회장의 아들 강정일 씨는 오늘 감사원을 방문, 30년간의 방산 산업과 관련된 모든 서류 일체를 넘겼습니다. 이재구 감사원장은 자신의 임기가 끝나기 전에 보

국산업에 대한 감사를 마치고, 공은 국가에 남기고 과는 검찰로 넘기겠다고 밝혔습니다.

예상치 못한 정일의 행보에 최일환은 크게 당황했다.

"정일아, 너무 서두르는 거 같아. 이렇게 빨리 진행하다 문제라도 생기면……."

조경호가 걱정스런 얼굴로 조심스레 물었다.

"최일환 대표는 바위야. 내가 가진 건 권총이고. 권총이 바위를 관통하려면, 경호야, 총탄이 빛처럼, 아니 빛보다 더 빨라야 돼. 최일환 대표가 대응할 시간을 주면 아버지 빚을 갚을 수가 없게 된다."

정일은 책상으로 다가가 그 위에 놓인 사진 속 강유택을 복잡한 눈빛으로 바라보았다.

깊은 밤, 텅 빈 경찰서에서 영주는 지친 얼굴로 책상에 앉아 컴퓨터 화면을 보고 있다. 최일환의 옛 변호사 사무실 화재 진압 장소 주변 동영상이었다. 영주는 몇 번을 돌려봤지만 원하는 영상을 발견할 수 없어 깊은 한숨을 쉬었다. 그때 휴대폰에서 메시지 수신음이 울렸다. 영주는 메시지를 확인하고 미소를 띠며 밖으로 나갔다.

"두 시간짜리 영상을 다섯 번 봤네."

영주는 경찰서 근처 샌드위치 가게에 앉아, 앞에 있는 동준을 보며 신세 한탄하듯 투정했다.

"이동준 씨는 열 시간 넘게 동영상 본 적 없죠? 얼마나 힘든데."

"화재 현장에 송태곤 실장이 있었다는 증거가 없군요."

동준은 조금은 안쓰럽다는 듯 영주를 보다 뭔가 떠오른 듯 눈이 반짝였다.

"의심! 자신의 모습이 화재 현장 영상 속에 있다고 의심하게 만들면, 송태곤은 어떻게 할까?"

"달아나겠죠. 가장 좋아하는 걸 챙겨서."

"돈!"

동준과 영주는 동시에 서로를 보며 낮게 소리쳤다.

"송태곤 실장, 내가 건드려보겠습니다."

"난 미행을 붙이죠. 잠복도 하고."

영주는 건배를 권하듯 샌드위치를 들어 동준을 바라보았다. 동준은 자신의 샌드위치를 들어 건배하듯 가볍게 부딪쳤다. 두 사람은 서로에게 미소를 지으며 샌드위치를 먹었다.

*

다음 날 영주는 자신의 자리에서 서류를 뒤적이며 누군가를 기다리고 있었다. 출근하는 형사들과 한 명씩 눈인사를 하는데, 배계장이 들어오는 모습이 보였다. 순간 영주는 배계장에게 들리게끔 부하 형사들에게 말했다.

"송태곤 소환장 처라. 주말 지나고 바로 취조실에서 볼 수 있게 오늘 발부해."

"높은 분들 취조실에 모시는 게 쉬운 일이 아니다. 심증만 가지고 부르면 오시겠냐?"

배계장이 옆자리에 앉아 있다가 탐색하듯 영주에게 다가왔다. 영주는 일부러 태연한 척 서류를 뒤적였다.

"화재 현장에 영상이 찍혔어. 왜 그 현장에 있었는지 송태곤한테 변명은 들어봐야지. 참고인으로 부를 거예요. 곧 피의자로 신분이 바뀔 거고……. 나 일해야 하는데."

영주가 이만 가보라는 듯 눈짓하자, 배계장은 뭔가 할 일이 있는지 서둘러 밖으로 나갔다. 영주는 그의 뒷모습을 보며 의미심장한 미소를 지었다.

송태곤은 책상에 앉아 자신의 집무실로 배달된 소환장을 뚫어질 듯 쳐다보았다. 밖에서 짧은 노크 소리가 들리고 문이 열리더니 동준이 커피 두 잔을 들고 안으로 들어왔다. 동준은 커피 한 잔을 송태곤 앞에 놓아주며 소환장을 힐끔 보았다.

"두 번째 소환장이네. 스폰서 검사 때 첫 번째 소환장은 내가 보냈었죠. 그때 취조실에서 선배가 한 번만 살려달라고 했는데, 그때 못 살려드린 거 이번에는 살려드리게 해주세요."

송태곤은 삐딱한 표정으로 동준을 쳐다보았다.

"신길동 살인 사건."

동준은 고개 숙여 자신의 얼굴을 송태곤에게 바짝 갖다 댔다.

"유일한 목격자 송태곤. 범인은 최일환 대표. 경찰에 가서 진술해요, 선배."

그 말에 송태곤은 인상을 확 찌푸렸다.

"내부 고발을 하면 남은 인생 반은 건지겠네. 버티면 남은 인생 전부를 감옥에서 보낼 거고. 둘 중에 선택해요, 선배."

송태곤은 동준을 보던 시선을 돌려 책상 위 사진 속 어린 딸을 바라보았다.

"싫다. 둘 다."

송태곤은 오기가 생기는 얼굴로 동준을 빤히 보며 커피를 단숨에 마시고 종이컵을 확 구겨버렸다.

송태곤은 최일환의 집무실 문을 벌컥 열며 거칠게 안으로 들어갔다. 송태곤은 들어오던 그 기세와 속도로 책상에 앉아 있는 최일환에게 다가갔다.

"주유소에서 산 휘발유, 그날 입었던 옷, 화재 현장에서 찍힌 영상까지 신영주가 가지고 있습니다. 검찰 기소에는 문제가 없을 겁니다."

최일환은 평소와 다른 송태곤의 태도에 잠깐 멈칫했다. 송태곤은 책상 위에 소환장을 던지듯이 올려놓았다.

"태백의 주인, 최일환 대표님."

최일환은 어떤 반응도 보이지 않고 묵묵히 소환장을 내려다보았다.

"이 방에 계속 있고 싶으면 나부터 살려야 할 겁니다."

최일환은 궁지에 몰린 짐승처럼 흥분해 펄펄 뛰는 송태곤을 굳은 얼굴로 말없이 바라보았다.

"강유택 회장 사십구재를 절에서 한대요. 아버지 교회에서 승천 예배 준비하고 있었는데, 뭔 짓이람. 십일조 내고 열 배, 스무 배를 영수증 처리해서 챙겨간 사람이…… 쯔쯔……. 참, 법무부 장관이 장로가 되고 싶다고 찾아온대요. 사나흘에 한 번은 아빠한테 와서……."

윤정옥은 화장대에 앉아 화장을 지우며 투덜거리다 문소리가 나자 뒤를 돌아보았다. 방금 전까지 침대에 앉아 있던 최일환이 기도실로 들어가고 있었다.

기도실로 들어간 최일환은 두 손을 모은 채 눈 감고 묵묵히 기도를 드렸다.

'일환아, 성경에 보믄 흙에서 온 거는 흙으로 간다 안 캤나? 종놈의 자슥이 친구 잘 만나가 한세상 잘 놀았다 생각해래이.'

기도하던 최일환의 얼굴이 갑자기 비틀렸다. 강유택의 말을 생각하니 마음 깊은 곳에서 다시 분노가 들끓었다. 최일환은 마음을 가라앉히며 다시 기도를 드렸다. 그러다 뭔가가 떠오른 듯 눈을 번쩍 뜨며 침실로 황급히 나갔다.

"법무부 장관이 언제 찾아왔는지 장인어른께 알아봐."

윤정옥은 화장을 지우다 의아한 눈으로 그를 돌아보았다.

"모레가 팔순이세요. 그걸 다 어떻게 기억하시겠어요?"

윤정옥은 최일환의 표정이 심상치 않다는 걸 깨달았다.

"알아……볼게요."

최일환은 뭔가 새로운 계책이 떠올랐는지 얼굴이 살짝 상기되었다.

*

아침부터 태백 로비에서 서로 총구를 겨누고 있는 세 사람이 만났다. 최일환과 정일, 동준은 각기 다른 방향에서 걸어오다 잠시 걸음을 멈추고 서로를 바라보았다.

'최일환 대표! 과녁은 하나인데, 총구는 두 개. 나, 그리고 이동준 씨.'

동준은 정일을 보며 그가 했던 말을 떠올렸다.

'총구는 하나. 과녁은 두 개입니다. 최일환 대표, 그리고 강정일 씨.'

정일은 동준이 자신의 제안을 거부하며 했던 말을 기억해냈다.

최일환은 서로를 바라보는 정일과 동준을 마뜩잖은 표정으로 바라보았다. 잠시 세 사람 사이에 무언의 신경전이 벌어지다 동준과 정일이 최일환에게 가볍게 목례하듯 고개를 숙이자, 최일환은 굳은 표정으로 그들을 지나쳐갔다.

"정일아, 법무부 장관이 지금…… 대표님하고 면담 중이다."

조경호가 정일의 집무실로 다급히 뛰어들어왔다.

"아버지 사건 당일 알리바이를 만들려고 할 거야."

정일은 동준의 사무실이 보이는 창가로 다가갔다. 동준이 집무실에서 노기용에게 뭔가 지시하고 있는 모습이 보였다.

"이동준의 총구를 피할 생각이겠지. 근데 어쩌지? 내 화살도 최일환 대표를 겨누고 있는데."

정일은 지금의 상황이 나름대로 만족스러웠다.

송태곤은 최일환의 말 한마디 한마디에 신경을 곤두세운 채 소파 옆에 서 있었다. 최일환의 부름에 법무부 장관은 한달음에 태백을 찾았다. 최일환은 집무실 소파에 앉아 장관과 이런저런 얘기를 나누었다.

"4월 24일이던가. 낮에 교회에 들렀다고? 그날 장인어른하고 자네, 그리고 나. 우리가 같이 차를 마셨던가?"

장관은 뜬금없는 최일환의 말에 의미를 알아차리지 못하고 고개를 갸웃했다.

"자넨 검찰 개혁에 대해 내 의견을 물었지. 교회 지하에 있는 귀빈실에서 두어 시간 같이 있었고."

그 말에 송태곤은 이제 자신의 알리바이도 완벽하게 만들어질 거라 생각하며 흐뭇하게 미소 지었다.

"귀찮은 일이 있어. 자네가 날 좀 부축해주게. 장로가 되고, 총리가

164

되고, 자네 남은 길은 내가 부축해주지."

최일환은 별거 아니라는 듯 여유로운 얼굴로 장관을 쳐다보았다.

장관은 잠시 생각하는 듯하더니 그 제안을 흔쾌히 받아들였다.

"그날 검찰 개혁에 대해 제 의견도 말씀드렸습니다, 장관님."

송태곤은 자신의 알리바이에 쐐기를 박으려고 두 사람의 대화에 슬쩍 끼어들었다.

"아니, 우리 둘만 있었네. 송비서! 자네는 그때 어디 있었지?"

최일환은 단호한 표정을 지으며 송태곤의 알리바이를 가차 없이 없애버렸다.

"대표님……."

최일환은 송태곤의 당황스러운 얼굴을 무시하며 시계를 보는 척하더니 장관에게 이만 나가라보라는 손짓을 했다.

"이런, 국무회의 시간이 다 됐군. 청와대까지 차가 막힐 시간이야."

장관은 일어나 정중하게 인사하고 밖으로 나갔다. 문이 닫히자 황망한 얼굴로 최일환을 보고 있던 송태곤이 소파에 앉았다.

"강유택 회장 살해 시간에 알리바이를 만드시는 거 아닙니까?"

최일환이 말없이 고개를 끄덕였다.

"화재 영상에 제 얼굴이 찍혔습니다, 대표님."

"그러니 어쩌겠나? 자네를 건지려다 나까지 쓸려갈 순 없잖은가."

송태곤이 헛웃음을 짓더니, 표정이 일그러지며 최일환을 겁박하기 시작했다.

"전요, 대표님이 강유택 회장을 살해한 현장을 목격했습니다."

최일환은 무슨 말인지 모르겠다는 눈으로 송태곤을 바라보았다.

"난 그 시간에 검찰 수사를 총괄하는 법무부 장관하고 있었네."

"현장에 대표님도 있었다고요."

최일환의 능청스런 연기에 송태곤은 분노가 폭발하며 소리쳤다.

"박기사는 미국으로 보냈어. 입이 무거운 친구야."

송태곤은 점점 궁지로 몰리자 미칠 것 같았다.

"우발적 충동에 의한 살인이겠지. 살해 동기는 자네한테 유리하게 만들어두지. 10년이면 감옥에서 나올 거야, 송비서."

줄곧 미소를 띠며 여유롭던 최일환은 갑자기 얼굴색이 변하며 진지한 눈빛으로 물었다.

"송비서, 자네 인생의 10년. 얼마에 팔겠나?"

송태곤은 일그러진 분노로 최일환을 바라보다 더 이상 참을 수 없을 것 같아 밖으로 나갔다. 그 뒷모습을 최일환은 미소를 띤 채 바라봤다. 최일환은 송태곤이 결국 자신의 제안을 받아들일 거라고 확신했다.

송태곤은 집무실로 거칠게 들어오다 휴지통이 발에 걸리자 힘껏 걷어차버렸다. 그는 갈피가 안 잡히는 마음으로 집무실을 서성거렸다. 최일환의 말이 계속 맴돌아 미칠 것 같았다.

'자네 인생의 10년. 얼마에 팔겠나?'

그는 고개를 세차게 가로저었다. 아무리 생각해도 최일환에게 자신의 남은 인생을 맡기는 건 너무 위험했다. 그는 집무실 안을 뱅뱅 돌아다니며 좋은 수를 생각해보려 애쓰다 문득 동준의 말이 떠올랐다.

'재벌 회장들 문제 생기면 사장단 중에 하나 옥살이 시킵니다. 보는 눈이 많으니 대가는 후불로 받는데, 어떡하지? 그룹이 무너지면 몸은 상하고 돈도 놓치고. 태백 못 버팁니다. 최일환 대표 무너질 겁니다.'

동준과 신영주의 기세로 봐서는 이대로 가다가 아무래도 옥살이를

166

하게 될 것 같았다. 송태곤은 혼자서 나락으로 떨어진 기분이었다.

'어쩌지…… 어쩌지…….'

중얼거리며 혼잣말을 하던 송태곤이 갑자기 뭔가를 결심한 얼굴로 발걸음을 멈추더니, 사무실 전화로 어딘가에 다급히 전화를 걸었다. 그는 책상 위에 있던 서류철을 열어 '5월 1주차 수임료 정산액 124억 원' 서류에 눈을 고정시켰다.

"실장이다. 이번 주 수임료 통장하고 비번 나한테 보내."

송태곤은 상대방의 말을 잠시 듣다가 버럭 소리를 질렀다.

"착오가 있으니 다시 검토하겠다는 거 아냐. 대표님 지시야. 어서!"

송태곤은 거칠게 전화를 끊어버렸다. 극도의 불안감으로 그의 눈빛에 광기가 번득였다.

아무도 눈치챌 틈이 없도록 송태곤은 다급하게 움직였다. 검찰 생활과 태백에서 일하면서 터득한 모든 불법적인 노하우를 이용해 순식간에 일을 처리했다. 일단 변호사 수임료를 모두 인출했다. 송태곤은 그 돈을 들고 허름한 건물에 있는 사채업소 '일신금융'을 찾았다. 한눈에 보기에도 수상한 냄새가 물씬 풍기는 간판을 보며 그는 잠시 생각에 잠겼다. 그런 그의 모습을 맞은편 차 안에서 형사가 지켜보고 있었다.

*

"사채 조직 아니면 해외 도박 조직을 통해서 수수료 10프로 떼고 운반하려 하겠죠. 애들 붙여놨어요."

영주는 책상에 앉아 서류를 뒤적이며 동준과 통화하고 있었다.

—이번 주에 태백 변호사들 수임료를 챙겨서 갈 모양입니다.

"우리 송태곤 씨, 횡령에다 외국환 관리법 위반까지 하셔야겠네."

그때 전화기 너머에서 "송태곤 실장, 오늘 오후 2시 마카오행 비행기 예약했답니다."라고 말하는 노기용의 목소리가 들려왔다.

—들었습니까? 한 시간 남았어요.

"오케이."

영주는 전화를 끊은 뒤 막 식사를 시작하려는 두 형사의 등을 두드리며 말했다.

"가자. 저녁은 따블로 먹여줄게."

영주는 형사들을 이끌고 다급히 밖으로 달려나갔다.

동준이 영주와 통화를 마치고 막 소파에 앉으려는데, 수연이 시설과 남자 직원 두 명을 데리고 들어왔다. 수연은 방을 한번 둘러보며 직원들에게 지시했다.

"여긴 회의실로 하면 되겠다. 이쪽에는 프로젝션 설치하고, 테이블은 여기. 조명도 바꾸고, 책상은 깨끗하게 썼네. 필요하면 가져가요."

수연은 직원에게 선심 쓰듯이 말했다. 동준은 무슨 일이냐는 표정으로 수연에게 다가갔다.

"수연아."

"이동준 씨 사무실, 곧 비워야 할텐데……. 아빠가 오래요."

수연은 동준을 비웃는 듯한 표정으로 바라봤다.

최일환은 동준을 잠시 그윽한 눈으로 보았다.

"수연이랑 결혼하라고 했을 때, 동준아, 왜 너냐고 물었지."

동준은 왜 자신이냐고 메마른 얼굴로 최일환에게 물었던 일을 잠시 떠올렸다. 그러고 보니 길지 않은 시간 동안 감당하기 힘든 일들이 너무도 많이 일어났다.

"엄마 배 속에서 버려진 의사 아들놈."

동준은 그동안 있었던 일들을 짧게 떠올리며 묵묵히 들었다.

"출발이 비천한 놈들은 끝이 비루한 걸 못 견디지. 내가 알아. 그래서 동준아, 난 말이다. 내 안에 있는 게 너한테도 있을 거라 생각했다."

동준은 최일환이 무슨 말을 할지 짐작하고 있었지만 모른 척 듣기만 했다.

"대표님하고 다른 사람이어서 다행으로 생각합니다."

그 말에 최일환은 별 반응을 보이지 않았다.

"내 옆에, 태백에, 수연이 방에 남을 기회가 몇 번이나 있었어."

"수연아, 네가 믿는 신께 감사드린다. 시험에 들지 않게 해주셔서."

최일환은 동준을 내보내는 게 조금 아깝기는 했다.

"이호범 원장 면을 봐서 기다렸는데 이젠 마무리를 해야지."

수연은 서류를 탁자에 올리며 경쾌한 목소리로 말했다.

"이혼 서류예요. 내 도장은 찍었고, 이동준 씨만 정리하면 돼요."

"동준아, 이제 태백에서 나가라."

최일환은 무거운 표정으로 동준을 응시했다. 동준은 최일환을 잠시 마주 보다가 피식 미소를 지었다.

"그렇게는 못하겠습니다, 대표님."

최일환과 수연은 뜻밖의 반응에 멈칫하며 동준을 빤히 쳐다보았다. 동준은 뭔가 할 말이 있는 듯 빙그레 웃으며 두 사람을 쳐다보았다.

영주는 형사들과 다급하게 공항으로 달려들어갔다. 송태곤의 출국 시간이 얼마 남지 않은 상황이었다. 영주와 형사들은 흩어져서 공항을 빠르게 훑기 시작했다.

한편 송태곤은 초조한 얼굴로 휴대폰으로 통화를 하며 출국장으로 향하고 있었다.

"여보, 나 유진이 얼굴 보고 싶어. 한 번만 보자. 우린 끝났지만 유진인 내 딸이잖아. 그래. 마카오로 와. 유진이한테 줄 게 있어서 그래."

송태곤은 불안한 눈으로 끊임없이 주변을 살피고 있었다. 그때 맞은편에서 두 사내가 자신을 보고 서로 눈짓하며 달려오는 모습이 보였다. 송태곤은 형사임을 직감하고 달아나기 시작했다. 형사들이 그 뒤를 바짝 쫓았다. 송태곤과 형사들은 공항 구석구석을 쫓고 쫓겼다. 그렇게 한참을 달아나던 송태곤은 누군가를 발견하고 멈칫하며 그 자리에 섰다. 영주가 앞쪽에서 맹렬하게 달려오고 있었다. 송태곤은 들고 있던 가방을 영주에게 던지며 뒤로 돌아 도망치려 했다. 하지만 영주는 가방을 피하고는 뒤에서 송태곤을 덮쳤다. 영주는 넘어진 송태곤의 팔을 뒤로 꺾어 수갑을 채웠다. 송태곤은 발악하듯 몸을 비틀며 영주에게 끌려갔다.

경찰서 취조실로 끌려온 송태곤은 초조한 얼굴로 의자에 앉아 있다가 영주가 들어오자 다급히 변명을 시작했다.

"그날 화재 현장에 지나가다 우연히…… 정말 우연히 불이 나서…… 잠시 보다가……."

영주는 말간 얼굴로 송태곤을 바라보며 무슨 소리냐는 듯 말했다.

"안 찍혔는데. 송태곤 씨 얼굴, 영상에 없어요."

"근데…… 소환장을 왜……."

"궁금한 게 많아서요. 간단하게 물어보고 보내주려고 했는데, 그새 사고를 치셨네. 124억을 횡령하시고, 외국환 관리법 위반까지."

송태곤은 이제야 자신이 덫에 걸렸다는 걸 알아차리고 안경을 벗으며 한숨을 내쉬었다.

"100억 정도 슈킹해도 최일환 대표가 설마 신고할까 생각했겠죠. 그건 맞았는데, 나한테 걸렸네. 송태곤 씨는 운이 좋아요. 최일환 대표가 고소도 안 할 거고, 내가 눈 감으면 뭐, 이 건도 덮어줄 수 있는데. 나한테 뭘 주려나? 송태곤 씨."

영주는 옅은 미소를 지으며 송태곤을 바라보았다. 송태곤은 영주가 뭘 바라는지 너무도 잘 알고 있었다. 횡령하기로 마음먹으면서 모든 갈등을 끝냈는데, 송태곤은 다시 고민을 해야 했다.

"송태곤 실장, 횡령 및 외국환 관리법 위반으로 체포됐습니다."

그 말에 최일환과 수연은 소스라치게 놀랐다. 동준은 소파에서 일어나 방을 둘러보며 대표 책상 쪽으로 천천히 다가갔다.

"입이 무거운 분은 아니라…… 대표님은 살인죄로 잡혀갈 거고, 이 방이 비겠네. 수연아, 내 방은 회의실로 만들어. 내가 이 방을 쓸게."

동준은 책상 앞 의자로 다가가 대표 의자에 앉았다.

"수연인 변호사 자격증도 없으니 할 수 없네요. 사위인 내가 앉아야겠습니다."

그 모습에 최일환은 기분이 상한 듯 동준을 노려보았다.

"동준아!"

최일환의 목소리가 분노로 미세하게 떨리고 있었다.

동준은 개의치 않고 책상에 양팔을 괴고 수연과 최일환을 바라봤다.

"법무부 장관을 매수해서 알리바이도 만들 수 있는 자리. 태백의 주인. 후……. 이 정도 힘이면 강정일도 잡고, 김성식 기자 살인의 진실도, 신창호 씨의 명예도 찾을 수 있을 겁니다."

최일환은 있는 힘을 다해 분노를 누르며 낮은 목소리로 동준에게 명령했다.

"일어나라."

동준은 알겠다는 듯 가볍게 고개를 끄덕이며 자리에서 일어나 최일환을 보았다.

"오늘은요. 하지만 대표님이 저보다 먼저 태백에서 나가게 되실 겁니다."

동준은 밖으로 나가려다 최일환 쪽으로 다가가 협탁 위에 놓여 있는 도자기를 바라보았다.

"대표님, 강유택 회장을 내리친 게…… 저 도자기하고 같은 거였습니까?"

같은 시각에 영주는 송태곤을 취조하고 있었다.

"송태곤 씨, 말해요. 최일환 대표가 강유택 회장을 어떻게, 뭘로 죽였는지."

영주의 질문에 송태곤은 당황한 얼굴로 인상을 찌푸렸다.

9

"선산에 다녀오는 길입니다. 아버지 묘소 주변을 정리하는 중이거든요. 거기서 최일환 대표 선산도 보이죠. 아버지하고 최일환 대표, 곧 마주 보게 해드릴 겁니다."

정일은 태백 로비에서 동준과 마주치자 먼저 아는 척하며 다가갔다.

"아버지를 잃은 분노는 알겠는데, 김성식 기자를 죽인 죄책감은 어디에 있을까?"

"내 안에 어딘가 있을 겁니다. 남한테 드러내고 자랑할 건 아니죠."

"죄책감이 무거울 텐데, 내가 꺼내드리겠습니다."

두 사람이 잠시 팽팽한 기 싸움을 벌이는데, 저만치 수연과 황보연이 다급하게 밖으로 나가는 모습이 보였다. 동준과 정일은 그 모습을 보고 피식 웃었다.

"최일환 대표 왼팔에 총상은 이동준 씨가 입혔고, 심장은 내가 겨누겠습니다. 송태곤 비서실장 사건, 신문에 기사 한 줄 안 나오고 있는 건 알고 있겠죠?"

정일이 까딱 고개를 숙이자, 동준은 이미 알고 있다는 듯 가벼운 미소로 응답했다.

수연은 송태곤의 체포 소식을 듣고 서둘러 경찰서로 향했다. 송태곤은 의지가 그리 강한 사람이 아니었다. 궁지에 몰리면 살아남기 위해 어떤 말도 할 수 있는 사람이라는 걸 너무나 잘 알고 있었다. 수연은 운전하는 황보연을 재촉하며 경찰서로 달려갔다. 경찰서 앞에서 수연은 못마땅한 듯 얼굴을 살짝 찡그리며 안으로 들어갔다.

취조실에 앉아 있는 송태곤은 극도로 불안해 보였다. 수연은 송태곤을 잠시 쳐다보다 황보연에게 지시했다.

"현금 124억은 내가 준비할 거니까 그걸로 태백에 입힌 피해는 복구해줘. 송실장님은 이름, 직업, 주소, 그 외 어떤 질문에도 대답하지 말아요."

송태곤은 취조실에서 수연을 보자 살짝 안심이 되었다. 잘하면 이곳에서 나갈 길이 생길 것 같았다.

"최일환 대표가 강유택 회장을⋯⋯."

그 말에 수연이 인상을 살짝 찌푸리자 송태곤은 말을 멈추고 마른침을 삼켰다. 말 한마디 한마디가 살얼음판이었다.

"그 문제만 입을 닫으면, 횡령 문제는 해결해주겠단 말입니까?"

수연은 일단 송태곤을 안심시킬 생각이었다.

"지난 7년간 송비서님이 태백에 기여한 공로가 있으니 선처를 해야죠. 고소도 안 할 생각이에요."

그제야 송태곤 조금은 안도하는 듯한 표정을 지었다.

"제 딸 유진이가요. 내가 경찰에 잡힌 걸 모르게 해주시면…….”

"언론 쪽은 커버하고 있어요. 기사는 막고 있습니다.”

황보연의 말에 송태곤은 다시 안도했다.

"횡령액의 절반은 따님 계좌로 옮긴 걸로 확인됐습니다.”

황보연의 보고에 수연은 피식 짧은 미소를 보였다.

"유진인 좋겠다. 좋은 아빠를 둬서. 주간 수임료 124억. 허락 없이 가져간 퇴직금으로 생각할게요. 가져간 돈은 알아서 써요.”

수연은 팔짱을 낀 채 송태곤을 내려다보았다.

영주는 형사과 책상에 앉아 서류를 뒤적이다 또각또각 구두 소리가 나자 고개를 들었다. 수연과 황보연이 자신에게 다가오고 있었다. 그들이 올 것을 예상한 듯 영주는 자리에서 일어났다.

"안 그래도 참고인으로 부르려고 했는데, 송태곤 씨 조사 마치면 부르죠. 그때 다시 와요.”

"송태곤 실장, 데려가려고요.”

수연이 영주 앞으로 바짝 다가와 말했다.

영주는 그 말에 헛웃음이 나왔다. 100억 원이 넘는 회삿돈을 횡령한 사람을 불구속하라는 뻔뻔한 요구를 할 수 있는 저 용기는 어디서 나오는 건지…….

"소환 조사에는 응하죠. 혐의가 있으면 재판에서 입증하면 될 거고, 증거가 없다면 무리한 수사 아닌가?”

그때 책상 위에 놓인 영주의 휴대폰이 진동으로 울렸다. 얼핏 보니 발신자가 '경찰서장'이었다. 영주의 얼굴이 확 구겨졌다.

"받아요. 여기 서장님, 말이 통하는 분이던데.”

영주는 피식 웃으며 통화 종료 버튼을 누르고는 수연을 똑바로 쳐다보았다.

"법 위에 있는 분들, 법 아래 세우는 게 쉽지는 않네."

"법대로 해봐요. 태백에는 변호사가 팔백 명이 넘어요. 신영주 씨 혼자 상대할 수 있을까?"

"아이고, 무서워라."

영주는 맘대로 해보라는 만만치 않은 얼굴로 수연을 봤다. 수연 역시 조금도 지지 않는 눈으로 영주를 바라보았다. 두 사람의 눈빛이 허공에서 날카롭게 부딪쳤다.

"송태곤 비서실장 횡령 문제가 언론에 보도되면 태백의 명예가 실추될 거예요."

수연은 대회의실 상석에 앉아 십여 명의 변호사들을 모아놓고 심각한 얼굴로 회의를 이끌고 있었다.

"황변, 이변, 김변, 최변은 언론을 마크해줘요. 서재현 변호사님은 검찰 쪽 만나서 기소 중지가 가능한지 알아보세요. 오정필 변호사님은 영장 담당 판사들 접촉해서 불구속 협상을 해봐요."

"횡령액이 너무 커서 덮기가 쉽지 않을 겁니다."

변호사 중 한 명이 고개를 가로저으며 이견을 제시했다.

"성추행 전력이 있는 판사가 연봉 20억을 받는 건 쉬운 일인가요?"

수연이 방금 말한 변호사를 빤히 쳐다보자 그는 자기 이야기라는 걸 깨닫고 움찔했다. 이번에는 수연이 그를 달래듯 보며 말했다.

"클라이언트들이 알면 수임에 문제가 생겨요. 태백 내부에서 처리하죠. 잘 부탁드립니다, 변호사님."

수연은 변호사들에게 까딱 고개 숙여 부탁했다.

동준과 영주는 마치 데이트를 즐기는 연인처럼 카페 창가 자리에 나란히 앉아 밤거리를 보며 커피를 마셨다.

"연예인들 몇 달 사귀다 헤어져도 결별 기사가 수십 개는 나오는데, 100억이 넘는 횡령에 기사 한 줄이 안 나오네."

영주가 어이없다는 듯 혀를 찼다.

"그들한테는 사건을 키울 수도 덮을 수도 있는 힘이 있습니다. 내부 문제로 무마할 생각일 겁니다."

"경찰서장이 누르는 건 버텼는데, 내일은 더 무거운 놈이 누르겠죠. 사람들이 이 사건에 관심을 가지면 그놈들도 발을 뺄 텐데⋯⋯."

영주는 뭔가 좋은 생각이 없을까 하는 얼굴로 창밖을 바라보았다.

'사람들의 관심⋯⋯.'

동준은 그 말에 뭔가가 불현듯 떠올랐다.

"초임 판사 때 연예인 이혼 사건을 재판한 적이 있습니다. 기자들이 법정 안을 가득 메웠습니다."

그 말에 영주의 얼굴이 반짝 밝아졌다. 동준이 뭘 생각하는지 알 것 같았다.

"송태곤은 원정 도박 조직을 통해 돈을 해외로 빼돌렸어요. 원정 도박은 외부에 알려지면 곤란한 연예인, 스포츠 스타들이 주고객이죠."

영주가 동준의 생각을 이어갔다.

"그 조직을 수사하면 연예인, 스포츠 스타들 원정 도박 건이 나올 거고⋯⋯."

영주가 씩 웃으며 동준의 생각을 마지막으로 정리했다.

"같은 그물에 걸렸으니 송태곤에 대한 기사도 언론에 터지겠죠."

동준과 영주는 서로 고개를 끄덕이며 흡족한 미소를 지었다.

*

영주는 다음 날 형사들을 데리고 '일신금융'을 급습했다. 영주가 탄 승합차가 '일신금융' 간판이 달린 낡은 건물 앞에 도착하자, 형사들이 우르르 내려 건물 안으로 달려 들어갔다.

갑자기 형사들이 들이닥치자 사무실에 있던 건달들이 달려들었다. 사무실 안에서 건달들과 형사들의 격투와 소동이 벌어졌다. 숨을 헐떡이며 한발 늦게 도착한 영주는 그들의 싸움에 개의치 않고 일단 정수기 옆 종이컵을 하나 꺼내 물을 따라 마셨다. 영주는 바로 옆에 있는 캐비닛을 열었다. 그 안에는 서류 더미가 수북이 쌓여 있었다. 영주는 그 서류들을 대충 훑어본 뒤 형사들에게 소리쳤다.

"지원 요청해라. 1톤 트럭 두 대는 있어야겠네."

영주는 월척을 낚은 표정으로 그 캐비닛을 바라보았다.

텔레비전을 보던 최일환과 수연은 얼굴이 하얗게 질렸다. 화면에 경찰서 앞에서 호송되는 건달들과 형사들, 영주의 모습이 나오면서 앵커의 설명이 이어졌다.

—해외 원정 도박 조직이 경찰에 적발됐습니다. 이들은 속칭 정킷방을 운영하며, 환치기와 페이퍼 컴퍼니를 통해 도박 자금을 해외로 빼돌린 혐의를 받고 있습니다. 경찰은 압수한 명단을 분석한 결과 한류 스타 A씨, 거액의 FA로 화제가 된 야구선수 B씨를 상습 도박 혐의로 소환할 방침인 것으로 알려졌으며, 국내 굴지의 법률회사 비서실장 송모씨도 조사 중인 것으로 알려졌습니다.

송태곤의 얼굴이 화면에 뜨자 놀란 수연이 일어나 다급히 나갔다.

최일환은 일이 뜻하지 않은 방향으로 흐르자 몹시 당혹스러웠다.

　—경찰은 관련자 전원에 대한 엄중한 처벌을 위해, 수사 인력을 보충하고 특별 수사본부를 설치할 계획이라고 밝혔습니다.

　최일환은 마른세수를 하며 새로운 계책을 꾸밀 준비를 했다.

　수연은 흥분해서 펄쩍 뛰고 있는 송태곤을 그저 말없이 지켜보기만 했다. 취조실에 앉아 있는 그는 얼굴이 벌게진 채 거친 숨을 내쉬었다.

　"신문, 방송에 내 얼굴이 나왔어. 유진이가 봤는지 내 전화를 안 받는다고."

　"한류 배우와 스포츠 스타가 연루돼서 언론을 막을 수가 없었어요."

　송태곤을 달래듯 수연이 부드러운 목소리로 말했다.

　"이동준 변호사하고 신영주 씨가 먼저 움직였어요. 실형은 피하기 어려워요. 형량은 줄여볼게요."

　수연은 송태곤의 눈치를 살피며 서류 한 장을 내밀었다. 송태곤은 수연이 내미는 서류를 힐끗 보았다. 황보연이 변호사로 되어 있는 수임계였다.

　"앞으로 모든 진술은 황보연 변호사를 통해서 하세요."

　그때 문이 열리며 동준과 영주가 들어왔다. 그 뒤를 황보연이 따라 들어왔다. 수연은 난감한 표정을 지었다.

　"송태곤 실장님, 편하게 부르겠습니다. 선배, 제가 변호를 맡죠."

　동준은 탁자 위에 수임계를 올리며 자리에 앉았다. 수연은 깜짝 놀라 동준을 쳐다보았다.

　"횡령죄는 피할 수가 없어요. 그렇지만 원 플러스 원도 아니고, 살인죄는 피해야죠."

영주가 동준 옆에 앉으며 그를 거들었다.

"송태곤 실장 변호는 태백에서 맡을 거예요."

수연은 단호한 얼굴로 동준을 쳐다보았다.

"그래야겠지. 강유택 회장이 어떻게 떠났는지 목격한 유일한 사람이니까."

송태곤은 어느 쪽을 선택해야 할지 모르겠다는 듯 갈등하는 얼굴로 동준과 수연을 동시에 바라보았다.

"송비서님, 태백에는 수백 명의 고문단과 변호사가 있어요. 횡령은 최소 형량으로 맞춰볼게요."

수연은 마음이 조급해져 간절한 눈으로 송태곤을 보았다,

"대단하네. 그 정도 힘이면 송태곤 씨를 살인범으로 만들 수도 있겠네요."

영주가 살짝 비아냥거렸다. 그 말에 송태곤은 영주를 쳐다보았다.

"봤잖아요. 우리 아빠 어떻게 떠났는지. 이번에는 당신 차례가 될지도 몰라요."

"사실에 기반한 변호가 힘을 가집니다. 최일환의 살인을 목격했고 누명 쓸 상황이 되자 어쩔 수 없이 도피했다. 이게 진실 아닌가?"

송태곤은 자기 앞에 놓인 두 장의 수임계를 뚫어질듯 바라보았다. 그리고 고개를 들어 수연을 보았다. 그는 수연을 보자 머릿속에 최일환의 말이 생각났다.

'우발적 충동에 의한 살인이겠지. 살해 동기는 자네한테 유리하게 만들어두지. 10년이면 감옥에서 나올 거야. 송비서, 자네 인생의 10년. 얼마에 팔겠나?'

"……동준아, 나…… 사람은 안 죽였다."

송태곤은 올 것 같은 얼굴로 결심한 듯 동준에게 말했다.

"송비서님!"

수연이 날카롭게 소리쳤다.

"최일환 대표 살인이 밝혀지면 선처는 받을 수 있겠지? 횡령도 정상 참작이 될 거고?"

송태곤은 간절한 눈으로 동준을 바라보았다. 동준은 고개를 끄덕였다. 송태곤은 천천히 동준의 수임계에 사인했다. 그 모습을 보며 수연은 눈을 질끈 감았다가 다시 떴다.

동준은 수임계를 챙기며 수연에게 비아냥거렸다.

"수연아, 담당 변호사로서 강유택 회장 살인에 관해 들어야 할 게 많아. 오늘은 늦게 들어갈 것 같다. 저녁은 먼저 먹어."

동준은 수연에게 이만 나가보라는 듯 고개짓을 했다. 수연의 입술이 분노로 파르르 떨렸다.

동준은 최일환의 저택 정원에 서서 불 켜진 저택을 잠시 바라보다 안으로 들어갔다.

거실에는 언제 왔는지 이호범이 소파에 최일환과 마주 앉아 있었다. 동준은 아버지를 보고 언짢은 표정을 지었다.

"국세청, 건강보험관리공단, 보건복지부, 세 군데서 동시에 감사가 나왔습니다. 이렇게 두드리면 한강병원이 무너질 겁니다."

이호범은 사정하듯 최일환에게 매달렸다. 최일환은 무슨 말을 하려다 입을 다물고 저만치 서 있는 동준을 노려보았다.

"자식을 잘못 길렀으면 부모가 그 대가를 치러야지."

최일환은 싸늘한 목소리로 한마디 내뱉더니 자리에서 일어나 서재로 들어가버렸다. 이호범은 난감한 얼굴로 잠시 앉아 있다가 소파에서 일어나 동준에게 다가갔다.

"얘기 좀 하자, 동준아."

동준은 이호범의 뒤를 따라 정원으로 나갔다. 두 사람은 정원 한쪽에 있는 벤치에 나란히 앉았다.

"사망 선고를 내릴지, 뇌사 상태로라도 살려 나올지, 수술실에선 그런 선택이 힘들어. 그래서 요즘은 수술실에 안 들어가는데, 동준이 네가 날 수술실에 밀어 넣고 선택을 하게 만드는구나. 동준아, 한강병원이 위험해지면 널 버릴 거다."

"잊으셨군요. 제가 먼저 아버지를 버렸잖아요."

동준은 담담하게 말했지만 목소리는 쓸쓸했다.

"동준아……."

"왜 이런 분을 사랑했을까. 엄마한테 물어본 적이 있습니다."

이호범은 동준의 입에서 무슨 말이 나올지 살짝 두려웠다.

"괜찮은 의사였다고 들었습니다. 엄마하고 결혼하기 전에 의료 사고가 있었고, 그걸 덮어주는 조건으로 두 번이나 이혼하고 돌아온 병원장 딸하고 결혼을 했다고. 아버지는 결혼으로 의료 사고 소송을 피했는데, 그때 징계받은 동료 의사들은 어떻게 살고 있을까?"

"그놈들, 지금 다 내 밑에 있어."

동준은 피식 웃음이 나왔다. 이런 대답을 기대한 게 아니었다. 동준은 어쩔 수 없는 사람이라는 듯 이호범을 바라보았다.

"아비 말 들어라. 동준아, 세상은 말이다."

동준은 이호범의 말을 더 이상 듣고 싶지 않았다. 아버지에게 실망하는 건 그만하고 싶었다.

"아버지가 살아온 세상, 그대로는 안 살 겁니다. 그리고 아버지한테 아들은 동민이뿐입니다."

동준은 자리에서 일어나 고개 숙여 인사하고 집 안으로 들어가버렸다. 정원에 혼자 남겨진 이호범은 답답한 듯 한숨을 쉬며 밤하늘을 쳐다보았다.

*

영주는 경찰서장 앞에 서류철을 쓱 내밀며 재빨리 설명을 덧붙였다.

"법률회사 태백의 최일환 대표에게 소환장 발부하겠습니다. 송태곤의 진술서를 첨부했습니다."

경찰서장은 기막히다는 눈으로 영주를 쳐다보았다.

"최일환 대표의 혐의는 강유택 회장 살인의 건입니다."

경찰서장은 헛웃음을 지으며 영주 앞에 서류철을 도로 내던졌다. 영주는 이미 예상하고 있었던지라 크게 개의치 않았다. 하지만 이 소식은 바로 정일의 귀에 들어갔다.

"소환 조사를 하겠단다! 야, 일개 경찰서 경위가 태백의 대표를 소환조사 하겠다는 발상이 어떻게 나오냐?"

조경호는 어이없다는 얼굴로 펄쩍 뛰는데, 정일은 동준의 집무실을 들여다보며 창가에 서서 담담하게 말했다.

"힘을 가져본 적이 없으니 힘이 움직이는 원리를 모르는 거야. 신영주가 경찰서장을 만날 때 최일환 대표는 경찰청장을 만나고 있어. 송태곤의 진술을 묵살하고 사건을 덮으라고 지시하겠지."

그 시각 최일환의 집무실에는 경찰 정복 차림의 경찰청장이 깍듯이 고개 숙인 채 소파에 앉아 있었다. 최일환은 얼굴에 부드러운 미소를 띤 채 경찰청장에게 뭔가를 지시하고 있었다.

"감사원에서 보국산업 감사가 진행 중이다. 우리 총구가 명중할 때까지 최일환 대표 시선은 딴 데로 향하고 있어야 해. 이동준, 신영주, 고마운 친구들이야."

정일은 창가에 서서 동준이 집무실에서 나와 복도를 걸어가는 모습을 염탐하듯 바라보았다. 동준은 그런 정일의 시선을 의식하며 최일환의 집무실로 향했다.

최일환의 집무실에서 나온 경찰청장은 뭔가 생각하는 얼굴로 걸어가다 누군가가 자신의 앞을 막아서자 흠칫 놀랐다. 의미를 알 수 없는 미소를 지으며 동준이 서 있었다.

"소환장이 거부됐네. 위에선 누르지, 경찰청장은 태클을 걸지, 이러다 횡령에 살인까지 짊어지겠네, 송태곤 씨. 수사에 협조합시다."

영주는 취조실에서 송태곤과 마주 앉아 있었다. 영주는 못마땅한 얼굴로 입맛을 다셨다.

"그날 있었던 일, 최일환이 강유택 회장을 어떻게 죽였는지. 다 말했잖아. 뭘 더 말하라고!"

송태곤이 펄쩍 뛰며 소리쳤지만 영주는 말간 얼굴로 태연하게 맞받아쳤다.

"더 적극적으로 협조해야지. 최일환이 죽어야 송태곤 씨가 사는데, 아닌가?"

송태곤은 어이없다는 표정으로 영주를 쳐다보았다.

동준은 경찰청장을 조용한 일식집의 밀실로 안내했다. 여유로운 동준과 달리 경찰청장의 얼굴은 자못 심각했다.

"최일환 대표가 미래를 약속했겠죠. 근데 경찰청장님, 당신 과거가 드러나면 어떻게 될까?"

경찰청장이 무슨 말인지 모르겠다는 얼굴로 동준을 쳐다보는데, 동준의 휴대폰이 울렸다. 동준은 스피커폰으로 전환한 뒤 휴대폰을 식탁 가운데 올려놓았다.

—청장님, 나 송태곤이요. 당신 마누라 음주운전 사고 내가 덮은 거 기억납니까?

휴대폰에서 송태곤의 목소리가 흘러나오자 경찰청장은 멈칫하며 동준을 쳐다보았다. 하지만 동준은 개의치 않고 젓가락으로 가볍게 반찬을 집어 먹었다.

—당신 애인 오피스텔도 내가 얻어줬잖아. 월세 나가는 계좌 한번 까볼까? 어!

송태곤의 다급하고 화난 목소리가 스피커폰을 통해 고스란히 전해졌다.

—청장님, 최일환이 죽이고, 우리 같이 삽시다. 최일환이, 소환장 쳐! 치라고!

동준은 당황한 경찰청장을 보며 빙그레 미소 지었다.

"소환장 발부는 전화 한 통화면 되겠죠? 전화부터 하시고 식사 시작합시다."

동준은 젓가락을 내리고 먼저 전화하라는 듯 경찰청장에게 손짓했다. 경찰청장은 곤혹스러운 표정으로 휴대폰을 내려다봤다.

"아빠, 소환장이 발부됐어요."

수연은 하얗게 질린 얼굴로 서류 한 장을 들고 최일환의 집무실로 들어왔다. 수연은 최일환에게 다가가 소환장을 책상 위에 올려놓았다. 최일환은 놀란 얼굴로 소환장을 쳐다보았다.

'소환장 청구인 경위 신영주. 소환 대상: 최일환.'

최일환은 당황한 얼굴로 잠시 할 말을 찾지 못했다.

"신영주한테서 사건 떼어내야겠어, 아빠."

수연은 더는 참을 수 없다는 듯 결연한 얼굴로 밖으로 나갔다. 수연은 그길로 당장 검사장을 찾아갔다.

"소영웅주의, 어디에나 튀고 싶어하는 사람들이 있죠. 일개 경위가 아빠를 소환한다? 검사장님, 검찰에서 이 사건 가져가요. 조용히 덮어만 주면……."

수연은 의자에 앉아 있는 검사장 앞에 서서 정중하게 부탁했다. 검사장이 알겠다는 얼굴로 끄덕이는데 휴대폰이 울렸다. 검사장은 손짓으로 양해를 구하더니 전화를 받았다.

—검사장, 나 송태곤이요. 스폰서 검사 재판 때 당신 이름 안 불렀는데, 지금이라도 불까? 후후. 어, 불어?

검사장은 당황한 얼굴로 수연을 바라보았다. 순간 수연은 뭔가 잘못됐다는 것을 깨달으며 불길한 예감이 들었다.

최일환은 자신의 집무실로 방송국 사장을 불렀다.

"기사 안 나가게 기자들 좀 잘 다독여줘. 우린 평생 같이 갈 사이 아닌가?"

방송국 사장이 미소를 띠며 고개를 끄덕이는데 휴대폰이 울렸다. 사장은 눈짓으로 양해 구하고는 전화를 받았다.

—나 송태곤이요. 기사 냅시다. 오늘 안에 뉴스에 안 나오면 당신네 방송국 탈세 내역 터뜨릴 거요. 세금 다 내고 나면 방송국 직원들 월급

줄 돈도 없을 겁니다.

방송국 사장은 어찌할 바를 모르겠다는 눈으로 최일환을 보았다. 눈치 빠른 최일환은 그 전화를 건 사람이 누구인지 알 것 같았다.

―법률회사 태백의 최일환 대표가 강유택 회장 살인에 연루되었다는 사실이 경찰 수사 결과 밝혀졌습니다. 태백의 비서실장 송태곤 씨의 횡령 사건을 수사하던 경찰은…….

최일환과 수연은 소파에 앉아 굳은 얼굴로 텔레비전을 보았다. 두 사람 모두 침통한 표정으로 아무 말도 하지 않은 채 화면에 눈을 고정시킨 채 앵커의 말을 듣고 있었다.

―최일환 대표가 오랜 친구 사이였던 강유택 회장과 사업상의 문제로 다투다가 살해했다는 진술을 확보, 소환장을 발부했습니다. 경찰은 살해 장소, 동기, 도구 등 송태곤 씨의 진술이 구체적인 점에 비춰, 최일환 대표의 혐의 입증에 자신감을 보이고 있습니다.

'최일환이 사용한 살해 도구'라는 멘트와 함께 화면에 도자기가 비치자 그는 움찔한 뒤 텔레비전을 껐다.

"유택이가 죽던 시간에 난 법무부 장관하고 같이 있었어. 법무부 장관이 알리바이를 만들어줄 거다."

최일환은 마지막 여유를 보이려 애쓰며 휴대폰을 꺼내 법무부 장관에게 전화를 걸었다. 그런데 한두 번 신호가 가다가 상대가 끊은 듯 뚜뚜뚜 종료음이 들렸다. 순간 최일환의 얼굴색이 확 변했다. 뭔가 일이 크게 틀어졌음을 직감했다. 수연은 몹시 당황한 최일환을 불안한 얼굴로 바라보았다.

정일은 저만치서 황망한 얼굴로 복도를 걸어오고 있는 수연을 발견하고 그녀 앞으로 다가갔다.

"대표님 소환 날짜가 사흘 뒤인가? 뭐 몇 번 미룰 수도 있을 거고."

정일은 승리감에 젖어 수연을 비웃고 있었다.

"오빠가 원하는 대로는 안 될 거야. 아빠, 그 시간에 같이 있었던 분이랑 연락하는 중이야."

"연락 안 될 거야. 법무부 장관한테는 나도 손을 좀 썼거든."

수연은 그 말에 발끈하며 얼굴이 벌게졌다.

"대표님, 감옥살이 오래 못 버티실 거야."

정일은 수연이 앞으로 바짝 다가가 얼굴을 가까이 한 채 낮게 뇌까렸다.

"가난한 종의 아들로 태어나 평생을 보국산업의 머슴으로 살았다."

수연은 무슨 말이냐는 표정을 지었다.

"대표님 추도사 첫 구절이야. 비석에도 새겨드릴 생각이다."

"오······ 빠······."

수연의 목소리가 심하게 떨렸다. 정일은 비웃는 미소를 지으며 쐐기를 박듯 말했다.

"아버지가 떠난 시각에 대표님의 알리바이 증명해줄 사람은 이제 없어, 수연아."

정일은 수연의 어깨를 위로하듯 툭툭 쳐주고 지나갔다. 수연은 뒤돌아 정일의 뒷모습을 노려보다 불현듯 뭔가 떠오른 듯 입가에 묘한 미소를 지었다.

＊

수연은 호텔 방으로 천천히 들어갔다. 오랜 기간 정일과 밀회를 즐기던 장소였다. 수연은 추억을 되새기듯 주변을 둘러보다 옷장에 시선이 머물렀다. 수연은 그날 새벽이 떠올랐다.

비에 흠뻑 젖은 수연은 다급히 옷장을 열었다. 수연은 그 안에 나란히 걸린 흰색 와이셔츠들 중 한 장을 집어 돌아섰다. 비에 젖은 정일이 양복 상의는 벗어둔 채 와이셔츠 차림으로 서 있었다. 셔츠 자락에 묻은 핏자국이 선명하게 보였다. 수연은 다급하게 새 셔츠를 건넸다. 정일은 셔츠를 갈아입었다.

"오빠, 우리 미국으로 가자. 티켓은 내가 구할게. 오늘 안에 비행기 타고……."

"아니, 수연아. 너 결혼해."

정일은 수연의 말을 자르며 단호하게 말했다.

"오빠!"

"우리가 사라지면 대표님은 김성식 기자 살인범으로 날 지목할 거야. 경찰은 날 쫓을 거고. 수연아, 너도 다칠 거야."

"이동준이라는 사람하고…… 결혼하라고?"

수연은 눈물이 그렁한 채 물었다.

"1년, 아니 6개월만 버티자. 재판 마무리되고 신창호가 범인으로 확정되면. 수연아, 그때 같이 가자. 미국에 가서, 우리가 살던 그 집에서…… 같이…… 살자."

정일은 눈물이 그렁한 눈으로 수연을 바라보며 애틋하게 꼭 껴안았다. 수연은 그의 품에 안긴 채 저만치 정일이 벗어놓은 셔츠에 물든 핏자국을 보다가 눈을 감아버렸다.

수연은 그날의 기억을 지운 듯 담담한 얼굴로 옷장을 열었다. 그때처럼 나란히 걸려 있는 흰 셔츠들 중 한 장을 꺼냈다. 수연은 자신의 가슴팍에 달고 있던 브로치를 잠시 내려다보다 한 손으로 빼내 반대쪽

엄지손가락을 땄다. 수연은 손가락에서 배어 나온 피를 셔츠 자락에 묻혔다. 수연은 엄지손가락으로 그 핏방울을 문질렀다.

정일은 휴대폰 문자메시지를 확인하다 화들짝 놀랐다. 피가 묻은 와이셔츠 사진이 전송돼 있었다. 정일은 그 사진이 뭘 의미하는지 잘 알고 있었다. 그 셔츠에 묻은 피는 김성식의 가슴에 낚싯대를 찔러 넣을 때 튄 것이었다. 정일의 얼굴색이 변하는데, 뒤이어 수연의 문자가 들어왔다.

'오빠 물건 안 찾아가면, 아빠가 경찰에 출석할 때 같이 가져가려고.'

그 문자를 확인하고 정일의 얼굴이 심하게 일그러졌다.

수연은 회의실에 앉아 차를 마시며 정일을 기다렸다. 잠시 후 문이 열리더니 정일이 들어왔다. 정일은 굳은 표정으로 수연의 맞은편에 앉았다.

"그날 오빠가 입었던 옷, 내가 가져갔지. 집 뒤 소각장에서 태우려고 했는데, 왜 그냥 뒀을까? 이런 날이 올 줄 알았을까?"

수연은 A4지 크기의 피 묻은 셔츠 사진 한 장을 정일 앞에 건넸다.

"김성식 기자 피가 묻은 오빠 와이셔츠. 이거 보여주면 신영주 씨가 좋아하겠다, 그렇지?"

수연은 여유롭게 차를 마시며 정일을 바라보았다. 정일은 자기 앞에 놓인 사진을 보다가 굳었던 얼굴이 풀리며 낮은 웃음을 터뜨렸다. 그 모습을 보고 수연의 얼굴에 살짝 그림자가 드리웠다.

"내가 머리를 깎아도 몰라보던 눈썰미는 여전하네. 수연아, 나 두 달 전에 양복점 바꿨어. 이건 새로 맞춘 와이셔츠야. 의도는 좋았어. 디테일이 부족했고."

정일은 낮은 웃음을 짓다가 멈칫했다. 수연의 눈가에 눈물이 맺혀 있었다. 수연은 흐르는 눈물을 그대로 둔 채 떨리는 목소리로 애틋하게 말했다.

"그날 우리가 미국으로 떠났으면…… 지금 오빠하고 나, 어떻게 살고 있을까?"

그 말이 정일의 마음을, 지난 시간을 잠시 건드리는 같아 그는 수연을 외면했다.

"아침에 침대에서 햇살 받고 있는 오빠 얼굴 보면서 일어나고, 어쩌면 우리 아이도 생겼겠다. 누굴 닮았을까?"

정일도 가끔씩 그런 생각을 하곤 했다. 그는 먹먹한 눈으로 수연을 보았다.

"가끔 생각해. 그날 김성식 기자를 그렇게 만든 거. 날 위해서였을까? 아니면 오빠를 위해서였을까?"

정일은 수연의 눈물에 굳게 닫았던 마음이 무장해제되는 듯했다.

"우리를 위해서였어. 김성식 기자, 나하고 백상구가 하는 얘기를 들었어. 내 얼굴을 봤고. 그래서 낚싯대를 찔러 넣었다."

수연의 눈에서는 아직도 눈물이 흐르고 있었다.

"오빠도 맘에 걸렸나보다. 신창호 씨 장례식에 조의금도 많이 냈던데. 신영주 씨가 돌려주긴 했지만……."

"신창호 씨가 딸을 위해 거짓 증언까지 해줬으니까. 자기가 김성식 기자를 죽였다고. 부모란 다 그렇지."

정일은 눈물 흘리고 있는 수연을 계속 보고 있으면 마음이 약해질 것 같았다. 그는 그 감정을 털어버리듯 자리에서 일어났다.

"수연아, 난 덫에서 기어나왔어. 최일환 대표는 덫에 걸렸고. 이젠 끝났어."

"고마워. 다시 시작하게 해줘서."

수연이 생긋 웃으며 리모컨을 들어 텔레비전을 켰다. 화면에 방금 전 정일의 모습이 나왔다.

―우리를 위해서였어. 김성식 기자, 나하고 백상구가 하는 얘기를 들었어. 내 얼굴을 봤고. 그래서 낚싯대를 찔러 넣었다.

정일은 충격으로 주저앉듯이 의자에 앉았다. 수연은 리모컨으로 빠르게 화면을 돌린 뒤 재생시켰다.

―신창호 씨가 딸을 위해 거짓 증언까지 해줬으니까. 자기가 김성식 기자를 죽였다고. 부모란 다 그렇지.

수연은 손수건으로 가볍게 눈물을 닦아내고 언제 그랬냐는 듯 담담하고 평화로운 얼굴로 정일을 쳐다보았다. 정일은 아직도 충격에서 벗어나지 못한 듯 멍한 얼굴이었다.

수연은 한쪽 벽에 보이는 카메라 렌즈를 가리켰다.

"영상은 원거리 전송 중이야. 태백 안에는 없어. 나 혼자 아는 곳에 잘 보관해둘게, 오빠."

"수연아……."

"오빠가 그랬지. 유택이 아저씨가 떠나던 그 시간에 아빠의 알리바이를 증명해줄 사람은 이제 없다고."

정일은 침을 삼키며 다음 말을 기다렸다.

"오빠가 해줘."

정일은 아직 정확히 의미를 모르겠다는 얼굴로 수연을 보았다.

"오빠가 그 시간에 아빠랑 같이 있었다고 해달라고."

수연은 정일을 빤히 보며 태연하게 말했다.

"미국 법인 설립 문제로 오빠는 아빠하고 회의 중이었어. 참, 아빠랑 식사도 했다고 하자. 나하고 같이."

정일은 수연의 뻔뻔한 요구에 조금씩 정신이 들기 시작했다.

"유택이 아저씨가 세상을 떠난 시간에 아빠는 아저씨의 아들인 오빠하고 같이 있었어. 아빠가 경찰에 출석하는 날, 오빠도 스케줄 비워 둬. 경찰에 가서 참고인으로 진술해주라. 그럼 이 영상은 추억으로 남겨둘게. 4년 넘게 사귀었는데, 추억은 하나 있어야겠더라, 오빠."

수연은 위로라도 하듯 정일의 어깨를 톡톡 두드려주고 밖으로 나갔다. 정일은 이루 말할 수 없는 분노로 온몸이 떨렸다.

IO

영주는 최일환 대표가 소환에 응한다는 보고를 받고 뭔가 이상하다는 느낌을 지울 수가 없었다. 소환은 미룰 수도 있고 거부할 수도 있는데, 왜 1차 소환에 응하는지 쉽게 납득할 수 없었다. 최일환이 그렇게 호락호락 소환에 응할 사람이 아니었다. 그렇다면 경찰 조사에 응할 준비가 끝났다는 뜻이었다.

영주는 최일환의 새로운 계책이 뭘까 생각하며 형사과 안으로 들어갔다. 그런데 자신의 책상 옆 의자에 수연이 앉아 있었다. 수연은 책상 위에 놓인 영주의 가족사진 액자를 보고 있었다. 영주는 책상으로 다가가 신경질적으로 액자를 자기 쪽으로 돌려놓으며 의자에 앉았다.

"내일 소환 일정, 조정하려고 왔어요. 10시에 경찰서 도착. 포토라인은 관례에 맞게 설치해요. 서장실에 들러서 차 한잔하고, 11시부터 조사 시작. 그리고 12시에 점심."

"서장님은 내일 본청 회의에 가세요. 차는 취조실에서 무한 리필해

드리죠. 10시 10분에 조사 시작. 점심은 1시. 송태곤 씨하고 최일환 씨 대질신문은 3시에 예정돼 있어요."

영주와 수연은 양보 없는 팽팽한 기 싸움을 벌였다.

"4시로 미루죠. 그 전에 경찰이 조사할 참고인이 있어요."

"참고인? 그쪽이 제출한 서류에는 없는데……."

"송태곤 실장하고 아빠, 대질신문 필요 없을 수도 있어요. 어쩌면 저녁 식사 전에 아빠가 나올 수도 있겠죠."

"많이들 울어요. 미안해하고."

뜬금없는 영주의 말에 수연은 무슨 말이냐는 듯 쳐다봤다.

"사기, 폭행, 잡범으로 잡혀온 범인의 가족들, 피해자한테 사과부터 해요. 최수연 씨도 알 텐데. 당신 아버지가 무슨 짓을 했는지. 사람을 죽인 아버지의 손을 잡고, 그런 아버지하고 같이 밥을 먹고, 어떻게 살까? 그렇게."

"신창호 씨가 그렇게 떠나고, 어떻게 살까? 신영주 씨는."

수연은 영주의 말에 전혀 동요하지 않은 채 액자를 돌려 신창호를 보며 맞받아쳤다.

"아빠가 살인범으로 손가락질 당하고, 평생 살아온 인생이 모욕당하는 걸 보는 거. 견딜 만해요? 신영주 씨는?"

그 말은 영주의 가슴에 와 꽂혔다.

"난…… 자신이 없네. 내일 봐요."

수연의 목소리가 조금 쓸쓸했다. 수연은 영주에게 고개를 까딱하며 인사를 하고 밖으로 나갔다. 영주는 수연의 뒷모습을 복잡한 눈으로 바라보았다.

"내일 3시에 경찰서로 와줘. 스케줄은 비워뒀지?"

수연은 책상 의자에 앉아 있는 정일 앞으로 가서 당당하게 요구했다. 소파에 앉아 있던 조경호는 허허 하고 헛웃음을 지으며 이 상황이 어이없다는 듯 정일의 표정을 힐끗 살폈다.

"아버지가 했던 말 잊고 있었다."

정일은 말을 갈아서 한마디씩 씹듯이 내뱉었다.

'수연이 조심해래이. 고 가시나 최일환이 딸내미데이.'

"나도 아빠가 한 말, 잊고 있었어."

'정일이가 원하는 건 네가 아니야. 이 태백이다!'

"경찰에 가서 진술 잘해줘. 나한테 했던 것처럼. 거짓말 잘하잖아, 오빠."

수연은 호텔에서 자신에게 거짓말을 하던 정일의 모습이 떠오르자 분노가 치밀어 올랐다.

수연과 정일은 싸늘하게 서로를 바라보았다. 동준은 그 모습을 자신의 집무실에서 영주와 통화하며 불안한 얼굴로 바라보고 있었다.

―참고인은 최일환의 알리바이를 입증할 인물일 거예요.

그 말에 동준은 휴대폰을 떼고 옆에 있던 노기용에게 다급하게 지시했다.

"기용아, 강정일 팀장, 내일 스케줄 확인해봐."

노기용이 대답하며 밖으로 나갔다.

―소환 조사는 한 번뿐이에요. 이후에 보강 조사는 서면으로 대체할 거고요. 한 번의 소환. 그때 최일환을 잡아야 해요.

동준은 창 너머 정일과 수연의 모습이 아무래도 심상치 않았다.

"소환 조사 미룹시다. 상대가 든 패도 모르고 취조실에 앉을 순 없습니다."

동준은 전화를 끊고 나서도 한참 동안 창 너머 정일과 수연을 보며 깊은 생각에 잠겼다.

영주는 동준과 통화를 끝내고 생각에 잠겼다. 소환 조사를 미뤄야 할지 고민이 되었다.

"최일환 대표를 끌어들인다고 내가 전화를 수십 통 돌렸는데, 아, 어떻게 소환 조사를 미루냐고……."

송태곤은 지금까지 자신이 고생한 것을 생각하니 화가 치밀었다.

"송태곤 씨, 이틀 정도 아파야겠네."

뜬금없는 말에 송태곤이 의문 어린 얼굴로 쳐다보자, 영주는 그렇게 하라는 듯 고개를 살짝 끄덕였다.

수연은 집무실로 들어서다 수심에 찬 최일환을 안타까운 눈으로 잠시 바라보았다. 조금씩 금이 가기 시작하는 아버지의 권위에 수연은 마음이 아팠다.

"소환 조사가 이틀 뒤로 미뤄졌어요. 송태곤 실장이 공황장애로 입원했어요, 아빠."

"병원에 알아봐라. 어쩌면……."

최일환은 뭔가 의심이 가는지 미간이 꿈틀거렸다.

"확인했어요. 불안 증세가 심하대요. 아빠랑 취조실에서 얼굴 대할 생각하면 겁났겠다. 송태곤 실장이 그동안 빼돌린 자금도 있어요. 이틀 동안 준비할게요. 상습적 횡령이 발각되자 거액을 들고 해외로 도피하려다가 체포된 송태곤 실장. 그런 사람 말을 누가 믿을까? 오늘은 일찍 집에 들어가요. 엄마가…… 걱정이 많아요."

최일환은 수연을 보다 계속 궁지로 몰리는 듯한 이 상황이 답답한
듯 한숨을 내쉬었다.

*

송태곤은 영주의 계획대로 작은 병원에 입원했다. 그는 환자복 차림
으로 병상에 앉아 게걸스럽게 수박을 먹었다. 그 모습을 동준과 영주
가 어이없다는 듯 보고 있는데 노기용이 다급한 얼굴로 들어왔다.

"강정일 팀장, 오늘 오후 스케줄이 없었습니다."

동준과 영주는 그 말에 서로를 쳐다보았다. 짚이는 데가 있었다.

"이틀 뒤 스케줄은? 최일환 대표가 소환되는 날 오후 스케줄도 확인
했지?"

"그날도 원래는 법무연수원 특강이 있었는데 좀전에 취소했어요."

"참고인은 강정일 팀장이었네. 그런데 강정일은 최일환을 노리고
있을 텐데."

영주는 이제야 알겠다는 표정을 지었다가 다시 의문 가득한 얼굴로
물었다.

"구린 놈들끼리 서로 닦아주고 사는 거지. 최수연하고 강정일이 서
로 등 밀어줄 일이 생겼나보다. 아씨…… 수박도 덜 익었네."

송태곤은 뻔한 스토리라는 표정으로 수박을 먹으며 말했다.

동준은 병실을 서성이다 뭔가 생각난 듯 송태곤에게 다가갔다.

"강유택 회장 살해 현장에 선배 말고 박기사도 대기하고 있었다고
했죠?"

"박기사는 최일환이 미국으로 보냈다."

"아뇨. 한국행 비행기를 탈 거예요."

영주는 최일환 수사를 시작하면서 박기사도 추적했다. 영주는 그날 박기사가 최일환의 차를 운전하고 온 것을 직접 눈으로 목격했다. 박기사를 증언대에 세울 수 있다면 최일환은 절대 알리바이를 만들 수 없었다.

"우리가 팔로우하고 있었어요. 내일 오후 비행기 표를 끊었어요. 최일환 대표가 소환되는 당일 아침에 인천공항에 도착해요."

"최일환 대표가 불렀군요. 강정일의 증언을 보완할 생각일 거고."

최일환은 자신의 알리바이를 완벽하게 하기 위해 미국으로 보낸 박기사까지 불러들였다.

"박기사 그놈, 간땡이가 수박씨만 해서, 최일환이 조금만 불리하다 싶으면 우리 쪽에 붙일 수 있는데. 아씨……."

송태곤은 입안의 수박씨 하나를 툭 내뱉었다. 그 말에 영주는 좋은 생각이 떠올랐다.

"일단 공항에서 체포해서 우리가 데려올게요."

"데려오면 뭐하나? 와도 최일환한테 유리한 증언하면 끝이잖아. 평생 줄은 잘 서고 살았는데, 막판에, 아……."

송태곤은 동준을 보며 불만 가득한 얼굴로 수박을 맛있게 먹었다.

"압수수색 영장 하나 신청해요……. 장소는 한강병원 원장실."

영주는 그 말에 멈칫하며 동준을 바라봤다. 아무리 인연을 끊었다 해도 아버지였다.

"이호범 원장은 이동준 씨…… 아버지……."

"강유택 살인 사건 무마에 협조를 했을 겁니다. 흔적이 남아 있을 거예요."

동준은 결연한 얼굴과 달리 씁쓸한 목소리였다. 그를 바라보는 영주의 눈에 안타까움이 묻어났다.

'사망 선고를 내릴지, 뇌사 상태로라도 살려 나올지, 수술실에서는 그런 선택이 힘들어. 그래서 요즘은 수술실에 안 들어가는데, 동준이 네가 날 수술실에 밀어 넣고 선택을 하게 만드는구나.'

동준은 휴대폰을 손에 쥔 채 갈등하는 얼굴로 길거리 벤치에 앉아 있었다. 이호범의 말이 머릿속에 계속 맴돌았다. 지금쯤이면 영주는 한강병원에 도착했을 것이다. 동준은 어둠을 응시하며 망설이다가 휴대폰을 켜서 이호범에게 전화를 걸었다. 신호음이 울리는 사이 동준은 이호범의 말을 떠올렸다.

'동준아, 한강병원이 위험해지면, 널 버릴 거다.'

"아버지, 한강병원이 위험해질 겁니다. 최일환 대표를 버리세요."

동준의 목소리에 간절함이 묻어났다.

이호범은 원장실 소파에 앉아 동준과 통화하며 압수수색하는 형사들을 묵묵히 쳐다보고 있었다.

"동준아, 한잔하자. 와라."

이호범은 이제 선택의 시간이 왔음을 깨달았다. 그는 이런 선택을 좋아하지 않았다. 명확하지 않은 선택! 가능성이 열려 있는 선택은 언제나 그를 힘들게 했다.

정일과 조경호는 정일의 집무실 소파에 앉아 양주를 마시고 있었다.

"최일환 대표한테 쏘려고 보국산업도 던졌다. 근데 젠장. 정일아, 최일환 대표한테 방탄복 입혀주게 생겼어. 어떡하냐? 우리."

"난 최일환 대표 알리바이 증명해줘야지. 수연이가 시키는 대로."

잔을 들고 생각에 잠긴 정일의 표정에 찬바람이 불었다. 조경호는 헛웃음을 지으며 술잔을 비웠다.

"넌 백상구 불러와라. 필리핀에 있다고 했지?"

"너…… 설마 수연이를 백상구한테……. 정일아, 그건 좀…….''

"다른 방법 있으면 언제든 알려주라, 경호야."

정일은 들고 있던 잔을 신경질적으로 단숨에 비워버렸다. 조경호는 정일의 무섭도록 차가운 표정에 입을 다물었다.

경찰 출두를 앞두고 최일환의 저택은 침통한 분위기였다. 식탁에 둘러앉은 최일환, 윤정옥, 수연, 모두 애써 표정을 감추고 태연한 척했지만 적막감이 감돌았다. 그때 동준이 들어왔다. 순간 세 사람의 표정이 일그러졌다.

"아버지는 장로님들하고 당신을 위해 기도회를 연대요. 나를 믿는 자를 탄압하는 이는 하나님이 내려치실 거라고. 꼭 그렇게 해달라고 기도드렸어."

윤정옥은 동준을 똑바로 쳐다보며 차갑게 말했다.

"저희 어머니하고 같은 기도를 하셨네요. 수연아, 하나님이 누굴 내려치실지 보자. 전 송태곤 실장의 변호인으로 취조에 참여할 겁니다. 오늘 진실의 힘을 보게 될 겁니다."

동준은 담담한 얼굴로 자신의 자리에 앉았다.

"이동준 씨는 태백의 힘을 보게 될 거예요."

수연은 날 선 얼굴로 비웃듯 동준을 쳐다보았다.

*

'태백의 힘!'

동준은 경찰 출두를 앞두고 태백 로비에 도열한 변호사들 사이를 걸어가는 최일환을 보고 쓴웃음을 머금었다. 마치 대통령이 행차하듯 태백 앞에는 대여섯 대의 검은 승용차들이 줄줄이 서 있었다. 최일환이 차에 오르자 로비에 도열해 있던 변호사들이 따라 나와 차에 올라탔다. 퍼레이드를 벌이듯 대여섯 대의 차가 일제히 출발하면서 최일환의 위용을 뽐냈다.

태백의 대회의실에서는 수연이 주관하는 회의가 열리고 있었다.

"모든 수사 상황과 진술 내역은 여기로 실시간 보고될 거예요. 태백 변호사 전원, 건물 안에 대기하라고 지시해요. 경찰, 검찰 쪽 라인 전부 열어놓으시고, 언론은 실시간 체크하세요."

수연은 십여 명쯤 되는 변호사들에게 지시를 하며 리모컨으로 텔레비전을 켰다. 화면에는 건물을 떠나는 최일환과 차량의 모습이 나오고 있었다.

—강유택 회장 살해 사건에 연루된 혐의를 받고 있는 법률회사 태백의 최일환 대표가 경찰 소환에 응하기 위해 방금 전 태백 건물을 떠났습니다.

수연과 변호사들은 묵묵히 앵커의 설명을 들으며 화면에 시선을 고정했다. 뉴스에는 최일환이 경찰서에 도착하는 모습이 생중계되고 있었다. 경찰서 앞에는 수십 명의 기자들이 최일환을 기다리며 대기하고 있었다. 잠시 후 차량들이 도착하고 최일환과 변호사들이 내리자 수십 대의 카메라에서 플래시가 터졌다.

—최일환 대표는 사십 명의 대규모 변호인단을 구성했으며, 혐의에서 벗어날 경우 전 비서실장 송태곤 씨를 무고죄로 고소할 법리 검토를 마친 것으로 알려지고 있습니다.

최일환이 포토라인에 서자 여기저기서 카메라 플래시가 터졌다. 수연은 한숨을 쉬며 착잡한 심정으로 화면을 보았다.

영주 또한 긴장한 얼굴로 책상 앞 의자에 앉아 텔레비전을 보고 있었다.

—강유택 회장 살해 사건에 연루된 사실을 인정하십니까?

기자가 포토라인에 선 최일환에게 물었다.

—평생 법을 지켜온 사람으로서, 법이 불러서 온 것뿐입니다. 경찰 조사에 성실히 임하겠습니다.

최일환은 특유의 인자한 미소를 짓고는 계단을 올라 경찰서로 들어갔다.

영주는 리모컨으로 텔레비전을 껐다. 옆에 서 있던 형사가 슬쩍 영주의 눈치를 보며 말했다.

"계장님, 요거 잘되면 우리 특진시켜준다는 약속 꼭 지키세요."

잔뜩 들떠서 밖으로 나가는 형사를 보며 영주는 한숨을 내쉬었다.

"지켜야 할 약속이 많네."

영주는 책상 위 사진 속 신창호를 보며 나지막이 말하더니, 힘차게 일어나 밖으로 나갔다. 이제 형사들을 공항으로 보낼 시간이었다.

영주가 취조실을 향해 가고 있는데 휴대폰이 울렸다. 휴대폰 액정 화면에 최수연이라는 이름이 떠 있었다. 영주는 살짝 인상을 찌푸리며 전화를 받았다.

—신영주 씨, 박기사는 우리가 데려온 참고인이에요.

수연은 박기사가 공항에서 경찰에 연행됐다는 보고를 황보연에게서 받고 다급히 영주에게 전화를 걸었다.

"누가 데려왔든 경찰서로 올 분이죠."

영주는 날 선 목소리로 한마디하고 전화를 끊어버렸다. 그때 형사들 손에 끌려오는 박기사가 보였다.

"3층 취조실로 모셔."

영주의 지시에 형사들은 박기사를 데리고 계단을 올라갔다. 영주가 그 모습을 잠시 보다 취조실로 향하는데, 맞은편에서 다가오는 최일환과 그 뒤의 변호사들이 눈에 들어왔다. 영주와 최일환은 서로를 향해 걷다가 바로 앞에서 딱 멈췄다.

"취조실이 좁아서 다 모실 수가 없네. 변호사는 대표로 한 분만. 나머지는 휴게실에서 기다려요. 차는 뭘로 준비할까요, 최일환 대표님?"

영주의 당당한 모습에 최일환은 그저 사람 좋은 미소를 지으며 바라보았다.

영주는 종이컵에 커피 두 잔을 준비해 취조실로 들어갔다. 하나는 최일환 앞에 놓고, 하나는 자신이 마시며 자리에 앉았다. 최일환의 뒤에는 한눈에 보기에도 연륜이 많아 보이는 중후한 인상의 변호사가 앉아 있었다.

"강유택 회장이 살해당한 시간에 신길동 사무실에 같이 있었다는 주장이 있어요."

"누구나 주장은 할 수 있지. 난 그 시간에 미국 법인 설립 문제를 의논하고 있었네."

최일환은 점잖은 얼굴로 예의를 갖춰 대답했다.

"누구나 주장은 할 수 있죠."

영주는 알겠다는 듯 고개를 끄덕였다. 그때 문이 열리면서 형사가 송태곤과 동준을 인솔하고 들어왔다. 인솔하고 온 형사는 영주에게 인사하고 밖으로 나갔다.

"오랜만입니다, 대표님."

송태곤은 맞은편에 앉으며 비릿한 미소를 지었다. 최일환은 송태곤을 보자 매우 불쾌한 얼굴로 영주를 쳐다보았다.

"대질신문은 양자의 동의를 얻어야 하는 걸로 알고 있네."

"대질신문이 아닙니다. 대표님이 강유택 회장을 살해했다는 송태곤 씨의 주장을 뒷받침할 참고인이 있어서요."

동준이 상황을 설명하며 시계를 힐끗 보았다.

"곧 올 시간이네. 참고인 조사에 두 분이 동석하시는 겁니다."

최일환은 누가 또 온다는 건지 의심 섞인 얼굴로 동준을 보았다.

검은색 승용차 한 대가 경찰서 앞에 멈췄다. 운전석에서 내린 기사가 뒷문을 열자 이호범이 차에서 내렸다. 이호범은 저만치 모여 있는 기자들과 변호사들을 힐끗 보더니 얼굴을 찌푸리며 경찰서 안으로 들어갔다. 그 모습을 보고 있던 태백의 변호사가 이호범을 알아보고 다급하게 어딘가로 전화를 걸었다.

—이호범 원장이 확실해?

수연의 앙칼진 목소리가 휴대폰을 통해 전해졌다.

경찰서에 이호범이 나타났다는 보고를 받은 수연은 정일의 집무실로 다급히 뛰어갔다.

"점심은 먹고 가자. 최일환 대표 방탄복 입혀주러 가는데 뭘 먹고 가야 속이 덜 쓰리겠냐?"

정일의 집무실 소파에 삐딱하게 앉은 조경호의 얼굴에 불만이 가득했다. 그때 수연이 집무실로 들어오며 다급하게 말했다.

"오빠, 지금 경찰서에 가. 가서 진술해. 그 시간에 아빠랑 있었다고. 어서!"

평소와 달리 수연의 얼굴이 몹시 조급해 보였다. 수연은 웬만해서는 얼굴에 평정심을 잃지 않았다. 그런데 지금 그녀의 얼굴은 감정을 숨기지 못할 만큼 초조해 보였다. 정일은 뭔가 일이 틀어지고 있다는 걸 알아차렸다. 조경호의 말처럼 점심을 먹고 출발하는 것도 나쁘지 않을 것 같았다.

한편 최일환은 형사의 안내를 받으며 이호범이 취조실 안으로 들어오자 화들짝 놀랐다. 최일환은 자신의 치부를 많이 알고 있는 이호범을 불편한 얼굴로 쳐다보았다. 이호범은 최일환에게 정중하게 고개 숙여 인사하고 의자에 앉았다.

"이원장, 우리는 여기서 만날 사이가 아닌데."

최일환의 목소리가 살짝 떨렸다.

"이게 다 수연이가 만든 문제입니다, 대표님. 자식을 잘못 키웠으면 대가를 치러야지요."

이호범은 언제나처럼 겸손하게 말했다. 최일환은 이호범이 무슨 증언을 할지 조금도 짐작이 안 되는 불안한 얼굴로 그를 주시했다.

"대통령 주치의이자 한강병원 원장 이호범 씨, 본인이 맞습니까?"

"네."

이호범은 영주의 물음에 동준을 보며 답했다.

"강유택 회장 살해에 관해 증언할 게 있다던데요."

이호범은 그 질문에 묵묵히 어젯밤 아들과의 술자리를 떠올렸다.

'한강을 살리려면 최일환 대표를 버려라? 그래. 한강은 살리자.'

"강유택 회장 사망 이후에 최일환 대표를 만났습니다. 강유택 회장 부검에 개입해달라고 부탁을 하더군요."

이호범은 어려운 결정을 끝낸 듯 담담한 표정으로 말했다.

"이원장!"

이호범은 분노에 찬 얼굴로 자신을 노려보는 최일환을 시큰둥하게 쳐다보며 과거의 발언들을 쏟아냈다.

"국과수 부검의들이 다 이원장 제자들이라고 했던가? 앞으로도 자네 힘이 많이 필요할 거야."

"그래. 맞아. 나도 들었어. 그 자리에 나도 있었습니다."

송태곤이 거들고 나섰다.

"거절을 했더니 여러 곳에서 감사가…. 그래서 뜻대로 해드릴까도 생각했는데, 의사로서 양심에 걸려서요."

이호범은 자신의 감정을 좀더 부풀려서 말했다.

"이건 일방적인 주장이야."

최일환은 자신의 감정을 드러내지 않으려고 애쓰며 침착하게 대응하려 했다.

"대통령 주치의의 주장이죠."

영주가 콕 집어 말했다.

"양심을 지키려다 보니까 병원이 흔들립니다. 진실을 밝혀서 한강은 살게 해주세요."

이호범은 최일환에게 안면을 싹 바꾸고 할 말을 마친 듯 일어나 천천히 밖으로 나갔다. 최일환은 이글거리는 눈빛으로 이호범을 노려보았다. 이 모습을 다른 취조실에서 박기사가 영상을 통해 고스란히 보고 있었다.

"운전 경력 30년. 평생 핸들 잡아온 박기사님. 핸들을 어느 쪽으로 돌려야 안전할까아아아요?"

형사가 박기사에게 다가가 어깨를 주물러주며 살살 꼬드겼다. 박기사는 갈등하다 결심한 듯 고개를 들었다.

"박기사가 진술을 했습니다. 강유택 회장이 살해당한 그 시간에 신길동 건물에 갔었답니다."

형사가 최일환의 취조실로 뛰어들어오며 소리쳤다. 그 순간 최일환의 얼굴색이 하얗게 변했다. 하지만 마음을 곧 진정시키며 머리를 빠르게 굴렸다.

"정식 영장도 없이 데려갔어. 강압 회유에 의한 진술이야."

"증거가 있답니다. 차량 운행 수첩이 있는데요. 급하게 미국으로 가느라 차량 안에 두고 갔답니다."

형사의 말에 최일환은 당황해 잠시 멈칫했다.

"최일환 대표 차량은 어디에 있지?"

영주가 다급하게 물었다.

"경찰서에 있습니다. 오늘 그 차를 타고 왔습니다."

"어서 가!"

영주의 지시에 형사가 다급하게 달려나갔다. 동시에 최일환 뒤의 변호사가 휴대폰을 들어 버튼을 누르려 했다. 하지만 영주가 한발 빠르게 변호사에게 다가가 거칠지 않게 휴대폰을 빼앗아 탁자 위에 올려놓았다.

"증거인멸 시도를 막는 건 경찰의 권리예요. 운행 수첩을 가져오면 알게 되겠죠. 강유택 회장이 살해당한 시간에 당신이 어디에 있었는지. 차 식었네. 한 잔 더 드릴까요?"

영주는 마시지도 않은 커피를 보며 말했다. 최일환은 잠시 머리를 굴리며 동준과 영주와 송태곤을 한 번씩 쳐다보더니 취조실 벽에 있는 관찰용 거울을 보았다. 뭔가를 바라는 눈으로 최일환은 거울을 계속 바라보았다. 최일환의 그 뜻은 거울을 통해 취조실을 보고 있는 배계 장에게 전달됐다. 배계장은 천천히 휴대폰을 들었다. 배계장은 황보연에게 운행 수첩에 관해 알렸다. 황보연은 다급히 회의실에 있던 수연에게 이 사실을 전달했다.

"대표님 차량 안에 운행 수첩이 있답니다."

"어서 확보해."

수연은 벌떡 일어나며 소리쳤다. 그녀는 초조한 얼굴로 입술을 깨물며 회의실을 서성거렸다.

경찰서 앞에 세워둔 최일환의 차를 향해 변호사들과 형사들이 동시에 달렸다. 그 모습을 보고 있던 기자들이 큰 건수가 있음을 직감하고 플래시를 터트리며 달려들었다. 간발의 차이로 일찍 도착한 변호사들은 차 문을 열고 글로브 박스를 열어 그 안에서 운행 수첩을 꺼냈다. 변호사들이 운행 수첩을 가지고 돌아서는데 형사들이 지키고 있었다. 변호사들이 잠시 눈치를 보다 도망가려 하자 형사들이 달려들었다. 형사들과 변호사들 사이에 잠시 몸싸움이 벌어졌다. 하지만 싸움은 곧 형사들의 승리로 끝났다. 변호사들과 몸싸움에서 이긴 형사가 수첩을 들고 가는 모습을, 막 도착한 차에서 정일과 조경호가 보고 있었다.

"우리 대표님, 방탄복 입혀드리기 전에 많이 다치신 것 같다."

조경호가 고개를 갸웃하며 말했다. 정일은 그 몸싸움의 현장을 촬영하던 기자들이 흩어지는 모습을 보며 심각한 표정을 지었다.

영주는 매일의 운행 기록이 적혀 있는 운행수첩을 뒤적였다. 영주의 손이 멈춘 페이지는 강유택 회장 사망 당일의 기록이었다. 그곳에 '오후 1시 30분. 신길동 사무실. 오후 3시 태백 복귀'라고 기록되어 있었다. 영주의 옅은 미소를 불안하게 보던 최일환이 한마디 내뱉었다.

"그 수첩도 조작된 거겠지."

"오늘 주장 많이 하시네. 난 기록을 가지고 있는데."

영주는 최일환을 약 올리듯 수첩을 흔들어 보였다.

"오늘 조사는 이만 끝내지. 검찰 수사에 대비하겠네. 경찰의 강압 수사에 대한 책임은 엄중히 묻겠네."

최일환은 일단 이 자리를 피하고 새로운 계책을 세워볼 생각이었다. 그런데 자리에서 일어나는 최일환을 영주가 막아섰다.

"진철아, 우리 대표님, 영장 쳐라. 구속영장! 죄명은 살인!"

"이봐. 이분은 태백의 대표님이야."

뒤에 앉아 있던 변호사가 놀라서 일어나며 영주를 제지하고 나섰다.

"진철아, 경찰서 앞마당에 기자들 몇 명이냐?"

"……오십은 넘고 백은 안 됩니다."

"증거를 인멸하려던 현장을 기자들이 촬영했겠네."

최일환은 그 말에 얼굴이 구겨졌다. 신영주가 자신을 향해 올가미를 서서히 조여오는 걸 느꼈다.

"비서실장이 살인을 증언했어요. 대통령 주치의가 살인 은폐를 진술했고. 운전기사는 범행 당시 그 장소에 있었다는 증거까지 주셨네. 거기에 증거인멸까지. 댁에는 다음에 가셔야겠어요. 오늘은 못 보내드리겠네."

'구속? 설마…….'

최일환의 얼굴에 당황한 빛이 역력했다.

"최일환 씨, 보국산업 강유택 회장 살인 혐의로 긴급체포합니다."

영주는 최일환의 손목에 수갑을 채웠다. 최일환은 자신의 손목에 채

워진 수갑을 황망한 표정으로 쳐다보았다.

"이 시간 이후 당신은 참고인이 아닌 피의자로 신분이 바뀝니다. 유치장에서 기다리세요. 영장 나오면 구치소로 모시겠습니다."

"집안일은 걱정 마세요. 제가 챙기겠습니다. 태백도 염려 마세요. 대표실은 제가 지키겠습니다."

동준은 자리에서 일어나 최일환을 똑바로 쳐다보았다.

최일환은 상황이 정리되지 않는 표정으로 동준과 영주를 번갈아 보며 어찌할 바를 몰랐다.

II

평소와 달리 태백의 팀장층은 을씨년스러울 만큼 텅 비어 있었다. 직원 한두 명 정도만이 그 넓은 층 전체를 지키고 있었다. 정일과 조경호가 안으로 들어서다 그 황량한 모습에 깊은 한숨을 내쉬는데, 자신의 집무실에서 다급하게 나오던 수연이 굳은 얼굴로 정일에게 빠르게 다가왔다.

"아직 영장청구 전이야. 당장 경찰서로 가."

수연은 날 선 마음을 누르며 누가 듣지 않게 낮은 소리로 말했다.

"대통령 주치의가 대표님한테 회유받았다고 진술을 했어."

"그분!"

수연은 자신도 모르게 큰 소리가 튀어나왔다. 그 소리에 저만치에 있는 직원이 바라보자 수연은 목소리를 낮췄다.

"이동준 씨 아버지야. 아들에게 유리한 진술을 한 거라고 공방을 벌이면……."

"박기사가 작성한 차량 운행 수첩도 발견됐다, 수연아."

"그 차에 송태곤 실장 혼자 타고 간 거야. 됐네. 그 시간에 아빠 오빠랑 있었고."

수연은 초조한 마음으로 어떻게든 알리바이를 만들려고 애썼다. 그 모습에 조경호는 난감한 표정을 지었다.

"……수연아, 그 시간에 정일이는 검사장하고 식사 중이었거든. 근데 이동준이 오늘 아침에 그 검사장을 만났단다."

수연은 쏟아내던 말을 멈췄다.

"경찰에 다시 가서 그 시간에 대표님하고 있었다고 말할까? 그럼 내가 검사장하고 만났던 증거를 내밀겠지. 이동준은 지금 날 기다리고 있을 거다. 그래도 갈까? 수연아."

철컹.

유치장 문이 열리는 소리에 최일환은 심장이 무너져 내리는 기분이었다. 애써 표정을 감추려 했지만, 최일환의 얼굴은 반쯤 사색이 되어 있었다. 잠시 숨을 고르고 최일환은 형사의 지시에 따라 시계와 벨트를 풀어 건네고 유치장 안으로 들어갔다. 형사들이 가고 혼자 남자 최일환은 유치장 창살을 묵묵히 만지며 깊은 생각에 잠겼다.

"강정일은 태백으로 돌아갔어요. 이동준 씨가 검사장을 만난 걸 알게 된 거겠죠?"

영주는 취조실로 들어와 동준 옆에 앉았다. 맞은편에 앉아 있던 송태곤은 양손으로 손가락을 꼽으며 형량을 계산했다.

"이 정도 협조했으면 횡령도 선처가 되고, 동준아, 나 2년 정도 살면 나올 수 있겠지?"

동준은 송태곤을 한번 힐끗 보더니 개의치 않고 영주에게 말했다.

"강정일이 최일환을 위해 알리바이를 만들어주려 했다? 강정일과 최수연. 둘이 엮인 고리가 있을 겁니다."

"최수연을 엮을 수 있는 방법이 뭘까? 그럼 취조 보고서 예쁘게 써 드릴 수 있는데."

영주가 송태곤을 보며 생긋 웃었다. 송태곤은 혹시나 하고 그물을 쳐둔 적이 있었다.

"최수연 팀장이 함께 해야 저도 움직일 겁니다."

"……내 딸을 이 사건에 끌어들일 순 없네."

"저도 살아야겠습니다, 대표님."

최일환과 송태곤이 팽팽하게 맞서자, 수연은 어쩔 수 없다는 표정을 지었다.

"내가…… 뭘 하면 되죠? 송비서님."

송태곤은 영주와 동준을 보며 피식 미소 지었다.

"최수연이 이 일 저 일 많이 했지. 야, 인간적으로 말이다, 이 정도로 협조하면 집행유예로 나가야 되는 거 아니냐? 동준아."

송태곤은 본격적으로 동준과 거래를 시작할 작정으로 눈을 반짝거렸다.

송태곤에게서 얻은 정보로 영주는 신속하게 움직이기 시작했다. 영주는 동준과 휴대폰으로 통화하며 형사과로 돌아왔다.

"보험회사하고, 한강 차량 관리소 담당자들 약속 잡아라."

영주는 휴대폰을 잠시 귀에서 뗀 채 형사들에게 지시했다.

─수연이가 최근에 펀드 두 개를 해약했습니다.

"현금으로 바꿨겠네. 루트는 내가 알아보죠."

그때 배달원이 초밥 도시락 대여섯 개를 가지고 와 영주 앞에 섰다.

"초밥 배달왔는데요."

영주가 웬 초밥이냐는 얼굴로 갸웃하는데 휴대폰에서 동준의 목소리가 들려왔다.

—먹고 해요. 동료들 것까지 같이 시켰으니까 충분할 겁니다.

"경찰이 이런 거 받으면 김영란법에 걸리는데."

—법률 검토 마쳤습니다⋯⋯. 김영란법은 연인 사이에는 적용이 안된답니다.

연인이라는 말에 영주는 가슴이 살짝 설레며 천천히 전화를 끊었다.

"이거 먹었다가 탈 나는 거 아닙니까?"

형사 한 명이 도시락 하나를 가져가며 은근슬쩍 농담을 했다.

"먹어라. 법률 검토까지 마친 초밥이다."

영주는 겸연쩍은 얼굴로 형사들에게 말하면서도 입가에 미소가 번졌다.

동준은 영주와 통화를 마치고 미소를 지으며 침실로 들어갔다. 수연은 저만치 돌아서서 심각한 목소리로 통화 중이었다.

"보도국장 만나고 있지? 아침 뉴스에 단독으로 방송해."

수연은 황보연과 통화를 하다 인기척을 느끼고 뒤를 돌아보았다. 동준을 발견하고 그녀는 그를 빤히 쳐다보며 통화했다.

"보도자료는 홍보팀에서 준비 중이니까 기사는 쓸 필요 없고, 주는 대로 받아서 읽으라고 해."

수연은 전화를 끊고 천천히 동준에게 다가갔다.

"수연아, 이제 쉬어. 태백도, 집안도, 내가 정리할게."

동준은 수연에게 다가가 마치 좋은 남편인 양 다정하게 말했다.

"이제 쉬어요. 내일이면 아빠는 태백에 돌아올 거예요. 이동준 씨 덕분에 아빠가 유치장에 계시네."

"신영주 씨 아버지는 하늘에 계셔."

수연은 그 말에 입을 다물었다.

"아버지를 잃은 마음이 어때? 대표님이 죄 없이 감옥에 보낸 분이 신창호 씨뿐일까?"

"이동준 씨!"

수연의 목소리가 칼끝처럼 날카로웠다.

"나한테 일어나길 원하지 않는 일, 남한테 하면 안 된다는 거. 이제라도 알면 좋을 텐데."

동준은 줄곧 다정한 말투로 말하다 그러지 못할 거라는 걸 안다는 듯 혀를 차며 고개를 가볍게 가로저었다.

"내일 경찰서에 참고인으로 출석해야지. 늦지 마."

수연은 드레스룸으로 들어가는 동준의 뒷모습을 참을 수 없다는 듯 분노 어린 눈빛으로 노려봤다.

*

다음 날 수연은 참고인 조사를 받기 위해 경찰서로 향했다. 경찰서 앞에 수연의 차가 도착하자 황보연이 운전석에서 내려 뒷문을 열었고, 수연이 천천히 차에서 내렸다. 수연은 굳은 얼굴로 경찰서를 한번 쳐다보고 안으로 들어갔다.

—법률회사 태백은 강유택 회장 살인 사건의 범인은 송태곤 전 비서실장이라며, 최일환 대표에 대한 음모에 강경하게 대응하겠다는 입장

216

을 발표했습니다.

그 시각 유치장에 홀로 앉아 있던 최일환은 창살 밖으로 벽에 걸린 텔레비전을 보고 있었다. 화면에는 한강변의 블랙박스 화면이 보이면서 송태곤의 프로필 사진이 나오고 있었다.

—태백이 공개한 동영상에는 송태곤 씨가 강유택 회장의 사체를 유기하는 장면이 촬영되어 있습니다. 송태곤 씨는 경찰 수사가 진행되자 거액을 횡령, 도피하려 한 사실까지 밝혀졌습니다.

최일환은 앵커의 말을 들으며 수연이 일을 잘 처리하리라는 기대를 품으면서 옅은 미소를 지었다.

취조실 안에는 영주를 가운데 두고 송태곤과 동준이 앉아 있고, 맞은편에 수연과 황보연이 앉아 있었다. 탁자 위에 놓인 신문에는 '송태곤, 강유택 회장 사체 유기 및 횡령 사실 밝혀져'라고 쓰인 기사가 실린 신문이 놓여 있었다. 기사 제목 아래에는 블랙박스 화면 스틸컷 사진이 보였다. 수연은 손으로 신문을 가리켰다.

"사체 유기. 횡령. 송태곤 실장이 한 일은 증거가 있어요. 아빠를 살인범으로 몰고 가면 이 사람들이 뭘 준다고 했을까?"

"강유택 회장을 살해한 사람은 송태곤 실장이다?"

영주가 수연을 보며 질문했다.

"기록이 그렇게 말을 하네."

수연이 영주를 빤히 쳐다보며 말했다.

"이 동영상 어떻게 확보했죠? 송태곤 실장하고 같이 블랙박스 영상을 찾으려고 한 사람이 최수연 씨라는데."

수연은 그 말에 흠칫하며 송태곤을 힐끗 보았다. 비릿한 미소를 짓는 송태곤의 모습이 께름칙했다. 순간 수연의 머릿속에 뭔가 떠오르는 장면이 있었다.

"경찰에 차적 조회 의뢰하고 와."

수연은 황보연에게 지시했다.

"경찰에 흔적을 남기면 안 되지. 태백 안에 있잖아. 해상사고 처리팀 내부에 교통사고 대응팀! 거기서 차적 조회합시다."

수연은 송태곤의 말이 맞다는 듯 끄덕였었다.

영주는 수연에게 서류 한 장을 내밀었다.

"보험회사에 블랙박스 장착 여부를 확인하고, 한강 차량 관리소에 차량 번호 확인을 요청한 사람이 최수연 씨라는 담당자 진술이에요."

수연의 얼굴에 당황한 기색이 역력했다.

"송태곤 씨가 횡령한 124억, 그 돈 메꿔주려고 펀드까지 해약하고 현금을 마련한 것도 최수연 씨 아닌가요?"

송태곤은 이제 딱 걸려들었다는 듯 비릿한 미소를 지었다. 수연은 그 미소의 의미를 잘 알고 있었다. 수연은 얼마 전 이 자리에서 자신이 했던 말을 기억해냈다.

'현금 124억은 내가 준비할 거니까 그걸로 태백에 입힌 피해는 복구해. 이름, 직업, 주소, 그 외 어떤 질문에도 대답하지 말아요.'

"그쪽 말대로 송태곤 씨가 살인범이라면, 송태곤 씨하고 같이 블랙박스를 찾고, 횡령액을 돌려주려 한 최수연 씨는 뭐지? 공범인가? 이동준 씨, 당신 아내, 피의자로 전환해서 수사해야 할 것 같네요."

공범이라는 말에 수연은 움찔했다. 수연은 자신을 궁지로 몰아가는 영주를 날카로운 눈빛으로 쳐다보았다.

"정일아, 수연이 피의자로 신분이 전환됐단다."

조경호가 숨을 헐떡이며 정일의 집무실로 뛰어들어왔다.

그 말에 정일은 깜짝 놀라며 자리에서 벌떡 일어났다. 동준과 영주가 어떤 덫을 놓고 있는지, 경찰에 참고인으로 가는 족족 피의자 신분으로 전환되고 있었다. 정일의 얼굴에 불길한 기운이 감돌았다.

"수연이가 증거인멸에 협조한 증거가 이만큼이래요. 이러다 수연이도 구속되는 거 아니냐."

정일은 항상 동준을 염탐하던 창가 쪽으로 다가갔다.

"아니. 이동준이 겨누는 건 수연이가 아니야."

정일은 창문을 통해 집무실에서 나오는 동준을 보았다. 동준이 했던 말이 뇌리에 스쳤다.

'총구는 하나, 과녁은 두 개입니다. 최일환 대표, 그리고 강정일 씨.'

정일은 복도를 걸어가는 동준을 바라보며 잔뜩 긴장하기 시작했다. 그는 휴게실로 들어가는 동준을 보며 밖으로 나갔다. 일단 동준을 만나 그의 의도를 파악해볼 생각이었다. 정일은 곧장 휴게실로 향했다.

정일은 동준이 커피 잔을 들고 돌아서기를 기다렸다.

"수연이가 피의자로 전환됐다고 들었습니다."

"아내 소식을 옛 남자한테 들으니까 기분이 별로네. 걱정은 되지만 판단은 법이 하겠지."

동준은 커피 잔을 들고 소파에 앉으며 능치는 얼굴로 말했다.

"이동준 씨 솔직한 사람으로 알고 있었는데."

정일은 맞은편 소파에 앉았다.

"솔직하죠. 솔직한 사람 앞에서만. 자기가 살려고 수연이를 버린 남자. 그땐 수연이한테 뭐라고 거짓말을 했습니까?"

"가끔은 후회가 되네. 그때 수연이를……."

219

"후회는 말로 하는 게 아닙니다. 그 이후의 시간으로 증명하는 거죠. 같은 선택을 반복하지 않는 겁니다. 강유택 회장이 떠난 지 한 달도 안 됐습니다. 아버지를 도자기로 내리친 최일환 대표의 손을 잡아주는 사람, 강정일 씨."

그 말에 정일은 발끈했다. 아버지의 죽음은 정일에게 목에 걸린 가시와도 같이 아픈 일이었다. 그것을 동준이 건드리고 있었다. 정일의 얼굴빛이 점점 붉으락푸르락해졌다.

"이것도 가끔 후회하겠죠? 당신이 원하는 건 태백입니다. 수연이는 디딤돌이고 아버지는 사다리였겠네. 어쩌면 아버지 장례식에서 보인 눈물도 사다리가 사라져서 흘린 건가?"

"그만 듣고 싶은데."

정일은 얼굴빛을 숨기면서 특유의 인내심을 발휘하며 차분하게 말했다.

"먼저 솔직해지세요. 그럼 나도."

동준은 흔쾌히 받아들일 준비가 됐다는 표정으로 정일을 바라보며 천천히 커피를 마셨다. 정일은 그 표정이 매우 불쾌했지만 꾹 누르며 동준을 바라보았다.

피의자 신분으로 전환된 수연은 취조실에서 영주에게 신문을 받았다. 황보연이 수연의 변호사로 옆에 앉았다.

"송태곤 씨가 살인범이 되면 그쪽이 공범이 될지도 모르고. 아버지가 살인을 했다고 주장할 수도 없고, 곤란하겠네요. 사자를 잡았는데, 뭐, 사자 새끼까지 꼭 잡아야 되나, 그런 생각도 드네."

"정일 오빠를 넘기면 나가게 해주겠다 이건가?"

수연은 자신을 피의자로 전환시킨 의도를 이제 알겠다는 듯 피식 웃었다.

"강정일 씨를 지킬 이유가 있나? 강정일 씨가 아버지를 죽인 최일환 대표의 알리바이를 증언하게 만들었어요. 대단하네, 최수연 씨. 당신이 가진 게 뭐죠?"

수연은 뭔가 계산을 하는 얼굴로 영주를 빤히 쳐다보았다.

정일은 굳은 얼굴로 책상 앞 의자에 앉아 생각에 잠겨 있었다. 수연이 피의자 신분으로 전환된 이상 그 입에서 어떤 말이 튀어나올지 모를 일이었다.

"정일아, 그 영상에 네가 김성식 기자 죽인 거, 신창호 씨 회유한 거, 다 찍혀 있다며? 그게 신영주한테 들어가면 우린 끝이야, 인마."

조경호는 조바심이 나서 견딜 수가 없었다.

"정일아, 비행기 알아보자. 일단 넌 외국에 가 있어라. 여기 부동산은 내가 현금화해서……."

이러다 정일마저 경찰에 불려가면 모든 게 끝장 날 게 분명했다.

"아니. 이건 기회야. 최일환 대표를 만나야겠어."

조경호는 그 말에 의아한 눈으로 정일을 바라보았다. 정일은 조경호를 대동하지 않고 혼자 운전해 최일환을 만나러 경찰서로 향했다.

면회실에서 마주한 두 사람은 잠시 아무 말도 하지 않았다.

"곧 구속적부심이 열릴 겁니다. 기자들이 법원 앞에서 대기하고 있습니다."

"경찰이 가진 건 정황 증거뿐이야. 혈흔도 흉기도 직접 증거는 없어. 영장은 기각될 거다. 유택이하고 나, 오랜 친구야. 유택이를 그렇게 만든 송태곤 비서는 내가 꼭 법정에 세우지.”

최일환은 애써 태연한 척 여유로운 표정을 지었다.

정일은 피식 실소를 보였다. 이런 상황에서도 허세를 부릴 수 있는 최일환의 내공에 경의를 표했다.

“송비서가 살인범이라면 같이 증거를 인멸한 수연이는 공범이 될 겁니다.”

“수연이는 내 지시를 따른 것뿐이야.”

수연의 이름이 나오자 최일환은 얼굴이 딱딱하게 굳었다.

“살인은 송태곤 실장이 했는데, 왜 수연이는 대표님 지시를 따랐을까? 대표님, 수연이를 공범으로 만들 생각입니까?”

최일환은 전혀 생각지 못한 전개에 당황한 얼굴로 자리에서 일어나 면회실 안을 서성거렸다.

“살인죄는 피할 수 없습니다. 그런데 태백마저 사라진다면 대표님 인생에 뭐가 남을까요? 수연이가 영상을 건네면 저도 여기 오겠죠. 근데 대표님도 없는 태백이 감사원의 감사를 견딜 수 있을까?”

최일환은 ‘태백’이라는 말에 서성이던 걸음을 멈췄다. 최일환에게 태백은 목숨보다 소중한 것이었다. 태백은 단순한 회사가 아니라 살아 있는 생명체였다. 그것을 키우느라 최일환은 모든 것을 바쳤다. 태백은 그 지난한 가난의 굴레와 종놈의 아들이라는 신분을 벗어나게 해줬다. 하지만…….

“감사는 중단시키겠습니다. 보국산업은 헌납위원회를 만들어서 처리하죠. 대표님 손이 닿는 사람들 몇 명 위원회에 넣으세요.”

“널 믿으란 말이냐?”

“수연이가 가진 영상, 보셨을 텐데. 그 영상을 믿으세요. 살인죄는 공소시효가 없습니다. 수연이가 그 영상을 가지고 있는 한 전 평생 수연이의 머슴으로 살겠죠. 대표님이 아버지를 모셨던 것처럼."

최일환은 그 영상을 떠올렸다. 그 영상은 김성식 기자 살인범으로 명확히 정일을 지목하고 있었다. 하지만 정일은 워낙 뱀 같은 놈이어서 결정하기가 쉽지 않았다.

"수연이를 구하세요. 그래야 태백이 남습니다, 대표님."

최일환은 어쩔 수 없다는 듯 눈을 질끈 감았다.

12

최일환은 결국 자신의 죄를 자백하기로 마음먹었다. 그것만이 태백을 살릴 수 있는 유일한 길이었다. 최일환은 형사의 호송을 받으며 취조실로 향했다. 경찰서장이 그 옆을 따라 걸었다. 형사가 취조실 문을 열자 최일환은 굳은 얼굴로 안으로 들어갔다. 경찰서장은 최일환을 따라 같이 들어가고 호송해온 형사는 밖으로 나갔다. 최일환의 등장에 영주와 수연은 뜻밖이라는 듯 놀란 표정이었다. 최일환은 수연에게 엷은 미소를 지으며 자리에 앉았다.

"서장한테는 미리 얘기를 해뒀네. 절차를 밟아서 진술을 해야 할 것 같아서."

영주는 의아한 표정으로 경찰서장을 쳐다보았지만 서장은 입을 굳게 다물고 있을 뿐이었다.

"내가 유택이를 죽였어."

"아⋯⋯빠."

수연은 한 대 세게 얻어맞은 듯 최일환을 바라보았다.

"신길동 사무실에서 도자기로…… 내가 유택이를……. 수연이는 아무것도 모르네."

"서장님, 최수연 씨는 증거인멸 과정에 개입한……."

영주는 뭔가 이상하게 돌아간다는 걸 직감하고 날카로운 눈으로 서장을 쳐다보았다. 하지만 서장은 영주와 눈도 마주치지 않았다.

"수연이는 내 지시를 따른 것뿐이야. 보내주게. 서장이 약속했네."

경찰서장은 그제야 영주를 보며 그렇게 하라고 고개를 끄덕였다.

영주는 갑자기 계획이 틀어지자 답답한 듯 한숨을 내쉬었다. 최일환은 그렁한 눈으로 자신을 바라보는 수연의 손을 따뜻하게 잡아주었다.

영주는 못마땅한 얼굴로 책상 앞에 앉아 있었다. 최수연을 풀어준 게 마음에 걸렸다. 또 일이 잘못되면 어쩌나 하는 생각이 들자 조바심이 생기면서 마음이 영 편치 않았다.

"최일환 씨 구속영장 나왔습니다. 지금 구치소로 이송 중이랍니다. 근데요. 우리 특진은 언제쯤 상신됩니까?"

형사 한 명이 들뜬 얼굴로 달려와 보고했다. 최일환을 잡아넣어 뿌듯한 얼굴이었다. 그때 동준에게서 전화가 왔다.

—요양원으로 와요.

"담에 봐요. 오늘은 애들 술 좀 먹여줘야겠네. 나도 취해야겠고."

영주는 자기만 바라보고 있는 형사들을 보며 말했다.

—신창호 씨가 남긴 물건이 있어요. 기다릴게요.

영주는 아빠가 남긴 물건이라는 말에 잠시 고개를 갸웃했다. 결국 영주는 갈등하다 부하 형사들만 회식에 보내고 자신은 요양원으로 향했다.

　신창호가 사용하던 텅 빈 병실로 들어서자 영주는 마음 한구석이 아려왔다. 아버지가 누워 있던 병상을 둘러보다 동준에게 다가갔다.

　"신창호 씨 떠나기 전에 몇 번 들렀어요. 신영주 씨 얘기를 많이 하셨어요. 어릴 때 공부도 잘했고 참 예뻤다고."

　아버지 얘기가 나오자 영주의 눈에 살짝 눈물이 맺혔다.

　"팟캐스트도 신영주 씨가 마련해준 돈으로 시작했다고 들었어요. 월급 받는 거 다 어머니가 관리하고 적금 드는데, 알고 보니 아끼던 목걸이를 팔았다고. 그 목걸이 다시 사주겠다고 했는데, 그 약속 못 지켜서 미안하다고."

　아빠 얘기가 나오자 영주는 마음이 쓰린 듯 고개를 살짝 돌렸다.

　"신창호 씨가 못 지킨 약속, 내가 지키게 해줘요."

　동준은 작은 상자를 영주에게 내밀며 따뜻하게 말했다.

　영주는 동준에게 목걸이를 선물받자 감동하면서도 동시에 어색했다. 영주는 그런 마음을 숨기려 했다.

　"최수연이 빠져나갔어요. 강정일을 잡을 방법이 없다고요."

　동준은 초조해 보이는 영주의 어깨를 다독였다.

　"못한 일은 생각하지 말고 신영주 씨가 해낸 일을 봐요."

　동준은 리모컨으로 텔레비전을 켰다. 최일환이 법원에서 나와 호송차를 타고 가는 모습이 나오고 있었다.

　─법률회사 태백의 대표 최일환 씨의 구속이 집행됐습니다. 법원은 살인의 증거와 자백을 근거로 영장을 발부했으며, 이 시각 최일환 씨는 서울 남부구치소에 도착, 입감 절차를 밟고 있는 것으로 알려졌습니다.

동준과 영주는 병상에 걸터앉아 잠시 뉴스를 보았다. 최일환의 모습과 앵커의 설명이 이어지는데, 동준이 리모컨으로 소리를 껐다.

"법을 움직이는 사람을 법으로 잡았어요. 신창호 씨의 딸 신영주 씨가 해냈어요. 아버지가 보고 계실 거예요. 자랑스러워하실 겁니다."

영주는 그 말에 울컥하는 얼굴로 동준을 보다가 뒷머리를 올렸다. 동준은 그 의미를 알고 목걸이를 꺼내 영주의 목에 조심스럽게 걸어주었다. 영주는 아버지가 걸어주는 느낌을 상상하며 눈을 감았다. 동준이 목걸이를 걸어주자, 영주는 눈물이 그렁한 얼굴로 뒤돌았다.

"우리 둘이 같이 한 걸음 간 겁니다. 다음 걸음도 같이 가요, 우리."

"이동준 씨……."

잠시 서로를 응시하던 두 사람은 누가 먼저랄 것도 없이 천천히 포옹했다.

"아빠한테…… 고마워요. 이동준 씨를 남겨줘서."

두 사람은 마치 하나가 된 듯 깊게 서로를 끌어안았다.

*

수연은 면회실에 앉아 있다가, 미결수복 차림의 최일환이 들어오자 놀란 눈으로 벌떡 일어났다. 수연은 한 번도 상상한 적 없는 낯선 아버지의 모습에 울컥하는 기분으로 바라보다 최일환이 자리에 앉자 마주 앉았다. 최일환은 허탈한 웃음을 지으며 자신의 수인 번호 '307'을 힐끗 보았다.

"유택이놈하고 시작한 사무실이 307호였다. 30년을 돌아서 다시 307. 제자리로 왔구나."

수연은 먹먹한 눈으로 최일환을 보며 눈물을 삼켰다.

"엄마는 입원했어요. 아픈 건 아닌데, 주변 사람들하고 교인들 보기가 그런가봐. 두어 달 병원에 있을 거래요. 나 말고는 면회도 안 돼."

최일환은 알겠다는 듯 처연하게 끄덕였다.

"변호사들 3분의 1이 사직했어. 고문단도 절반 가까이 그만뒀어요. 사람들이 태백만 쳐다봐. 언제 무너지나."

"수연아, 태백은 지켜야 한다."

최일환은 태백 얘기가 나오자 눈이 번뜩였다.

"하지만 당장 태백을 이끌어갈 사람도 어떻게……."

"있어. 네 뜻대로, 수연이 네가 움직일 수 있는 사람. 수연아, 그 사람을 대표로 만들어라. 그놈이면 태백을 살려놓을 거다."

수연은 의아한 얼굴로 최일환을 보았다.

'설마……'

수연의 눈이 커졌다.

"그놈을 앞세워 네가 태백을 끌고 나가라. 네 아이가 물려받고, 내 손주가 이어받게 만들어. 이 아비 인생에 태백마저 무너지면…… 남은 게 없다, 수연아."

최일환은 절박한 심정으로 수연에게 호소했다. 수연은 깊이 고뇌하는 얼굴로 최일환을 바라보았다.

경찰서에서 돌아온 수연은 태백 로비에서 정일과 마주치자 옥상으로 함께 올라갔다.

"경찰서에 있을 때 아빠를 면회했다고 들었어. 그때 제안했겠네. 대표가 되겠다고."

"태백을 위해서, 그리고 나를 위해서."

"왜일까? 혹시 예전처럼 내 마음, 흔들 수 있을 거라고 생각하는 건 아닐까?"

수연은 정일을 보다가 다가가서 가볍게 입을 맞췄다. 수연은 깜짝 놀란 정일의 눈을 똑바로 쳐다보며 잠시 키스하더니 뒤로 물러났다. 수연은 자신과 정일에게 확인시키듯 옅은 미소를 지었다.

"잠결에 내쉬는 숨소리에도 떨렸는데, 이제는 남은 감정이 없네. 기대는 하지 마. 오빠가 바라는 일은 없을 거야."

"내가 대표가 되면 태백을 안정시킬 거다. 이동준은 내보낼 거고, 언젠가 네 남편, 이번에는 누가 될지 모르겠지만, 그 사람한테 넘겨주지. 그땐 수연아, 그 영상 지워주겠지?"

수연은 칼자루를 쥔 자의 여유로운 눈빛으로 정일을 쳐다보았다.

"내일 상임고문단 회의 일정 잡았어. 오후 2시에……."

"오전에 해. 오후엔 엄마 보러 병원에 가봐야 돼."

정일은 권력 관계를 확인시키려는 의도임을 알고 피식 웃으며 알겠다는 듯 고개를 끄덕였다.

"오빠 영상, 아주 먼 곳에 보관하고 있어. 일주일에 한 번씩 내가 체크 안 하면 검찰에 전송될 거야. 그러니까 오빠, 나 안 다치게 잘 지켜야 해. 가봐."

수연의 지시에 돌아서 가는 정일의 얼굴에 비릿한 미소가 번졌다. 그 모습을 수연은 께름칙한 얼굴로 바라보았다.

*

동준은 노기용이 상임고문단 회의 소식을 전하자 깜짝 놀랐다. 동준은 잠시 생각하다 자리에서 일어나 창가로 갔다. 동준의 눈에 복도를 지나 집무실로 들어가는 정일의 모습이 들어왔다.

"아, 변호사고 고문이고 태반이 떠나고 있는데, 대표는 무슨. 허, 남아 있는 놈들이 뭡니까? 변호사님."

"떠나면 안 될 사람들만 남은 거야. 태백이 무너지면 자신들도 다치는 사람들."

동준은 집무실로 들어가는 정일의 모습에서 눈을 떼지 못했다. 정일과 수연이 새로운 카드를 꺼내 든 것이 분명했다. 아니, 어쩌면 두 사람각기 다른 카드를 들고 서로에게 패를 숨기고 있는지도 몰랐다. 정일의 집무실로 조경호가 들어가는 모습이 보였다. 두 사람은 소파에 앉아 뭔가 심각한 얘기를 나눴다.

정일은 대표가 돼 비상 전권을 가지면 30년 동안 태백이 저지른 모든 비리를 세상에 공개할 생각이었다.

"그럼 인마, 태백이 무너진다고."

조경호는 그 계획에 펄쩍 뛰었다.

"가장 아픈 사람이 먼저 비명을 지르겠지. 최일환 대표! 태백이 무너지는 걸 볼 수 없으면 날 살려야지. 영상이 삭제되고 나면, 수연이도 태백에서 지워내야지."

정일은 완벽한 계책이 있는 듯 흡족한 미소를 지었다.

동준은 아무래도 정일과 수연의 움직임이 심상치 않다는 걸 깨닫고 샌드위치 가게로 영주를 불러냈다. 영주와 동준은 창가에 앉아 심각한 얼굴로 커피를 마셨다.

"비상 전권을 가진 대표로 강정일을 추대할 생각이다? 강정일이라는 사냥개한테 목줄을 걸어놓고 부릴 생각인가보네."

"내일 상임고문단 회의가 있습니다. 나도 그 자리에 나갈 겁니다."

"맨몸으로 나갈 순 없으니까 실탄을 준비해달라 이거죠? 동준 씨."

동준은 달라진 호칭에 기분 좋은 표정이었다.

"신영주 씨……."

동준은 습관적으로 성을 붙여 부르다 영주가 살짝 찌푸리는 걸 보고 호칭을 바꿔 불렀다.

"영주 씨, 우리 계획대로 진행합시다. 조금 빠르게."

그때 종업원이 "메뉴 나왔습니다"라고 외치자 동준이 샌드위치 몇 개가 담긴 비닐봉투를 받아와 영주에게 건넸다.

"잠복근무 들어갈 거죠? 동료들하고 같이 먹어요, 영주 씨."

"잘 먹일게요, 동준 씨."

성을 붙이지 않고 이름만 부르니 한 발자국 더 가까워진 느낌이었다. 영주는 동준의 간식을 챙겨주는 세심함에 온몸이 따뜻해지는 것을 느꼈다.

"주니까 먹긴 먹는데요. 너무 많이 주니까 의심이 드네. 계장님, 혹시 연애하십니까?

어느 후미진 골목에 차를 주차하고 잠복 중인 형사들이 샌드위치를 하나씩 가져갔다.

"시끄럽다."

영주는 괜히 겸연쩍어하다가 뭔가 봤는지 샌드위치를 내려놓으며 뛰쳐나갈 준비를 했다.

"왔다."

백상구의 수하들이 건들거리며 어느 낡은 건물로 걸어갔다. 영주와

231

형사들이 그 모습을 보고 차에서 후다닥 내려 조심스레 그들을 쫓기 시작했다. 백상구의 수하들은 뭔가 이상한 낌새를 채고 골목으로 도망치기 시작했다. 영주와 형사들이 그 뒤를 바짝 쫓았다. 골목길을 오가며 잠시 추격전이 벌어졌다. 수하들이 흩어진 가운데 한 명이 골목길 모퉁이를 도는 순간 기다리고 있던 영주와 맞닥뜨렸다. 영주는 덤비는 놈을 간단히 제압하고 수갑을 채웠다.

영주는 취조실로 잡아온 백상구 수하의 다친 얼굴에 얼음주머니를 대고 주물러주며 다정하게 물었다.

"초면은 아닌 것 같으니까 말 편하게 하자. 누나가 사람을 찾고 있다. 백상구, 지금 어딨냐? 어!"

낮고 부드럽던 톤이 갑자기 거칠어지자, 영주를 만만하게 보던 백상구의 수하는 화들짝 놀라며 바짝 얼었다.

동준은 태백의 대회의실 복도를 걸으며 영주와 통화 중이었다.

—영상은 보냈어요. 백상구는 한 달째 연락이 안 된다네.

"백상구의 소재지가 파악되지 않으면 오늘 계획은 어려울지도 모릅니다."

—벌써 반찬 투정을 하시네. 힘들게 차린 밥상이에요. 찬은 부족하지만 손님들한테 잘 떠먹여보세요, 동준 씨.

동준은 전화를 끊고 대회의실 문 앞에 섰다. 동준은 심호흡을 하고 단호한 얼굴로 문을 열고 들어갔다. 대회의실에는 수연과 정일, 여덟 명의 중후한 사내들이 앉아 있었다. 수연은 동준이 들어오자 살짝 찌푸리며 쳐다봤다. 하지만 주변 사람들을 의식해 예의 바르게 말했다.

"상임고문단 회의예요. 이동준 씨는 참석할 자격이 없어요."

동준은 개의치 않고 중후한 사내들을 쭉 훑어보며 자리에 앉았다.

"가족 대표로 왔습니다. 최일환 대표님 가족 중에 변호사 자격을 가진 사람은 저뿐이라서요."

수연은 불편하지만 어쩔 수 없다는 듯 동준에게 신경을 끄고 좌중을 둘러보았다.

"불미한 사태로 심려를 끼쳐서 죄송해요. 오늘까지 변호사 이백칠십 명, 고문단 백육십칠 명이 사임했어요. 이 난파선을 맡을 선장이 필요해요."

고문들은 동의하듯 심각한 얼굴로 고개를 끄덕였다.

"비상 전권을 가진 임시 대표가 필요해요. 재정, 인사, 대외 업무에 관해 전권을 행사해서 빠른 시간 내에 태백을 정상화시킬 수 있는 인물을 추인해주셨으면 합니다."

"가족 대표로서 동의합니다."

수연의 제안에 동준은 순순히 동의했다. 정일은 미심쩍은 눈빛으로 동준을 쳐다보았다.

"강정일 팀장을 추대해주셨으면 해요. 아버지와 강회장님은 오랜 친구였어요. 작은 충돌로 불미스런 일이 생겼지만, 강정일 팀장은 피해자의 아들이라는 명분이 있어요. 불행한 사건의 피해자가 태백의 새로운 미래를 위해……."

"불행한 일의 피해자라……."

수연은 자신의 말이 끊기자 신경질적으로 동준을 쳐다보았다.

"피해자가 아니라 공동 책임자 아닌가."

그 말에 정일의 눈이 꿈틀거렸다. 정일은 동준이 새로운 카드를 들고 이 방에 들어왔다는 걸 알아차렸다.

233

"강정일 팀장은 개인 비리를 덮기 위해서 한 사람을…… 외국으로 보냈습니다."

동준은 일어나 근처에 있던 리모컨을 눌렀다. 텔레비전 화면에 백상구의 사진이 나왔다. 수연과 정일은 잊고 싶은 그 얼굴이 나오자 흠칫 놀랐다. 정일은 동준의 새로운 카드가 뭔지 알 것 같았다.

"백상구! 강정일 팀장이 그 수하들을 매수해서 필리핀으로 보냈죠. 현재 경찰은 수하들을 체포, 조사 중입니다. 강정일 팀장은 곧 폭행 청부 혐의로 소환 조사를 받게 될 겁니다."

수연은 백상구라는 그 지긋지긋한 이름이 나오자 정일을 쳐다보았다. 정일이 애써 표정을 감추고 있는 것이 눈에 보였다. 정일은 자존심 강한 남자 특유의 자제력으로 치미는 분노를 억눌렀다.

"허위 사실을 유포하면 명예 훼손으로 처벌받게 될 겁니다."

"강정일 씨한테 훼손될 명예가 있었습니까?"

동준이 다시 리모컨을 누르자 취조실에 잡혀온 백상구 수하의 영상이 화면에 나왔다.

—강정일 변호사가 뒷배를 봐주겠다고 해서…… 백상구 회장님을 필리핀으로 밀항시켰습니다.

정일은 약간 당황한 얼굴로 고문들의 표정을 빠르게 훑어보았다.

"이건 일방적 주장에 불과합니다."

"아직까진 그렇죠. 하지만 소환이 되고 언론에 나가면 어떻게 될까? 살인으로 구속된 대표. 뒤를 이어 비상 전권을 위임받은 대표는 청부 폭력으로 조사를 받고……. 쯔쯔, 과연 태백이 견딜 수 있을까요?"

고문들은 심각하게 서로를 보며 고개를 가로저으며 낮게 속삭였다.

"태백에 또다시 불행이 있어서는 안 됩니다."

동준은 자리에서 일어나 대회의실에 있는 사람들을 쭉 훑어보았다.

"비상 전권, 제가 맡겠습니다."

그 말에 수연은 놀라며 자리에서 일어났다.

"강정일 팀장을 추대하라는 게 아버지의 뜻이에요."

동준은 수연을 보며 답답하다는 듯 고개를 저었다.

"최일환 대표의 뜻대로 했다가 이 상황까지 온 거 아닌가."

동준과 수연의 시선이 허공에서 날카롭게 부딪쳤다. 그사이 서로 속삭이던 고문들 중 한 명이 둘 사이에 끼어들었다.

"자네는 최일환 대표의 사위야. 이런 상황에 식구가 뒤를 이으면 말들이 나올 거야."

동준은 들고 온 서류 봉투에서 서류를 꺼내 수연에게 다가가 그 앞에 놓았다.

"수연아, 네 뜻대로 하자."

수연은 그 서류를 보며 자신이 했던 말을 떠올렸다.

'이혼 서류예요. 내 도장은 찍었고, 이동준 씨만 정리하면 돼요.'

그 서류에는 어느덧 동준의 도장도 찍혀 있었다.

"비상 전권을 위임받는 즉시 전 최수연 씨와 이혼하겠습니다."

수연은 할 말을 잃고 낮은 한숨을 쉬었다.

"장인의 비리를 알게 된 사위가 가족의 안전보다 진실을 위해 피해자인 송태곤 실장을 변호하고 있습니다. 이혼까지 감수하며 한시적인 비상 전권을 맡아 태백을 정상화시킨 뒤 이곳을 떠날 겁니다."

고문들이 쉽게 결정을 내리지 못하고 서로 눈치만 보는데, 동준이 그들이 결정을 도울 결정적인 카드를 꺼냈다.

"제가 떠나면 여러분 중 한 분, 어쩌면 여러분 자녀 중에서 능력 있는 분이 태백의 주인이 될 수도 있을 겁니다."

그 말에 눈이 빛나는 고문들이 있었다. 그들은 계산을 하듯 딴 데를 보며 수연의 눈을 외면했다. 수연은 난감한 얼굴로 정일을 쳐다보았다. 정일의 눈은 분노로 이글거리고 있었다. 동준은 손님들에게 반찬을 잘 떠먹인 것 같았다.

동준은 만족스런 얼굴로 회의실에서 나와 브리핑룸으로 향했다. 동준이 안으로 들어서자, 준비하고 있던 기자들이 카메라 플래시를 터트렸다. 동준은 천천히 단상에 올라섰다.

"태백의 비상 전권을 맡은, 변호사 이동준입니다. 불미스런 일로 물의를 일으킨 점에 대해 태백을 대표해 사과드립니다."

동준은 낮게 고개 숙여 사과했다.

"스스로를 점검하고 주변을 살펴 태백이 다시 태어나는 계기가 될수 있도록 노력하겠습니다."

영주는 경찰서에서 이 모습을 화면으로 만족스럽게 지켜보았다.

동준은 브리핑을 마치고 서둘러 팀장 회의를 소집했다. 동준이 회의실로 들어서자 변호사들이 자리에서 일어나 정중하게 인사했다. 정일은 잠시 동준과 시선이 마주치자 맞춰는 주겠다는 듯 자리에서 일어났다. 하지만 수연은 그대로 앉은 채 불만 가득한 얼굴로 동준을 보고만 있었다. 동준은 개의치 않고 다들 앉으라고 손짓하고 자신도 앉았다.

"최일환 대표 변호팀 지원 현황이 어떻게 됩니까?"

"전담 변호사가 열 명, 어시스턴트 스무 명이 보조를……."

황보연이 자리에서 일어나 보고했다.

"전원 철수시켜요. 지금부터 최일환 대표에 대한 회사 차원의 대응은 전면 중단합니다. 일체의 법률적 지원을 하지 않겠습니다."

"이동준 씨!"

수연이 어이없다는 듯 외쳤다. 동준은 수연을 보며 타이르듯 부드럽게 말했다.

"회사 업무와 관계없는, 개인적 원한에 의한 사건이야. 개인적으로 변호사를 고용해서 해결해야지. 비서실장을 선임하려 합니다. 우리 팀에 나하고 호흡을 맞춰온 분들이 있지만, 자기 사람만 쓴다고 말들이 나올까봐요……. 강팀장이 오랫동안 믿어온 분이니까, 나도 믿고 일해도 되겠죠?"

정일은 무슨 의미인지 파악이 안 된다는 얼굴로 동준을 쳐다보았다.

"조경호 변호사님, 비서실장으로 임명하겠습니다."

정일은 살짝 눈을 찌푸렸다가 조경호를 보았다. 조경호는 매우 당황한 얼굴로 정일을 쳐다보았다. 동준은 그 둘의 모습을 여유 있게 미소 지으며 바라보았다.

조경호는 영 불편하고 못마땅한 얼굴로 동준의 뒤를 따라 대표실로 들어갔다. 동준은 소파에 앉으며 탁자에 놓인 신문을 가리켰다. 신문에는 이달의 독립운동가 '조병훈'이라는 이름과 더불어 작은 사진과 약력이 실려 있었다. 동준은 옆에 선 조경호에게 앉으라고 손짓했다. 동준은 신문 기사를 손으로 두드리며 조경호를 쳐다보았다.

"할아버지가 이달의 독립운동가로 선정됐군요. 강정일 팀장 집안은 친일을 했던 걸로 아는데. 친일 인명사전에 할아버지 형제들 세 분이 다 기록됐다고 들었습니다."

"우리나라는 연좌제가 없습니다."

"그렇죠, 하지만 연좌제가 없으려면 상속도 포기해야죠. 재산은 물려받고, 불명예는 잊어달라……. 불공평한 거 아닌가?"

"저는요, 정일이하고 고등학교 때부터 친구입니다. 그러니까 비서 실장은 다른 사람으로 하시는 게……."

"누가 친구를 배신하라고 했나? 할아버지 뜻대로 올바르게 살아달 라고 했지. 조경호 변호사님, 물건을 좀 옮겨줬음 하는데."

동준의 시선이 도자기에 가 있음을 알고 조경호는 난감한 표정을 지 었다. 조경호는 괴로운 듯 낮은 한숨을 내쉬었다.

정일은 자신의 집무실 한쪽에 놓인 도자기를 말없이 바라보았다. 조 경호는 그 옆에 어찌해야 할지 모르는 얼굴로 불편하게 서 있었다. 정 일은 도자기를 보며 묵음으로 헛웃음을 웃다가, 주먹을 꾹 움켜쥔 채 조금씩 새어나오는 분노로 낮은 웃음을 흘렸다. 자꾸 함정에 빠지는 기분이었다. 그곳에서 빠져나와야 했다. 신창호의 죽음 이후 동준과 영주는 확실히 달라져 있었다. 정일은 정신을 집중했다. 함정에 빠진 짐승이 밖으로 나오지 못하는 이유는 함정만 바라보고 있기 때문이었 다. 궁지에 몰려 주변을 보지 못했으나, 이제는 고개를 들어 밖을 봐야 할 때였다.

*

"최일환 대표는 구치소에서 잘 지낸다네. 추가 조사를 마치면 송태 곤 씨 영장은 내일쯤 칠 거예요. 그쪽 부탁대로 유진이 생일 선물, 대신 보내줬어요."

취조실에 송태곤과 마주 앉은 영주는 사진 한 장을 그에게 건넸다. 송태곤은 커다란 인형을 안고 환히 웃고 있는 딸의 사진을 흐뭇하게 바라봤다.

"나도 선물 하나 받아야겠어요. 유진이 다음 주에 귀국한대요. 내가 만나보려고. 아빠는 아주 나쁜 회사에 있다가 내부 고발을 해서 나쁜 사람들 잡는 데 앞장서고 있다고. 그렇게 말하게 해줘요."

송태곤은 무슨 의미인지 알겠다는 얼굴로 후우, 한숨을 내쉬었다.

"비자금 계좌가 있어."

그 말에 영주의 눈이 반짝였다.

"수임은 하고 법정에 안 나가는 사건이 있지. 높은 분들끼리 전화 한 통, 식사 한 번으로 해결되는 사건들. 그 수임료는 비공식적으로 챙겨. 그 돈으로 고문단들 페이를 주지."

"고문단 페이는 공식적으로 지급되는 거 아닌가?"

"다들 그렇게 알지. 고문단이 한 달에 1000만 원 정도 받는다고. 실제로는 열 배를 받아. 월 1억! 세금은 1000만 원에 해당하는 만큼만 내지. 그게 태백의 힘이야."

"비자금 계좌는 누가 관리하죠?"

"곳간 열쇠는 주인이 관리하겠지. 그 계좌는 최일환 대표만 알아."

"강줄기를 따라 올라가면 물이 어디서 흘러오는지 보이겠네."

영주는 계획이 있다는 듯 끄덕이며 농담처럼 한마디 던졌다.

"딸이 아빠를 안 닮았네. 예쁘다."

송태곤은 그렇다는 듯 끄덕이다가 살짝 기분이 상한 표정이 되었다가 다시 사진을 보며 활짝 웃었다.

동준은 침실로 들어서다 소파에 앉아 와인을 마시고 있는 수연을 발견하고 맞은편에 앉았다.

"눈만 감으면 태백의 후계자가 되고, 침묵했으면 이 집이 당신 것이 됐을 텐데, 뭘까? 무모한 싸움에 뛰어든 이유가."

수연은 이해할 수 없다는 얼굴로 동준을 쳐다보았다.

"아무리 어두운 길이라도 나 이전에 누군가는 이 길을 지나갔을 것이고, 아무리 가파른 길이라도 나 이전에 누군가는 이 길을 통과했을 것이다⋯⋯."

동준이 뇌까리듯 시를 읊었다. 수연은 와인으로 입술을 적시며 가만히 들었다.

"⋯⋯아무도 걸어본 적 없는 그런 길은 없다. 좋아하는 시야. 신창호씨가 갔던 길. 김성식 기자가 갔던 길. 누군가는 따라가야지."

"이혼 서류는 접수했어요. 당신 옷이랑 짐은 아까 요양원으로 보냈고요. 더 가져갈 건 없어요."

"가져갈 게 남았어. 네가 가진 강정일의 무언가."

동준은 흠칫하는 수연의 얼굴을 빤히 쳐다보았다.

"최일환 대표, 비자금 계좌 추적 중이야."

동준은 송태곤에게 얻은 정보로 영주와 비자금 계좌 조사에 들어갔다. 동준은 수연을 떠보듯 말을 던졌다. 그 말에 수연은 바로 반응했다. 수연은 비밀을 들키기라도 한 듯 자기도 모르게 마른침을 삼켰다.

"계좌가 드러나면, 수연아, 고문단들 모두 세금 탈루로 처벌될 거다. 태백은 붕괴될 거고. 위자료로 태백은 남겨주고 싶은데⋯⋯."

수연이 놀란 마음을 누르며 바라보는데, 동준은 수연을 빤히 보면서 휴대폰으로 전화를 걸었다.

"영주 씨, 요양원으로 와요. 고문단 계좌 추적, 서둘러야겠습니다."

동준은 전화를 끊고 수연 앞에 놓인 와인 잔을 들었다.

"날 멈추게 하고 싶으면, 수연아, 강정일 나한테 넘겨라."

동준은 와인을 단숨에 마셔버리고 잔을 내려놓으며 팽팽한 눈으로 수연을 바라보았다.

잠시 후 동준은 작은 가방 하나를 든 채 2층에서 내려왔다. 처음 이 집으로 들어올 때 느꼈던 암담한 기분과 달리 나가는 이 순간은 홀가분했다. 수연은 2층 난간에서 동준의 모습을 복잡한 눈빛으로 쳐다보았다.

영주는 동준의 부름에 다급히 나가려다 멈칫하며 거울 앞에 섰다. 아무래도 그대로 나가는 건 좀 아닌 것 같아 다시 자리로 가서 서랍을 열어 화장품을 꺼냈다.

"야야, 누가 경찰서에서 분 냄새를 풍기냐? 어!"

옆 책상에 앉은 배계장이 못마땅한 듯 소리쳤다.

"왜? 분 냄새 나니까 돈 냄새를 못 맡나?"

영주는 개의치 않고 화장을 고치며 맞받아쳤다. 불끈하는 배계장을 무시하며 영주는 화장을 계속했다.

"급하게 불러서 눈꼽만 떼고 왔네."

요양원에 도착해 동준의 방 의자에 앉은 영주는 엷게 화장한 걸 들키지 않으려 먼저 말을 꺼냈다. 동준은 그런 영주의 모습이 귀여운 듯 빙그레 웃었다. 영주는 그 웃음의 의미를 알 것 같아 쑥스러워하며 미소를 지었다.

"태백에 고문단들 계좌가 많아요. 상부에 수사 지원 요청을……."

"하지 마요. 영주 씨 혼자서는……. 동료들하고만 해요. 태백이 무너질지도 모른다는 위협을 느끼게 만들어서 수연이가 가진 무언가, 그걸 확보하는 게 목표예요."

"어때요? 이혼한 기분이."

영주는 알겠다는 의미로 고개를 끄덕이며 화제를 돌렸다.

"어때요? 이혼한 남자랑 연애하는 기분은."

영주는 동준이 한 번도 지지 않고 맞받아치자 피식 웃었다.

"난 선물받는 거 어색해요. 받으면 뭔가를 주고 싶고."

영주는 주머니에서 상자를 꺼내 열었다. 그 안에 넥타이핀이 놓여 있었다.

"동준 씨 아버지한테 돌려줬다는 거 알아요. 형사 월급으로는 좀 무리해서 샀네. 10년은 매일 써야 해요."

영주는 잠시 어색한 미소를 짓더니 상자에서 넥타이핀을 꺼내 동준의 넥타이에 꽂아주었다.

"10년 동안 매일 검사 받을게요."

동준은 따뜻한 눈으로 영주를 바라봤다. 영주는 의심 가는 눈으로 살짝 장난하듯 동준을 흘겼다.

"선수야. 프로 같아."

"모든 프로선수는 구단에 소속돼 있죠. 영주 씨가 내 구단주 해요."

"간만에 닭살 돋으니까 기분은 좋네."

두 사람은 오랜만에 해맑은 얼굴로 서로를 보며 환하게 웃었다.

정일은 고문단 계좌 추적 소식에 놀라 태백 곳곳을 돌아다니며 수연을 찾았다. 비자금이 노출되면 태백이 무너지는 건 시간문제였다. 이곳저곳을 뒤지던 정일은 옥상이 떠올랐다. 수연이 답답할 때면 찾는 곳이었다. 정일은 다급히 옥상으로 올라가보았다. 그곳에 수연이 서울을 내려다보며 서 있었다. 정일은 숨을 고르고 천천히 다가가 수연 옆에 섰다.

"전화를 안 받아서……. 신영주가 고문단들 계좌를 추적하고 있어. 이동준이 노리는 과녁은 나야."

"맞아."

정일은 너무도 차분한 목소리로 순순히 수긍하는 수연을 불안하게 바라봤다.

"그 영상을 달라고 했겠지?"

"그래."

정일은 날카로운 표정을 지우고 어색한 미소를 지었다.

"수연아, 그 영상이 이동준한테 넘어가면 난……."

수연이 돌아서서 정일을 보는데 서늘한 표정이었다.

"태백은 살아남겠지. 어떻게 해야 할지, 생각 중이야."

"계좌 추적은 내가 막는다. 이동준, 집에서 나갔다고 들었어. 태백에서도 내보낼 거다."

"훌륭한 결심이야. 결과는 며칠 지켜볼게, 오빠."

정일은 자신을 보며 싸늘하게 웃는 수연이 불안하기 그지없었다.

비자금 계좌 추적 소식에 조경호는 정일을 찾아다니고 있었다.

"정일아, 나는 뭐 하면 되냐?"

복도에서 정일과 마주치자 조경호는 걱정스런 얼굴로 물었다. 정일은 그 자리에 멈춰 서서 복잡한 얼굴로 조경호를 바라봤다.

'내가 잘못되면……. 경호야, 날 버려라. 내부 고발해서 넌 살아남아.'

'정일아…….'

'근데 경호야, 난 네가…… 마지막에 떠나주면 좋겠다.'

정일은 조경호에게 언제든 자신을 버리라고 말했었다. 정일이 잠시 묵묵히 조경호를 보는데, 뒤쪽에서 황보연이 다급하게 뛰어왔다.

"최수연 팀장님 지시예요. 강정일 팀장을 도우랍니다."

"경호야…… 너는 이동준 동향 파악해서 연락 줘. 여긴 우리가 알아서 할게."

조경호는 자신을 믿지도 버리지도 못하는, 정일의 그 마음을 알겠다는 듯 어색하게 대답했다.

"어……."

정일과 황보연이 집무실로 들어가자 뒤에 남은 조경호의 얼굴에는 허탈한 웃음이 번졌다.

정일과 황보연은 집무실에 들어가자마자 서둘러 일을 진행했다.

"테러방지법이 작년에 통과됐어요. 영장이 없어도 범죄 혐의만 있으면 계좌를 열어볼 수 있습니다."

"못 열어보게 법으로 막아야지."

황보연은 알아들었다는 표정으로 밖으로 나갔다.

그 시각 영주는 고문단 수임료 통장이 부암은행에서 일괄 발급됐다는 보고를 받고 형사들을 데리고 은행으로 달려갔다.

"영장 기각됐습니다. 불특정 다수의 계좌 공개는 개인정보보호법에 반한다는 취지로 설득했어요."

황보연이 집무실 안으로 들어오며 정일에게 보고했다.

"법치주의의 장점이지."

정일은 뭔가 새로운 그림을 그리는 듯 비릿한 미소를 지었다.

"법원에서 계좌 공개 금지 가처분 신청이 떨어졌습니다. 아, 저도 협조하고 싶지만 법이 막는데 어쩝니까?"

은행장은 어쩔 수 없다는 듯이 너스레를 떨었다. 영주는 정일이 자신보다 한발 앞서 움직였다는 걸 깨달았다. 영주는 난감한 얼굴로 은행 본점을 나오다 생각난 듯 형사들에게 지시했다.

"법이 막으면 법으로 뚫어야지. 진철아, 탈세 혐의 추가해서 오늘 안에 영장 쳐라."

동준은 영주에게서 보고를 받고 다급히 지하 주차장으로 가서 차에 올랐다. 동준이 시동을 켜고 출발하려는데, 정일이 맞은편 주차 구역에서 급출발해 달려와 동준의 차 바로 앞에 멈춰 섰다. 순간 동준은 놀라며 급정거했다. 동준의 차는 앞으로도 뒤로도 갈 수 없는 상황에 처했다. 정일은 차를 그대로 둔 채 동준에게 전화를 했다. 동준은 담담히 전화를 받았다. 두 사람은 차에 앉아 서로를 보며 통화했다.

"내 친구는 비서실장으로 만들고, 오늘도 인사 명령을 냈더군요. 우리 팀 변호사들 전원 다른 팀으로 분산시켰던데."

"태백의 정상화를 위한 선택입니다."

"고문들 계좌도 추적한다고 들었습니다."

"태백에 묻은 이물질을 제거하기 위한 불가피한 선택입니다."

"힘을 사용하면 대가를 치러야지."

동준은 무슨 말인지 몰라 대답하지 않았다.

"내일 고문료가 지급되는 날입니다. 이동준 씨가 결재해야 할 겁니다. 그 고문료가 비자금 계좌에서 나오는 건 알고 있을 텐데. 내일 결재를 하면 이동준 씨도 비자금을 사용한 공범이 될 겁니다. 계좌가 오픈되면 이동준 씨도 중형을 선고받겠죠. 판사였으니 그 정도는 알겠지."

동준은 예상치 못한 상황에 잠시 말을 잃고 차창을 통해 정일을 바라보았다. 정일의 입가에 설핏 미소가 번지는 것이 보였다.

"결재를 안 하면 고문료를 못 받은 분들이 이동준 씨를 대표실에 그냥 두진 않을 테고. 왼쪽이든 오른쪽이든 이동준 씨 앞길은 막혀 있습니다."

정일은 차를 후진해서 자신의 주차 구역으로 들어갔다. 정일은 손을 내밀어 가라는 시늉을 했다.

"태백은 나한테 맡기고 이동준 씨는 이제 그만 떠나세요."

동준은 난감한 얼굴로 정일을 보다 서서히 차를 몰아 출발했다.

"이동준은 결재를 못 할 거야. 경제사범에 대한 징계가 강화되는 추세야. 비자금의 존재를 알면서 사용하면 10년 아니 어쩌면 그 이상의 중형을 선고받을 거다."

정일은 확신에 찬 목소리로 수연에게 설명했다.

"그럼?"

"이동준은 대표실에서 나와야지. 태백에서도 나갈 거고. 고문료를 받지 못한 상임고문들은 다시 나를 추인해줄 거다. 난 너를 위해 일할 거고."

"오늘은 조금 마음에 드네."

수연은 정일에게서 돌아서서 서울을 내려다보았다. 정일은 바람을 맞고 서 있는 수연을 비릿한 얼굴로 쳐다보았다.

그 시각 동준은 대표실 책상에 앉아 조경호가 내민 서류철을 내려다보고 있었다.

"이번 달 고문료 지급결의서입니다."

동준은 고문료 지급결의서 결재란에 적힌 '대표'라는 글씨를 묵묵히 바라보며 깊은 생각에 잠겼다. 그때 동준의 휴대폰이 울렸다. 발신자는 '영주씨'였다.

—계좌 추적 루트가 다 막혔어요. 강정일이 이번에도 빠져나가면, 동준 씨…….

휴대폰 너머 영주의 난감한 목소리가 들렸다.

"아뇨! 그런 일 없을 겁니다. 신창호 씨한테 약속했습니다."

동준은 병상에 있던 신창호에게 자신이 잘못 내린 판결을 반드시 다시 심판하겠다고 약속했었다.

"영주 씨한테도 약속했잖아요. 같이 한 걸음 나갔으니, 다음 걸음도 같이 가자고. 근데 영주 씨, 다음 한 걸음은 내가 먼저 가겠습니다."

동준은 만년필을 들고 결재란에 또박또박 '이동준'이라고 썼다. 이 결재의 의미를 알고 있는 조경호는 놀란 눈으로 동준을 보았다. 결재를 마친 동준의 얼굴에 결연한 의지가 흘렀다. 동준은 돌아갈 다리를 모두 불태워버린 장수처럼 비장했다.

13

"고문료가 결재됐습니다. 이동준 변호사, 멈추지 않을 생각인 것 같아요."

팀장층으로 함께 들어서는 수연과 정일을 향해 황보연이 달려오며 보고했다. 그 말에 정일의 낯빛이 변했다. 수연은 얼굴을 찡그리며 동준의 말을 떠올렸다.

'날 멈추게 하고 싶으면, 수연아, 강정일 나한테 넘겨라.'

수연은 아무래도 강정일을 넘겨줘야 할 것 같다는 생각이 들었다. 그 갈등을 눈치챈 정일은 절박한 마음으로 설득했다.

"고문료 결재는 일상 업무니까 빠져나갈 수 있다고 생각했을 거야. 수연아, 이번에는 빠져나올 수 없는 덫을 놓을 거야."

"좋은 결과 기대할게. 오빠를 위해서."

수연은 황보연과 함께 집무실로 들어갔다. 정일은 분노에 찬 얼굴로 그 모습을 바라봤다. 하지만 지금은 견디고 버텨야 했다. 정일은 뭔가를 다시 계획하는 얼굴로 자신의 집무실로 들어가려다 조경호에게 전화를 하며 대표실로 향했다. 정일의 지시를 받은 조경호는 서류를 준비하고 다시 동준의 대표실로 찾아갔다. 조경호는 먼저 와 소파에 앉아 있던 정일과 짧게 눈으로 사인을 주고받았다.

"대표님이 사용하는 활동비 결재 서류입니다. 매달 지급되는 특수 활동비입니다."

조경호가 동준에게 서류철을 내밀었다. 동준은 서류를 보고 그 엄청난 금액에 흠칫 놀랐다.

"금액이 큰데, 어디에 쓰는 돈입니까?"

"조경호 비서실장님, 차 한잔 주시겠습니까?"

정일은 자리를 비켜달라는 의미로 조경호에게 차를 부탁했다. 조경호는 자신이 배제되는 것 같아 불편한 얼굴로 문을 닫고 나갔다.

"정식 수임을 안 하고 담당하는 사건들이 있습니다. 전화로, 때로는 술 한잔하면서 친분으로 해결합니다. 친분이 멀수록 돈이 많이 들죠. 대표님이 직접 관리하고 직접 전달해왔습니다."

동준은 불법 로비임을 알아차리고 단호하게 말했다.

"앞으로는 정식으로 수임된 사건만 맡을 겁니다."

정일은 피식 실소를 흘렸다.

"매출이 절반 이하로 줄어들 겁니다. 수임료도 반으로 줄어들 텐데, 이 건물에 남을 변호사가 있을까?"

"이건 불법적인 로비입니다, 강정일 씨."

"최일환 대표가 해오던 일입니다. 태백의 대표는 누리는 영광만큼 해야 할 뒷일이 많은 자리죠. 뇌물 공여. 겁이 납니까? 그럼 이동준 씨, 이 방에서 나오세요."

동준은 정일이 자신에게 새로운 카드를 내밀고 있다는 것을 알아차렸다.

"참, 특수활동비도 비자금 계좌에서 나가는 돈입니다. 신영주 씨가 계좌를 추적하는 건 당신을 수사하는 게 되겠군."

동준은 또 다른 난관에 난감한 표정을 지었다. 정일은 이번에는 자신의 카드가 먹힐 거라고 확신했다. 동준은 자신이 앞으로 짊어져야 할 무게가 느껴지자 살짝 두려움이 생겼다. 동준은 불현듯 어머니가 보고 싶어졌다.

동준과 안명선은 요양원 동준의 방에서 간단한 상을 앞에 두고 술을 마셨다. 안명선은 오랜만에 동준과 술자리에 마주 앉자 기분이 좋은지 그새 살짝 취해 있었다.

"요양원에 돌아온 지 일주일이나 됐는데 밥 한번 같이 먹을 시간이 없어. 바쁘구나 싶어 말도 못 걸었는데 술상까지 직접 봐오고. 참, 동준아, 요 앞 산책로에 사과나무를 심었어. 몇 년 지나면 사과도 열릴 거야."

"사과가 열릴 때쯤 돌아올 거 같아, 엄마."

동준의 목소리에 슬픔이 배어 있었다. 안명선은 술잔을 들다 멈칫하며 동준을 바라보았다.

"나 많이 기다렸을 텐데……. 더 기다리게 해서 미안해, 엄마."

동준은 먹먹한 눈으로 엄마를 바라보았다. 안명선은 자신도 모르게 눈물이 주르륵 흘렸다.

*

영주는 책상 앞 의자에 앉아 '태백 상임고문단 계좌 내역'이라는 한 장짜리 서류를 들여다보다 뜻대로 안 되는 듯 낮은 한숨을 쉬었다. 그 모습을 지켜보던 부하 형사들이 다가와 조심스럽게 물었다.

"저, 아버님 사십구재가 내일 아닙니까? 어디서 합니까? 저희도 가서 절이라도 드려야……."

"오지 마라. 아빠 보내드린 강가에서 식구끼리 지낼 거야."

영주는 사십구재라는 말에 가슴이 아려왔다. 그때 휴대폰이 울리며 동준에게서 전화가 왔다.

—영주 씨, 금융감독원에 파견 나간 동기가 있다고 했죠? 비공식적으로 협조 요청하세요. 최일환 대표 비자금 추적할 방법, 내가 만들겠습니다.

영주는 뭔가 석연치 않은 듯 전화를 끊었다. 영주는 동준이 새로운 위험을 감수하지는 않을까 걱정이 되었다.

동준은 영주에게 비자금 추적할 방법을 만들어주겠다고는 했지만, 막상 자신이 생각하는 그 방법을 실행할 용기가 쉽게 나지는 않았다. 하지만 동준은 자신이 결심하지 않으면 아무것도 해결되지 않을 거라는 사실을 알고 있었다. 동준은 무거운 얼굴로 고문단들이 기다리는 대회의실로 들어갔다. 동준이 문을 열고 안으로 들어서자, 수연과 정일은 물론 모든 고문단들이 일제히 동준을 쳐다보았다. 동준은 그 시선을 한 몸에 받으며 자리로 가서 앉았다.

"특수활동비 집행을 안 하고 있다고 들었네. 우리 면을 봐서 일을 도와준 사람들이야. 앞으로도 부탁할 일이 많은 분들일세."

고문들이 일제히 동준을 타박하기 시작했다.

"이진성 감사관은 청룡전자 해외 매각에 도움을 준 분이죠. 오영준 차관은 호주 펀드 국내 투자에 앞장선 사람이고요. 그분들이 대가를 못 받았다고 관가에 소문이 나면 큰일이네. 앞으로 누가 우리 일을 도와줄까?"

수연이 비아냥거렸다.

"대표님은 새로운 태백을 만들 생각입니다. 구태를 탈피할 새로운 방안이 있는지 들어보는 게 좋겠습니다."

정일은 표정을 감춘 채 동준 편을 드는 척했다.

"새로운 태백? 새롭게 보이는 게 중요하지. 나라가 그대로인데 어떻게 우리만 새로워지나."

고문 중 한 사람이 동준을 비웃었다.

"이동준 대표한테 인테리어를 맡겼더니 재건축을 하려나보네."

수연은 삐딱한 얼굴로 앉아 계속 비난을 쏟아냈다.

"심각하게 고민 중이야. 자네한테는 대표 자리가 어울리지 않는 것 같군."

그 말에 정일은 동준을 비웃는 얼굴로 쳐다보았다. 동준은 정일에게서 눈을 떼지 않은 채 사람들의 얘기를 들었다. 잠시 묵묵히 얘기를 듣던 동준은 정일에게서 눈을 떼고 사람들을 한 바퀴 쭉 둘러보았다.

"오늘 안에 특수활동비 집행하겠습니다."

그 말에 정일과 수연은 자신의 귀를 의심하며 동준을 쳐다봤다.

"이진성 감사관, 오영준 차관 오늘 만나겠습니다. 고문단 여러분께 부탁이 있습니다. 특수활동비를 두 배로 상향해주십시오. 태백의 일을 돕는 분은 앞으로 두 배의 대가를 받게 될 겁니다. 태백의 전권을 가진 대표로서 고문단 여러분께 심려를 끼친 점, 죄송합니다."

동준은 자리에서 일어나 정중하게 고개 숙여 사과했다. 고문단은 만족한 듯 고개를 끄덕였다. 정일과 수연은 뒤통수를 얻어맞은 듯 멍한 표정으로 동준을 바라보았다. 동준의 의도를 파악하려 했지만 잘 읽히지가 않았다.

동준은 자신을 바라보는 수연과 정일의 시선을 무시한 채 천천히 대회의실을 빠져나갔다. 그의 얼굴에 결전을 앞둔 장수의 비장함이 서려 있었다. 동준은 수연과 정일이 어떤 카드를 꺼낼지 고민할 시간을 주지 않으려고 빠르게 움직였다. 이미 모든 걸 각오한 동준의 발걸음은 거침이 없었다. 동준은 태백에서 나와 바로 감사관과 만날 장소인 일식집으로 향했다.

"덕분에 청룡전자를 성공적으로 매각했습니다. 청룡전자 대리점은 사모님 명의로 마련하겠습니다."

동준은 돈이 든 가방을 테이블 위에 올려놓으며 정중하게 감사를 표했다. 감사관은 돈 가방을 흐뭇한 얼굴로 바라보았다. 동준은 일식집에서 나와 다음 장소로 향했다. 동준은 그곳에서 차관과 식사를 하고 주차장으로 나왔다.

"호주 펀드 투자에 협조해주셔서 고맙습니다. 따님 유학 자금은 따로 보내겠습니다."

차관은 동준이 건네는 가방을 주변 눈치를 살피며 슬쩍 받았다. 그 모습을 멀리서 노기용이 카메라로 찍고 있었다.

"이동준 씨는 뇌물 공여까지 자청했어. 빠져 나올 수 없는 덫에 걸린 건 오빠 같은데."

"수연아."

수연은 생각에 잠긴 얼굴로 자신의 집무실을 서성이다 소파에 앉아 있는 정일에게 툭던지듯 말했다.

"청부 재판에 뇌물 공여까지. 진실이 밝혀지면 중형을 선고받을 텐데, 이동준 씨를 움직이는 건 뭘까? 오빠 영상을 주면 대답해주려나?"

정일이 자리에서 일어나며 다급하게 외쳤다.

"수연아!"

정일의 목소리가 날카로웠다.

"생각난다. 나를 김성식 기자 살인범으로 만들려고 했던 오빠, 다른 길이 없었겠지. 지금 나도 그래."

수연은 정일이 자신을 배신하던 그날의 호텔방을 떠올리며 씁쓸하게 말했다.

*

동준과 영주는 신창호의 유골을 뿌린 강을 보며 함께 서 있었다.

"사람이 죽으면 49일 동안은 다음 생을 선택받는 시간이래요. 착하게 살면 다음 생에 복을 받고 좋은 집에 태어난다던데. 홋, 부처님이 복을 준다고 우리 아빠를 강유택이나 최일환 같은 사람 집에 태어나게 하면 어떡하지?"

영주는 사무치는 그리움을 숨긴 씁쓸한 얼굴로 동준을 바라보았다.

"고마워요. 기용이 시켜서 집까지 엄마 바래다줘서. 덕분에 우리 엄마 좋은 차 타고 편하게 가겠네."

동준은 말없이 강물을 바라보다 손에 들고 있던 서류 봉투를 천천히 건넸다.

"비자금 계좌를 추적할 단서입니다. 이걸로 시작해요."

영주는 서류 봉투 안의 사진을 몇 장 꺼내보다 소스라치게 놀랐다. 그 사진은 노기용이 찍은 동준과 차관, 동준과 감사관의 모습이었다.

"로비를 도와준 사람들한테 뒷돈으로 나가는 특수활동비가 있어요. 이 사람들 소환해서 뇌물 수수로 내사를 시작해요."

영주는 스스로 미끼가 되려 하는 동준을 보며 차마 그럴 순 없다는 듯 고개를 가로저었다.

"……동준 씨."

"뇌물 수수를 인정하면 나를 소환해요. 자금 출처 조사에 협조하겠습니다. 범죄와 연관된 계좌니까 이번에는 영장이 나올 거예요."

"뇌물 공여는 중죄예요. 동준 씨 많이 다칠 거예요."

"다행이라고 했잖아요. 아직도 신창호 씨를 위해 버릴 게 남아서."

동준은 따뜻한 미소를 띠며 영주를 바라봤다. 동준은 진심이었다. 한 인간의 인생을, 그 삶을, 그 생명을 파괴해버림으로써 그 가족이 받았을 고통을 생각하면…….

"다른 길을 찾아볼게요, 동준 씨."

영주는 가해자가 치러야 할 고통을 너무나 혹독하게 치르고 있는 동준이 안타까웠다.

"김성식 기자 살인 사건의 진실이 밝혀지면 은폐 과정도 조사할 거예요. 내가 한 청부 재판도 드러날 겁니다."

영주는 몹시 놀란 표정이었다. 동준이 거기까지 생각하고 있는 줄은 짐작도 못했다.

"내가 지은 죄에 대해 벌 받는 거. 각오한 일이에요. 뇌물 공여는 지게에 짐 하나 더 올린 것뿐이고요."

영주는 가슴이 너무 아려와 어떤 말도 할 수 없었다.

"나중에 선처해줘요, 영주 씨. 정상참작도 해주고. 그래도…… 감옥에 꽤 오래 있겠네."

동준은 옅은 미소를 지으며 영주를 바라보다, 슬픈 듯 후우 하고 심호흡하며 강물로 시선을 돌렸다. 영주는 동준의 옆모습을 먹먹한 얼굴로 하염없이 바라보았다.

영주는 동준이 건넨 사진들을 보며 골똘히 생각에 잠겨 있었다.

'양심은 버려도 살 수 있고, 신념은 바꿔도 내일이 있지만, 어떡합니까? 인생은 한 번인데.'

영주는 동준이 했던 말이 떠오르자 도저히 수사할 엄두가 나지 않았다. 영주는 일단 사진들을 서류 봉투에 넣고 서랍 속에 던졌다. 그때 휴대폰이 울렸다. 발신자가 경찰서장인 것을 보고 영주는 의아한 표정으로 전화를 받았다.

"네, 서장님. 신영주입니다."

영주는 잠시 서장의 말을 듣더니 놀란 듯 멈칫했다.

"서장님!"

영주가 소리쳤지만 휴대폰에서는 통화 종료음만 들려왔다.

"신영주는 다른 부서로 전출될 거야."

정일은 소파에 뻐딱한 자세로 앉아 자신을 쳐다보는 수연에게 진지하게 말했다. 정일은 어디 해보라는 듯 가벼운 얼굴로 자신을 쳐다보는 수연을 설득하려고 애를 썼다.

"수사권이 없는 곳으로 가게 될 거다. 계좌 추적은 멈출 거고. 경찰서장하고 얘기 끝냈다, 수연아."

수연은 두고 보겠다는 듯 가볍게 고개를 끄덕이며 거만한 표정으로 정일을 바라보았다.

영주가 충격과 허탈함에 헛웃음을 짓는데 배계장이 다가왔다.

"야, 신영주 너 경찰 홍보실에 간다며? 보도자료 쓰고 막 그러겠다. 아버지도 기자인데 딸도 가업을 이어야지. 부럽다. 수사도 안 하고, 글이나 쓰면서 몇 년 보내고."

배계장이 꼴좋다는 듯 깐죽대며 자기 자리에 앉았다.

"계장님, 전출 가십니까? 그럼 우리가 수사하던 계좌는 어떻게…… 여기서 덮는 겁니까?"

형사 한 명이 걱정스러운 얼굴로 영주에게 물었다.

"아니."

영주는 단호한 얼굴로 서랍에서 봉투를 꺼내 들고 경찰서장실로 바로 향했다. 영주는 서장의 책상 위에 동준이 건넨 사진을 늘어놓았다.

"고위 관료가 뇌물을 공여받는 현장 사진입니다. 구체적인 금액과 일시, 공여의 대가도 확인됐습니다. 전출 명령은 받아들일 수 없습니다. 이 사진이 공개되면 서장님이 전출을 명령한 의도를 의심받게 될 겁니다. 그런 일 없게 해주세요, 서장님."

그 사진을 보자 서장은 난감했다. 일리 있는 말이었다.

"수사 시작하겠습니다."

영주는 결연한 의지가 서린 얼굴로 서장을 바라봤다. 서장은 곤혹스러운 표정을 지으며 어쩔 수 없이 고개를 끄덕였다.

영주는 바로 형사들을 데리고 감사관을 체포하러 기획재정부로 출동했다. 영주는 감사관 사무실에 들어가기 직전에 동준에게 전화를 걸었다.

"이진성 감사관 체포하러 가는 중이에요. 동준 씨도 며칠 안에 소환될 거예요."

―그날 식사한 영수증도 챙기고, 녹취록도 준비해둘게요. 더 준비

해 갈 게 있음 미리 알려줘요.

"동준 씨……."

―나 보고 싶으면 수사 서둘러요. 그래야 취조실에 빨리 부르죠.

자신의 마음을 가볍게 해주려는 동준의 배려에 영주는 잠시 마음이 덜컹거렸다. 하지만 영주는 마음을 추스르며 전화를 끊고 다급하게 형사들의 뒤를 따라 사무실로 들어갔다.

"감사관님, 뇌물 수수 혐의로 긴급체포합니다. 당신은 변호사를 선임할 권리가 있고…… 젠장, 이런 놈들한테 권리가 뭐 이렇게 많냐?"

영주는 당황해 어쩔 줄 모르는 감사관의 손에 수갑을 채우며 투덜거렸다.

"아, 재판을 빨리 시작해야 수박 제철이 지나기 전에 집행유예로 나갈 텐데."

송태곤은 미결수복 차림으로 감사관 옆에 앉아 맞은편에 있는 영주를 보며 투덜거렸다.

"청룡전자 해외 매각에 국책은행이 보증을 섰어요. 그 과정에 개입했고, 대리점까지 얻었다는……."

"누명입니다. 전요, 한평생 국가에 봉사하는 마음으로 공직을……."

영주의 질문에 극구 부인하는 감사관을 보며 송태곤은 크게 웃었다.

"크크크…… 어이, 감사관. 당신 아들내미 군대 어떻게 뺐는지 내가 떠들어볼까? 내 재판에 증인으로 꼭 나올 거지?"

송태곤은 영주를 보며 다짐을 받으려 했다. 영주가 고개를 끄덕이자 송태곤은 수박 한 조각을 감사관에게 건넸다.

"내가 얼마나 수사에 협조했는지 싹 다 말하려면 법정에 이틀은 나와야 할 텐데. 형사님 묻는 말에 대답 안 하면 내가 안 묻는 것까지 말하고 싶어지잖아. 드시면서 말해. 어!"

송태곤은 마치 강아지 다루듯 감사관을 부드럽게 대했다. 감사관은 괴로운 듯 얼굴을 찡그렸다.

그날 밤 수연과 정일은 뉴스를 보며 입을 다물지 못했다. 화면에는 동준이 감사관에게 뇌물을 전달하는 사진이 모자이크 처리된 채 고스란히 나오고 있었다.

―기획재정부 감사관 이모씨가 청룡전자 해외 매각에 개입, 거액을 수수한 혐의로 경찰 조사를 받고 있습니다. 경찰은 제보를 바탕으로 내사를 진행 중이라며, 곧 뇌물을 공여한 법률회사 대표도 소환할 방침이라고 밝혔습니다.

"오빠 보국산업을 던졌는데, 이동준 씨는 인생을 던졌네."

수연은 리모컨으로 텔레비전을 끄고 피식 웃으며 어딘가로 전화를 걸었다.

"이동준 씨, 그쪽이 이겼어요. 내일 대표실에서 보죠. 당신이 원하는 물건, 가져갈게요."

이동준이라는 이름이 들리자 정일의 얼굴이 굳어졌다. 수연은 정일을 한번 힐끗 보더니 정일의 집무실에서 나갔다. 정일은 분노와 격정이 뒤섞인 얼굴로 자리에서 벌떡 일어났다. 이제 모든 게 끝난 것 같았다. 그는 어찌할 바를 모르겠는 듯 서성이다가 결심한 듯 누군가에게 전화를 걸었다.

"오늘 밤 비행기 티켓 끊어. 뉴욕이든 LA든 제일 빨리 떠나는 걸로. 어서."

정일은 전화를 끊고 후우 한숨을 내쉬었다. 그는 잠시 마음을 진정시키고 다시 휴대폰을 손에 들었다.

"전무님, 아버님 유산 정리 끝났습니까? 지금 만나야겠습니다."

정일은 전화를 끊고 다급히 밖으로 달려나갔다. 수연이 그 영상을 넘기기 전에 오늘 밤 안으로 숨을 곳을 찾아야 했다.

정일은 그길로 바로 보국산업 전무를 만나러 일식집으로 향했다. 정일은 밀실에 마주 앉은 보국산업 전무에게 서류 봉투를 내밀었다.

"오늘 밤에 해외로 나갈 겁니다. 부동산은 나라에서 못 건드리게 재단에 넣어두세요. 골프장은 보국산업 임원분들 퇴직금이다 생각하고 알아서 나누시고."

전무는 퇴직금이란 말에 입가에 미소가 번졌다.

"그런데 계좌가 하나 있습니다. 30년 전부터 회장님이 직접 관리한 것 같은데. 출금 내역이 없고, 정기적으로 입금만 되고 있습니다."

전무는 뭔가 의아한 듯 서류 한 장을 내밀었다. 정일은 별 생각 없이 계좌 내역이 적힌 서류를 훑어보았다.

"근데 입금한 계좌도 한 군데입니다. 어디선가 정기적으로 수익의 일부를 받은 것 같습니다."

그 말에 정일의 눈이 갑자기 반짝였다. 뭔가 의심스러운 계좌였다.

"방코 델타 아시아 은행. 여기에 정기적으로 입금한 계좌, 알아낼 수 있습니까?"

"은행 쪽에 입금 확인서를 요청하면 될 겁니다."

정일은 뭔가 빛줄기를 발견한 듯 그 서류를 뚫어지게 들여다보았다.

띠리리 소리와 함께 팩스가 한 장 들어왔다. 그 앞에 선 정일은 팩스를 집어서 내용을 확인했다. 입금 확인서였다. 매달 한 번씩 정기적으로 입금된 내역이 쭉 찍혀 있었다. 입금한 계좌번호를 보고 정일의 입가에 미소가 번지더니, 뭔가 대단한 것이라도 발견한 듯 미소가 점점 낮은 웃음으로 변해갔다. 정일은 숨은 카드를 발견한 것처럼 의미심장한 미소를 띠며 최일환을 만나러 구치소로 향했다. 이제 정일은 최일환이 가장 무서워하는 무기를 갖게 된 것이었다.

14

수연은 대표 집무실로 향했다. 이제 남은 협상 상대는 동준뿐이라고 생각했다. 대표 집무실 문을 열자 동준이 소파에 앉아 수연을 기다리고 있었다. 수연은 동준 옆에 앉아 있는 조경호를 한 번 쳐다본 뒤 소파에 앉았다.

"이혼한 사이에 우리처럼 자주 보는 사람들이 있을까? 이제 그만 봐요. 정일 오빠가 김성식 기자를 살해했고, 신창호 씨한테 거짓 진술을 시켰다고 말한 동영상, 나한테 있어요."

조경호는 올 게 왔다는 듯 인상을 찌푸리며 외면한 채 딴 데를 보았다. 반면에 동준은 마침내 꼬리를 잡았다는 생각에 만족스러운 웃음을 지었다.

"그 영상이면 다 해결되겠다. 오빠는 구속되고, 난 태백을 지키고."

수연은 어떻게 협상을 할까 머리를 굴리며 동준을 바라봤다.

구치소 면회실에서는 최일환이 놀란 얼굴로 앞에 놓인 입금 확인서를 보고 있었다. 정일은 맞은편에 앉아 최일환의 반응을 흡족하게 지켜보고 있었다.

　"30년 전 태백을 시작한 뒤 수익의 일부를 정기적으로 보낸 계좌입니다. 거기 적힌 계좌. 대표님이 직접 관리하던 태백의 비자금 계좌겠죠. 공개되면 태백은 사라질 겁니다. 대표님 인생에 남는 건 살인자라는 전과 기록뿐일 겁니다."

　최일환이 가장 무서워하는 무기는 태백이 사라지는 것이었다. 정일이 그 무기를 들이밀자, 최일환은 분노가 폭발하며 입금 확인서를 구기려 했다.

　"워워."

　정일은 입금 확인서를 재빠르게 낚아챘다.

　"아버지가 남겨준 마지막 선물입니다."

　정일은 입금 확인서를 챙기고 조용히 휴대폰을 최일환에게 내밀었다. 최일환은 굳은 얼굴로 정일을 노려보다 천천히 휴대폰을 받았다.

　수연은 동준에게 협상 카드를 내밀고 있었다.

　"신영주 씨는 수사를 중단하고, 이동준 씨는 여길 떠나겠다는 약속만 해주면, 그 영상을 메일로 전송하죠. 어떡할래요? 이혼한 아내가 보내는 메일, 받아보고 싶을 텐데."

　동준은 끝까지 수사를 진행할 생각이었지만, 지금은 영상을 확보하는 게 중요했다. 동준은 여유 있게 다리 꼬고 앉으며 흔쾌히 대답했다.

　"그렇게 하지."

　그때 수연의 휴대폰이 울렸다. 수연은 발신자 '강정일'을 확인하고 살짝 인상을 찌푸리며 전화를 받았다.

"오빠, 작별 인사는 이미 한 걸로……."

―수연아, 정일이 살려줘라.

휴대폰에서 최일환의 무겁고 침통한 목소리가 들리자 수연은 멈칫했다. 수연을 보던 동준도 이상한 느낌에 미간을 살짝 찌푸렸다.

*

영주는 의아한 얼굴로 일식집 안으로 들어갔다. 정일이 마련한 자리라고 했다. 그런데 수사가 진행되고 있는 이 시점에 왜 모두를 취조실이 아닌 일식집으로 불러낸 건지 뭔가 개운치 않은 기분이었다. 영주는 잠시 생각에 잠겨 있다가 일식집의 구석진 방문을 열었다. 이미 그곳에는 동준과 수연, 정일이 모두 와 있었다. 영주는 동준 옆으로 가서 앉았다.

"식사는 이동준 씨하고 같은 걸로 미리 시켰습니다. 두 분 각별하신 거 같아서요."

정일은 세 사람을 둘러보며 천천히 입을 열었다.

"우리 네 사람 서로 칼을 겨누고 있습니다. 수연이는……."

정일이 옆에 앉은 수연의 손을 잡았다. 수연은 그 손은 가볍게 뿌리치려 했지만 정일은 거세게 손을 움켜쥐고 놓아주지 않았다.

"내 영상을 가지고 있습니다. 나는 비자금 계좌를 가지고 있고, 이동준 씨, 신영주 씨는 수사를 하고 있습니다. 서로가 겨눈 칼, 같이 내립시다. 하나, 둘, 셋."

정일은 가볍게 농담처럼 말하며 움켜쥐었던 수연의 손을 놓았다.

"영주 씨, 수사는 계속 진행합시다. 차관도 긴급체포하세요. 나를 먼

264

저 소환하든지."

동준은 정일을 똑바로 보며 영주에게 말했다. 그 말에 정일은 담담하게 수연을 쳐다보았다.

"그럼 수연아……."

수연은 싫지만 어쩔 수 없다는 듯 동준을 보았다.

"영상은 줄 수가 없어요. 아빠가 오빠를 살리라고 그러네."

"고문단은 구속될지도 모르죠. 하지만 이동준 씨도 뇌물 공여 혐의로 구속될 겁니다. 쯧……. 원하면 내가 변호를 해줄 수도 있습니다."

영주는 정일의 비아냥에 탁자 아래서 주먹을 불끈 쥐었다. 정일을 보자 잊고 있었던 기억이 되살아났다.

'신창호 씨가 자백을 해줬으면 하는데. 자신이 돈 때문에 김성식 기자를 살해했다고.'

정일은 취조실에 잡혀온 영주에게 뻔뻔하게도 아버지의 거짓 자백을 요구했었다. 결국 아버지는 딸을 살리기 위해 온 국민이 보는 앞에서 자신의 죄를 거짓 자백했다.

'3000만 원을 빌렸습니다. 그런데 갚을 길이 없어서 제가 성식이를 죽였습니다.'

숨을 몰아쉬며 거짓 자백을 하던 아버지의 모습이 떠오르자 영주는 피가 거꾸로 솟는 것 같았다.

"신영주 씨, 수사 중단합시다."

영주는 자신을 보는 정일의 비열한 미소에 속이 뒤집힐 것 같았다.

"영주 씨, 수사는 계속……."

"아뇨. 내가 결정해요. 수사를 계속 진행하면……."

정일이 동준의 말을 단호하게 잘랐다.

"이동준 씨는 구속될 겁니다. 난 가끔 면회를 가드리죠. 긴 감옥 생활에 말벗이 필요할 텐데."

"최수연 씨."

어쩔 생각이냐고 물어보듯 영주는 수연을 보았다. 정일은 영주더러 보란 듯이 물을 마시고는 그 잔을 수연 앞에 내밀었다. 수연은 입술을 깨물며 주전자를 들어 그 잔에 물을 따랐다. 정일은 역학 관계가 바뀌었음을 영주와 동준에게 확실히 보여주었다. 영주는 어쩔 수 없다는 듯 눈을 질끈 감았다.

영주와 동준은 일식집에서 허탈하게 걸어 나와 영주의 차가 있는 곳으로 갔다.

"날 먼저 소환해요. 태백이 무너지면 강정일을 잡을 방법이……."

영주는 숨결이 느껴질 거리만큼 동준에게 다가서며 고개를 가로저었다.

"강정일보다 당신 손에 먼저 수갑을 채울 수는 없어요. 강정일, 잡을 거예요. 그 영상 내가 손에 쥘 거예요. 그때까지 동준 씨, 태백의 대표 자리에서 버텨요."

"더 많은 뇌물을 주고 더 많은 죄를 짓더라도 버티고 있겠습니다. 강정일을 심판대에 세우기 전에는 안 내려올 겁니다."

동준과 영주는 서로를 보며 자연스럽게 손을 꼭 잡았다.

일식집 회동을 마치고 정일은 의기양양하게 자신의 집무실로 들어섰다. 조경호가 안절부절못하고 서성이다 반갑게 맞았다.

"얘기 들었다. 비자금 계좌 확보했다며. 짜식, 너 그냥 안 쓰러질 줄 알았어."

정일은 아무 말 없이 소파에 앉았다. 조경호는 그 어색함에 기가 죽어 밖으로 나가려 했다.

"경호야."

정일은 조경호에게 앉으라고 손짓했다.

"이동준을 대표 자리에서 사임시킬 거야. 태백에서도 나가야겠지. 네 도움이 필요하다."

"정일아……."

조경호가 반색하며 자리에 앉았다.

"질지도 모르는 싸움. 같이 해달란 말은 못하겠더라. 내가 경호 너였어도 나를 버렸을 테니까. 내가 할 수 없는 일, 친구한테 못 시키지. 난 비자금 계좌가 있다. 수연이도 내 손에 있지. 이동준, 나, 누구한테 베팅할래?"

조경호는 미소를 지으며 장난스런 손짓으로 정일을 가리켰다. 두 사람은 서로를 보며 환하게 미소 지었다.

그날 밤 정일은 최일환의 저택을 찾아갔다. 정일은 2층에서 거실로 내려오는 수연을 멈추게 하고 침실로 밀고 올라갔다. 수연은 매우 불쾌했지만 어쩔 수 없었다. 수연의 침실로 들어온 정일은 대형 유리에 새겨진 수연의 얼굴을 보며 피식 웃었다.

"내가 찍어준 사진을 이동준하고 같이 쓰는 방에 새겨둔 이유는 뭐였을까?"

그 말에 수연은 자존심이 상한 듯 미간을 찌푸렸다.

"내일 아침에 고문단 회의 소집해줬음 하는데."

"고문단 회의는 이틀 전에 예고해야……."

"수연아, 결정은 내가 한다."

수연은 달라진 역학 관계를 다시 한 번 처절하게 느끼며 분노를 삭였다.

"감사관, 차관 만나서 경찰에 어떤 모욕을 당했는지 알아와. 이동준을 대표실에서 내보내야겠다. 그건 너도 바라는 거고, 내가 대표가 돼야겠어. 그것도 우리 둘이 했던 약속이지. 달라진 건 하나뿐이야. 대표가 돼서 내 뜻대로 한다는 거."

정일은 차가운 얼굴로 자신을 보는 수연에게 다가가 가볍게 입을 맞췄다. 눈을 뜬 채 서로를 보며 입을 맞추고 있다가 정일이 먼저 몸을 뒤로 뺐다.

"샤워하고 나오면 젖은 머리에도 설렜는데, 이젠 남은 감정이 없다. 그러니까 수연아."

수연은 이제 거침없이 앞으로 나아가는 정일의 입에서 무슨 말이 나올지 두렵기까지 했다.

"우리 결혼하자. 서로에게 필요한 걸 갖고 있는 남녀. 같은 방을 쓰기에 아주 좋은 관계지. 우리 사이에 아이가 태어나면 너도 아이 아빠를 살인자로 만들진 않을 거고, 나도 아이 엄마의 집안을 무너지게는 하지 않을 거고. 윈윈."

수연은 어이가 없다는 듯 고개를 젖혔다. 하지만 정일은 개의치 않고 수연의 머릿결을 만지며 말을 이어갔다.

"대화는 없을 거야. 가끔 외박은 해도 좋아. 남자가 필요할 테니까. 침대도 따로 쓰면 되겠고."

수연은 머릿결을 만지는 정일의 손을 가볍게 뿌리쳤다.

"오빠, 그건."

"결정은 내가 한다니까. 내일 고문단 회의에서 보자."

정일은 비아냥 섞인 눈으로 수연을 한 번 쳐다보더니 밖으로 나갔다. 수연은 주체할 수 없는 분노로 정일의 뒷모습을 노려봤다.

*

다음 날 소집된 고문단 회의에서는 팽팽한 긴장감이 흘렀다. 동준과 정일은 서로를 날카롭게 마주 보며 앉아 있었고, 수연은 복잡한 심경이 드러나는 얼굴이었다. 고문단 역시 침통한 얼굴로 침묵했다. 회의실 안에 잠시 적막이 흘렀다. 그 긴장된 침묵이 잠시 이어지다 고문들 중 한 명이 어렵게 입을 열었다.

"강정일 팀장은 자네가 감사관과 차관한테 돈을 건넨 사실을 경찰에 제보했다고 주장하고 있어. 대답을 하게."

동준은 뜻밖의 일격에 잠시 생각을 고르는 듯 입을 다물고 있었다.

"팩트는 이렇습니다. 이동준 씨는 특수활동비를 집행했습니다. 그 금액과 장소, 집행 이유를 아는 사람은 이동준 씨뿐. 그런데 경찰이 내사를 시작했습니다. 담당 형사는 신영주. 이동준 변호사의 내연녀이자 비서였습니다. 이쯤 되면 합리적 의심이라고 생각되는데."

정일은 동준이 뭐라 변명하기 전에 선수를 치듯 고문단에게 설명을 시작했다. 정일의 말에 고문단은 동요하며 서로 뭔가를 속삭였다. 그 반응을 살피며 정일은 서류 하나를 탁자에 올렸다.

"내부 고발자를 대표로 모실 수는 없다는 선임 변호사들의 연명서입니다. 지금 태백은 풍랑 앞에 서 있습니다. 배를 좌초시키려는 선장에게 키를 맡길 수는 없습니다. 이 자리에서 대표 해임을 의결해주십시오."

그 말에 동준은 일단 시간이라도 벌어볼 생각으로 자리에서 일어나며 반격을 시도했다.

"이런 팩트는 어떻습니까?"

정일은 동준이 또 무슨 카드를 꺼내려 하는지 궁금한 얼굴로 쳐다보았다.

"특수활동비의 지급 내역, 장소를 알 수 있는 위치에 있는 사람은 더 있습니다. 강정일 팀장입니다. 강정일 팀장은 신영주 씨와 저의 관계도 알고 있습니다. 이익을 보는 자가 범인입니다. 제가 떠나면 대표가 될 분이 가장 큰 이익을 얻을 겁니다. 경찰에 제보할 이유, 강정일 팀장도 충분히 갖고 있는 것 같은데. 이것도 합리적 의심 아닌가?"

동준은 뭐라 반박하려는 정일을 무시하며 말을 이어갔다.

"내부 감사를 제안합니다. 한 달의 기한을 두고 진실을 밝혀주십시오. 감사팀 구성은 고문단의 결정에 전적으로 맡기겠습니다. 강정일 팀장님, 두렵지 않다면 수락하겠습니까?"

정일은 살짝 찡그리며 어쩔 수 없다는 듯 고개를 끄덕였다.

일단 위기를 모면하기는 했지만, 어서 다른 대책을 세워야 했다. 동준은 다급하게 대표실로 향했다. 조경호는 빨리 걷는 동준의 걸음을 맞추며 옆에서 따라갔다.

"팀장들 전원 모이라고 했죠? 앞으로 모든 업무에서 강정일 팀장은 배제할 겁니다. 태백에서 나가는 모든 지원도 지금 이 시간부로 중단합니다."

동준은 대표실 문을 벌컥 열며 안으로 들어가다 멈칫했다. 대표실에는 아무도 없었다. 동준은 선 채로 텅 빈 대표실을 보며 한숨을 내뱉었다. 그 뒤에서 조경호가 비웃는 표정으로 서 있었다.

그 시각, 팀장 회의실에는 정일이 앞에 서서 회의를 진행하고 있었다. 수연과 황보연을 비롯한 변호사들이 앉아 있었다.

"앞으로 태백의 모든 변호 관련 업무는 내가 총괄합니다. 이건 오너 가족의 뜻이고, 내부 감사가 끝날 때까지 이동준 변호사는 대외 업무만 맡으라는…….."

"얼굴마담이라고 생각해요."

수연은 귀찮다는 듯 가볍게 툭 내뱉었다. 정일은 맞다는 듯 고개를 끄덕였다.

"고문단의 의견입니다. 신규 수임 현황 보고하세요."

정일이 자리에 앉자 변호사들이 보고를 시작했다. 수연은 싸늘한 눈빛으로 정일을 빤히 쳐다보았다.

동준이 궁지에 몰리자 영주는 송태곤을 다시 불렀다. 송태곤은 태백과 관련된 모든 일을 속속들이 알고 있어, 입을 열면 새로운 것들이 계속 튀어나왔다.

"고문단료, 특수활동비, 한 달에 수십억씩 지출됐어요. 해외에서 들어온 돈을 현금화시켜서 바로 태백으로 들여오면 흔적이 남았을 텐데, 그 돈을 세탁한 방법이 있을 거예요."

"비서실장 하면서 제일 궁금했던 게 그거야. 한두 푼도 아니고 달에 수십억인데, 나가는 통로는 있는데 들어오는 파이프를 모르겠네."

송태곤은 이해할 수 없다는 얼굴로 말했다.

"환치기 아닐까?"

송태곤이 가로저었다.

"것도 한두 번이지. 매달 하는 건 어렵지."

"저, 최일환의 장인이 목사로 있는 대형 교회에 헌금이 주당 10억이 었는데요. 최근에 5억으로 팍 줄었습니다."

옆에 앉아 있던 형사 하나가 살짝 끼어들었다.

"아, 사위가 살인범이 됐는데, 매출이 줄어드는 거야 당연하지. 슬로우 슬로우. 천천히 생각하자고. 여기서 저녁까지 먹고 가면 안 되나?"

송태곤은 영주를 슬쩍 보며 말했다. 요즘은 취조실에 나오는 게 송태곤의 유일한 낙이었다. 영주는 개의치 않고 앞에 놓인 서류를 보며 깊은 생각에 잠겼다.

노기용은 차에서 내리는 영주를 발견하고 걱정스런 얼굴로 다가갔다. 영주는 노기용의 얼굴이 심상치 않다는 걸 눈치챘다. 노기용은 커피숍 창 안쪽에 있는 동준을 가리키며 한숨을 쉬었다.

"나 같으면 못 버팁니다. 태백 직원들이요, 인사도 안 합니다. 나가라고 고사를 지내는데, 어휴……."

영주는 그 말에 동준을 걱정스레 바라봤다. 창 안에 있던 동준은 그 제야 영주를 발견한 듯 따뜻한 미소를 띠고 손을 흔들었다. 영주는 표정을 숨긴 채 웃으며 커피숍 안으로 들어갔다.

"비자금을 현금화시키는 루트를 알아보고 있는데, 아직 그림자도 못 밟았어요."

영주가 난감하고 미안한 얼굴로 말했다.

"천천히 해요. 피곤해 보여요."

"내가 천천히 하면 동준 씨가 태백에서 버티는 시간이 길어질 텐데. 서두르는데 길이 안 보이네."

"이 커피숍 손님 되게 많네. 야, 이 정도 손님이면 하루 매출이 얼마나 될까요?"

노기용이 커피 세 잔을 내려놓으며 부러운 표정을 지었다. 영주는 그 말에 멈칫하고 잠시 뭔가 생각하더니 다급하게 어딘가로 전화를 걸었다.

"진철아, 그 교회, 신도 수가 줄었는지 알아봐. 어서."

뭔가 꼬리를 밟은 느낌이었다. 영주는 다급히 동준과 함께 경찰서로 들어가 취조실로 송태곤을 다시 불렀다.

"매주 일요일 예배에 참석하는 인원이 3만 명. 최일환 대표 구속 이전하고 차이가 없어요. 그런데 헌금액이 10억에서 5억으로 줄었어요."

영주의 말에 송태곤은 갈비탕을 먹다 킁킁 냄새 맡는 시늉을 했다.

"냄새가 심하게 나네. 외국에서 계좌로 들어온 자금을 현금화시켜서 바로 태백에 꽂으면 걸릴 테니까."

"교회에 헌금으로 넣었을 겁니다. 교회는 세무 조사도 검찰 조사도 안 받는 치외법권 지대니까."

동준의 설명에 영주는 알겠다는 듯 끄덕였다.

"교회에서 헌금으로 위장해서 자금을 세탁하고 매주 현금으로 5억씩 빼돌렸어요."

그때 형사가 사진 몇 장을 들고 다급히 들어와 탁자에 올려놓았다.

"애들 다 돌려서 교회 주차장 CCTV 확인했습니다. 일요일 밤마다 운반한 것 같습니다."

동준과 영주, 송태곤은 사진을 보다 깜짝 놀랐다. 사진에는 교회 지하 주차장에서 여비서의 도움을 받아 커다란 골프백 사이즈의 가방 두 개를 트렁크에 싣는 여자가 찍혀 있었다.

"이 사람 누굽니까?"

"윤정옥."

형사의 물음에 송태곤은 갈비 한 대를 든 채로 멍하게 대답했다.

"최수연의 어머니."

영주가 덧붙여 말했다.

"여기서 신병 확보해. 윤정옥 소재지 확인하고."

"네."

영주의 지시가 떨어지기가 무섭게 형사는 밖으로 뛰쳐나갔다.

"교회에서 회개는 안 하고 돈세탁을 했네. 이 사람들, 나보다 한 수위다."

송태곤은 고개를 절레절레 저었다. 동준과 영주는 같은 생각을 하며 서로를 바라보았다. 그림자를 밟은 듯했다. 영주는 동준을 보며 낮게 끄덕이고 밖으로 달려나갔다.

수연은 아침부터 어쩐지 마음이 개운치 않아 회의도 취소하고 윤정옥이 있는 병원으로 들어가다 경악했다. 수연은 차를 몰고 병원 주차장에 들어서다 급히 세우고 다급하게 차에서 내렸다. 저만치서 영주와 형사들이 윤정옥을 호송차에 태우고 있었다. 윤정옥은 환자복 위에 가벼운 카디건을 걸친 채 두려운 얼굴로 차에 오르고 있었다.

"엄마!"

윤정옥은 다급하게 달려오는 수연을 보고 금방이라도 울 것 같은 표정을 지으며 딸의 이름을 불렀다.

"수연아……."

"자금 세탁 혐의로 긴급체포 중이에요."

영주는 차에 탄 윤정옥에게 다가가려는 수연을 팔을 뻗어 제지했다.

"보호자는 동승 못해요. 경찰서로 와요. 면회는 허락해줄게요."

수연이 어떻게 손써볼 겨를도 없이 호송차의 문이 닫히고 곧바로 떠나버렸다. 수연은 차창에 얼굴을 대고 자신을 하염없이 바라보는 윤정옥을 안타깝게 바라봤다. 수연은 떠나는 차를 그저 황망한 눈으로 바라볼 수밖에 없었다.

그 시각 정일은 책상 앞 의자에 앉아 조경호에게 보고를 받고 있었다. 조경호는 정일에게 서류철을 내밀었다.

"지난주 이동준 변호사 일정이다. 특수활동비 지급을 전후해서 특이 사항이 없어. 별다르게 만난 사람도 없고."

"내부 감사는 한 달이야. 너무 길어. 이동준, 며칠 안에 내보낼 거다."

"근데 정일아, 이동준은 왜 대표실에서 버티고 있냐? 자리 욕심도 아니고."

조경호는 도저히 모르겠다는 듯 고개를 갸웃했다. 정일은 서류를 보며 혼잣말처럼 뇌까렸다.

"자살 특공대! 이동준은 나를 잡은 뒤에 태백의 비리를 세상에 알릴 생각이야."

조경호는 그 말에 설마 하는 표정을 지었다.

"하나의 목표와 세 남자! 최일환 대표는 태백을 지키고 싶어해. 나는 태백을 가지려 하고, 이동준은 태백을 폭파시킬 계획이야. 뇌관을 제거해야지. 이동준한테 조력자들이 있을 거야. 외부 인력, 내부 인력 모두 파악해라. 한번에 친다."

정일의 눈이 먹잇감을 앞둔 맹수의 눈처럼 날카롭게 빛났다.

수연은 취조실에 앉아 있는 윤정옥을 애잔하게 바라봤다.

"묵비권을 행사하세요. 경찰이 가진 건 CCTV 사진과 추정뿐입니다. 사모님을 모시던 비서는 저희가 확보했어요. 경찰의 손이 안 닿는 곳으로 옮겨졌습니다."

황보연이 예의 바르게 조언하는 사이 윤정옥의 호흡이 가빠지기 시작했다.

"사모님!"

황보연이 놀라 윤정옥을 부축하는 사이 수연은 가방에서 약을 꺼내 윤정옥에게 내밀었다. 윤정옥은 앞에 놓인 물과 함께 약을 먹었다.

"엄마, 눈 감아."

수연은 그렁한 눈으로 전에도 많이 해본 것처럼 차분하게 윤정옥을 보며 말했다. 윤정옥은 딸의 말을 고분고분 들으며 눈을 감았다.

"여긴 엄마 침실이야. 이쪽엔 침대가 있고, 저긴 기도실. 엄마가 좋아하는 그림도 벽에 걸려 있어. 엄마는 지금 화장대 의자에 앉아 있고, 내가 그 옆에 서 있네. 엄마, 눈 떠."

윤정옥은 아까보다는 다소 진정된 얼굴로 눈을 떴다.

"엄마는 폐소공포증이 있어. 취조실에서 오래 못 버티셔."

수연은 황보연에게 일을 서두르라는 의미로 말했다. 수연은 윤정옥을 안쓰러운 눈으로 바라보았다.

수연은 몹시 화가 난 표정으로 황보연을 대동하고 형사과를 찾아갔다. 수연은 책상 앞에 앉아 서류를 뒤적이고 있는 영주를 발견하고 그 옆에 가서 빈 의자에 앉았다.

"악연이라는 거, 살다 보니 있네. 내 남편의 내연녀. 아빠를 구속시키고, 엄마까지······."

수연의 목소리에 가시가 돋쳐 있었다.

"우리 가족을 건드린 건 그쪽이 먼저죠. 우리 아빠를 구속시키고 누명을 씌우고."

"엄마는 폐소공포증이 있어요."

"그쪽이 걱정할 일이죠."

그 말에 수연은 미간이 꿈틀거렸다.

"취조실에서 며칠 버티면 감옥 생활도 적응할 거예요. 지금 세탁도 해내신 분인데, 뭔들 못하실까?"

"범죄 혐의를 입증하기 어려울 거예요."

"그건 내가 할 일이고요."

"외할아버지 교회가 관련된 일이에요. 여기 서장님도 우리 교회 신자예요."

"서장님이 전하라네. 최수연 씨의 어머니를 위해서 할 수 있는 건 기도뿐이라고."

수연은 왠지 밀리는 듯했지만 티 내지 않고 영주를 똑바로 쳐다봤다.

"최수연 씨도 기도하세요. 답을 주시겠죠. 강정일의 범행이 녹취된 동영상을 주고 어머니를 구하라고."

영주는 손바닥을 펴서 물건을 받듯 수연에게 한 손을 내밀었다. 수연은 어이없다는 듯 차갑게 영주를 쳐다보았다.

집무실로 향하는 수연의 얼굴이 자못 심각했다. 옆에서 황보연이 수연의 눈치를 살피며 따라 걸었다.

"신영주 씨한테 동영상을 주면 강정일 팀장은 비자금 계좌를 오픈할 겁니다."

"태백은 무너지겠네."

"동영상을 안 주면 태백은 안전할 수 있습니다."

"그럼 엄마가 무너질거고."

수연은 난감한 얼굴로 정일의 집무실을 힐끗 쳐다봤다. 그 안에서 정일과 조경호가 심상찮은 표정으로 얘기를 나누고 있었다.

정일과 조경호는 하루 빨리 이동준을 제거할 방법을 찾고 있었다.

"이동준 변호사 통화 내역하고 법인카드 영수증까지 다 확인했다. 정일아, 주먹 쓰는 놈들 아웃소싱한 흔적이 없어. 흥신소 쪽도 아닌 것 같다."

"그럼 내부에 있는 단 한 사람. 운전기사 노기용."

조경호는 자기 생각도 그렇다는 듯 끄덕였다.

"경호야, 보안팀에 연락해. 차량, 사무실, 다 수색한다."

조경호가 알겠다는 듯 서둘러 밖으로 나갔다. 조경호는 바로 보안과 직원들을 데리고 지하 주차장으로 내려갔다. 저만치서 노기용이 먼지 떨이로 차를 털어내고 있었다. 노기용은 다가오는 네댓명의 보안과 직원들에게 손 흔들며 밥은 먹었냐고 질문을 하는데, 갑자기 보안과 직원들이 노기용을 제압하고 차량을 수색했다. 보안과 직원들은 차 실내와 트렁크를 샅샅이 수색했다. 그들 중 한 명이 글로브 박스에서 카메라를 꺼냈다. 그 카메라는 정일의 손에 바로 들어갔다. 정일은 카메라를 노트북에 연결하고 사진들을 클릭했다. 노트북 화면에 동준이 차관, 감사관을 만날 때 찍은 사진들이 나타났다. 정일은 대어를 낚은 얼굴로 사진들을 흐뭇하게 바라봤다.

*

"가난한 변호사랑 결혼 못 시킨다고 외할아버지가 반대했다고 들었

278

어요. 그래서 기도실에 가두고 며칠 못 나가게 했다고. 그때 폐소공포
증이 생겼다고. 엄마가 그랬어요. 아빠를 얻으면서 폐소공포증도 얻었
다고. 취조실에도, 감옥에서도 엄마 혼자 있어야 해. 못 견딜 거야."

유치장 면회실에 수연과 마주 앉은 최일환은 수연이 뭘 생각하는지
짐작이 갔지만 모른 척할 생각이었다.

"내 생각은 이래. 신영주 씨한테 영상을 주면 엄마 조사는 중단될 거
야. 나 아빠 면회 오는 마음도 힘들어. 엄마까지 면회하게 만들진 말아
줘요, 아빠."

"네 엄마는 견딜 거다."

최일환의 목소리가 무거웠다,

"……아빠."

"태백이 무너지면 아비 인생에 남은 건 아무것도 없어. 지켜라. 네
아이가 물려받게 만들어."

수연은 실소를 흘리다, 최일환이 물러설 만한 카드를 꺼내야겠다고
생각했다.

"정일 오빠가 결혼하자는데."

최일환은 잠시 무거운 얼굴로 수연을 보았다.

"해라."

"아빠!"

수연은 최일환의 대답에 자신의 귀를 의심했다.

"정일이가 왔었다. 피해자 아들하고 가해자의 딸이 결혼하면 태백
을 안정시키는 데 도움이 될 거라더구나. 탄원서도 써주겠다고 했어."

수연은 도저히 믿을 수 없다는 얼굴로 최일환을 바라봤다.

"그럼 아비는 생각보다 빨리 나갈 수 있을 거다. 내가 나가면 정일이

279

는 그때 해결하마. 수연아, 지금은 아비 말을 들어라."

"왜 말을 안 해?"

최일환은 무슨 의미인지 모르겠다는 눈으로 수연을 바라보았다.

"엄마에 대해선…… 왜 아무 말도 안 해? 아빠."

수연은 눈물이 그렁그렁한 눈으로, 어이없는 얼굴로 최일환을 바라보았다. 영혼이 망가져버린 인간은 아무 생각도 할 수 없는 것일까? 수연은 최일환이 안타까웠다. 하지만 최일환에게 태백은 자신이며 부모며 아내며 자식, 그 모든 것이었다. 최일환은 태백을 구할 수 있다면 악마와도, 어떤 적과도 흔쾌히 손잡을 수 있었다.

정일은 차관과 감사관이 찍힌 사진을 들고 동준이 있는 대표실로 향했다. 정일은 사진들을 동준 앞에 내려놓았다. 동준은 굳은 얼굴로 자신 앞에 놓인 사진들을 보았다.

"내부 감사는 중단됐습니다. 고문단에 이 사진을 제출했거든요. 내부 기밀을 유출하고 태백에 위해를 가하려는 사람을 대표실에 둘 수는 없다는 게 고문단의 중론입니다."

동준은 굳은 얼굴로 정일의 말을 묵묵히 들었다.

"내일 오전에 고문단 회의가 열릴 겁니다. 그 자리에서 사임을 발표해요. 일신상의 문제로 대표직을 수행할 수 없다고. 경호야, 준비됐지?"

"사임 발표문입니다. 제가 잘 써뒀습니다."

조경호는 서류 한 장을 동준 앞에 내려놓았다. 동준은 하루라도 더 버텨야 한다는 마음으로 일단 시간을 벌어볼 생각이었다.

"내일은 곤란한데. 신임 국무총리하고 면담 약속이……."

"내가 하죠. 경호야, 들어오라고 해."

조경호가 일어나 문을 열자 대기하고 있던 보안과 직원들이 들어왔다. 보안과 직원들은 조경호의 손짓에 따라 비품과 서류 뭉치 등 동준의 개인 물품을 옮기기 시작했다.

"내일 사임을 발표하면 인수인계 절차 없이 바로 업무를 시작해야 하니까, 이동준 씨 짐은 요양원으로 옮겨두겠습니다. 참, 퇴직금은 충분히 챙겨드리겠습니다."

동준은 자신을 비웃는 듯한 정일의 시선을 그대로 받아내며 담담한 표정을 지었다.

영주는 저만치 어둠 속에서 고개 숙인 채 힘없이 벤치에 앉아 있는 동준을 잠시 바라보다 다가가 옆에 앉았다.

"미안해요. 더 이상 버틸 수가 없었어요. 태백에서 내일 나와야 할 것 같아요."

"미안해요. 내가 수사를 서둘렀어야 했는데. 윤정옥 씨가 자금 운반은 인정했어요. 그런데 비자금이 아니라 교회 헌금을 외부로 가져간 거라고 주장하고 있어요. 교회 안에서는 수익 사업이 곤란하니까 외부로 가져가서 수익 사업을 한 거라고."

동준은 영주의 얘기를 들으며 찬찬히 퍼즐을 맞춰봤다.

"윤정옥 씨 주장대로라면 피해자가 없는 사건이에요."

영주가 깊은 한숨을 내쉬었다.

"어쩌면 영주 씨, 피해자가 있을 겁니다."

동준의 눈이 반짝였다. 두 사람은 바로 경찰서 취조실로 송태곤을 불렀다. 그러고 보면 송태곤은 최일환에게는 판도라의 상자지만 동준과 영주에게 황금알을 낳는 거위였다. 두 사람은 송태곤이 좋아하는 수박을 사 들고 취조실로 들어갔다.

"구치소에서 제일 힘든 게 9시에 자는 거야. 야, 밤 9시에 잠이 오냐? 불러줘서 땡큐다."

"교회에 내분이 있다고 들었습니다."

"교회 십일조 빼돌린 돈으로 도박하다가 집행유예로 나온 아들한테 교회를 물려주겠다니까 장로들이 들고일어났지. 장로들이 반으로 갈려서 아직도 싸우고 있을 거다."

"그 장로들이 교회 헌금을 외부로 빼돌린 사실을 알게 되면 어떻게 됩니까?"

"난리가 나겠지. 내가 그 장로들 협박하고 재판 걸고 다 했어. 연락해줄까?"

송태곤은 수박 크게 한입 베어 먹으며 은근슬쩍 부탁을 했다.

"근데 동준아, 나 여기서 드라마 좀 보고 내일 아침에 구치소로 가면 안 되냐? 어?"

동준과 영주는 그 말에는 개의치 않고 기대에 찬 얼굴로 서로를 바라보았다. 송태곤은 내일 아침 보내줘도 될 것 같았다.

*

수연은 대표실에 들어서다 인상을 찌푸렸다. 최일환이 사용하던 책상 의자에 정일이 앉아 있었다. 수연은 몹시 불쾌한 얼굴로 정일을 바라봤다.

"이 방, 오늘부터 내가 쓸 거다. 수연아, 네 침실은 다음 달부터 같이 쓰자. 경호야, 결혼식장 알아보고 있지?"

"호텔은 협소해서 별장에서 야외 결혼식을 준비할 생각이야. 하객은 이천 명 정도만 초청장 돌리고, 주요 클라이언트는 별도로 리셉션을……."

"나 얼마 전에 이혼했어. 결혼이 급해서 법을 잊었나보네. 6개월이 지나야 결혼할 수 있어, 나."

수연은 끓어오르는 분노를 누르려 애쓰며 차가운 미소를 지었다.

"식은 먼저 올리자. 혼인신고는 나중에 하고."

정일은 조금은 위악적으로 수연에게 마음의 상처를 주고 싶은 기분이 들어 일어나 다가갔다.

"이 방에 오고 싶었어. 태백을 얻고 싶었는데."

정일은 수연의 얼굴을 부드럽게 쓰다듬었다. 수연은 마치 벌레가 자신의 얼굴에 기어가는 듯 인상을 찌푸렸다.

"왜 수연이 네 마음을 원했을까? 너의 약점을 건드리면 이렇게 쉽게 될 일이었는데."

수연은 견딜 수 없는 모멸감에 치를 떨었다.

"이름도 바꿀 거다. 태백은 버리고 보국으로."

정일은 돌아서서 태백의 액자를 보며 말했다.

"법률회사 보국. 아버지가 남긴 이름이야."

그때 수연의 휴대폰이 울렸다. 발신자는 신영주였다. 수연은 불길한 얼굴로 전화를 받았다.

―최수연 씨, 그쪽 어머니 고소 건이 접수됐어요. 좀 와봐야 할 것 같은데.

수연은 영주의 말을 듣고 한숨을 쉬며 밖으로 나갔다. 수연은 황보연을 데리고 서둘러 경찰서로 향했다.

취조실 안에는 윤정옥이 창백한 얼굴로 앉아 있었고, 그 앞에 영주가 조금은 위압적으로 앉아 있었다. 수연은 윤정옥 옆으로 가서 앉으며 손을 잡아주었다.

"교회 장로들이 헌금 유용 혐의로 고소를 했네. 이 돈, 헌금 아니잖아요? 비자금 들어온 거 현금화시킨 거 아닌가?"

영주는 교회 지하 주차장에서 차량에 돈 가방을 싣는 윤정옥의 사진을 가리켰다. 윤정옥은 그 사진을 보자 호흡이 가빠지기 시작했다. 수연은 영주의 말에는 신경도 쓰지 않은 채 불안한 눈으로 윤정옥을 지켜봤다.

"진실을 말하면 태백이 무너지고, 거짓을 말하면 어머니가 무너지고, 나한테는 쉬운 문제인데 최수연 씨는 오래도 생각하네."

수연은 눈물이 그렁한 눈으로 윤정옥을 보며 깊은 고민에 빠졌다.

그 시각에 정일은 동준과 고문단을 대회의실에 모아놓고 회의를 시작했다.

"긴급 고문단 회의를 시작하겠습니다. 첫 번째 안건입니다. 대표 사임의 건! 이동준 씨."

동준은 시간을 벌려는 듯 망설이며 천천히 자리에서 일어나 정일과 고문단을 둘러보았다.

취조실에 앉아 있는 윤정옥은 불안 증세를 보이며 호흡이 점점 가빠지고 있었다. 수연은 그 모습을 슬픈 눈으로 바라보며 여러 가지 생각을 했다. 최일환은 아빠를 만나기 위해 엄마가 폐소공포증을 얻었다는 수연의 말에 견뎌낼 거라고 했다. 수연은 참을 수 없다는 듯 고개를 저었다. 정일은 뻔뻔한 얼굴로 자신의 침실에 쳐들어왔다.

'이 방, 오늘부터 내가 쓸 거다. 수연아, 네 침실은 다음 달부터 같이 쓰자.'

수연은 불현듯 두 남자 모두에게 환멸을 느꼈다. 눈물이 차오르다 한 방울이 흘러내렸다. 수연은 호흡이 가빠지는 윤정옥을 보며 따뜻하게 말했다.

"엄마…… 집에 가자. 황변! 신영주 씨 메일로 영상 전송해."

수연은 벅차오르는 마음을 추스르듯 자기도 모르게 심호흡을 하며 눈물을 참아냈다.

영주는 자신에게 전송된 영상을 책상에 앉아 컴퓨터 모니터로 확인했다.

─김성식 기자, 나하고 백상구가 하는 얘기를 들었어. 내 얼굴을 봤고. 그래서 낚싯대를 찔러 넣었다.

영주는 젖은 눈으로 그 영상을 보다가 전화를 걸었다.

"동준 씨, 영상 확보했어요. 지금 강정일 체포하러 갈게요."

동준은 선 채로 전화를 받다가 묘한 웃음을 지으며 끊더니, 앞에 놓인 사임 발표문을 뒤집어놓았다. 순간 정일의 얼굴에 그림자가 드리웠다.

"제가 차관과 감사관에게 수고비를 지급한 사진을 경찰에 제공했습니다. 하지만 그건 태백을 살리기 위해서였습니다."

정일은 멈칫했다. 방금 걸려온 전화가 마음에 걸렸다.

"태백의 주요 인물이 살인 혐의로 내사를 받고 있습니다. 대표님이 불행한 일로 들어간 지금 그 사람까지 구속되면, 태백은 회복할 수 없는 피해를 입게 됩니다. 그래서 경찰에 다른 실적을 올려주기로 협상을 했습니다. 그런데 늦었네. 방금 전에 경찰이 살인의 증거를 확보했습니다."

"그 사람이 누군가?"

고문단이 다급하게 물었다.

동준은 단호하게 손으로 강정일을 가리켰다.

"강정일 팀장님!"

정일은 뭔가 잘못됐다는 걸 본능적으로 알아차렸다.

'설마 수연이가……'

고문단의 시선이 정일에게 쏟아졌다.

"태백에서는 사건과의 연관성을 부인할 겁니다. 향후 어떠한 법률적 지원도 하지 않을 겁니다. 태백의 대표로서 이 위기를 극복하고 태백이 정상화된 뒤에 자리에서 물러나겠습니다."

동준은 당황한 정일을 보며 빙그레 미소 지었다.

15

영주는 형사들을 대동하고 태백 안으로 거침없이 들어섰다. 영주는 바로 형사들과 함께 팀장층 복도를 저벅저벅 걸어갔다. 선두에 선 영주가 정일의 집무실 앞에 이르렀다. 영주는 그 문을 보며 잠시 심호흡을 했다. 오랫동안 기다려온 순간이었다. 영주는 집무실 문을 힘차게 열어젖히며 당당하게 안으로 들어갔다.

하지만 영주는 텅 빈 정일의 집무실을 보고 탄식했다. 얼마나 기다린 순간인데 손에 잡히는 것이 없자 허탈함을 감출 수 없었다. 하지만 그저 넋 놓고 있을 수는 없었다. 형사들을 데리고 보안과로 달려갔다.

영주와 형사들은 지하 주차장 CCTV 화면을 주시했다. 조경호가 운전하고 옆 좌석에 정일이 앉은 차가 지하 주차장을 빠져나가는 장면이 화면에 나타났다.

"5분 전에 지하 주차장을 빠져나간 것 같은데요."

형사 하나가 시계를 보더니 말했다.

"차량 추적해. 연고지 탐문 시작하고. 어서!"

자신의 눈앞에서 손가락 사이로 물이 빠져나가듯 정일이 또 빠져나가자 영주는 허무해 견딜 수가 없었다. 형사들을 내보내고 영주는 다시 화면을 보았다. 화면 속 정일이 굳은 얼굴로 저만치 걸린 CCTV 카메라를 보는 듯하는 순간, 영주와 정일의 시선이 마치 서로를 보듯 마주쳤다.

수연은 차분히 가라앉은 얼굴로 최일환을 보다 천천히 입을 열었다.

"정일 오빠는 빠져나간 것 같아요. 밀항이든 다른 방법이든 알아보겠지. 현명한 사람이니까."

"정일이가 비자금 계좌를 폭로할 거다."

최일환은 수연을 무겁게 질타하는 듯 두 눈을 부릅뜨고 쳐다보았다.

"그러겠지."

수연의 목소리는 이제 모든 걸 내려놓은 듯 차분했다.

"수연아, 아비가 시키는 대로 했어야……."

최일환은 아직도 분노가 가라앉지 않는지 목소리가 떨렸다.

"시키는 대로! 후…… 정일 오빠랑 결혼할까? 아빠가 죽인 유택이 아저씨 아들하고 같은 방을 쓰고, 아이를 낳고, 아이가 태어나면 탄원서를 써준다는 사람하고…… 같이 살까?"

수연은 흥분을 가라앉히며 서글픈 미소를 지었다.

"나한테도 폐소공포증이 생긴 것 같아. 태백에서 나오고 싶어. 태백이 어서 무너졌음 좋겠다, 아빠."

수연은 슬픈 눈으로 최일환을 바라보았다. 하지만 최일환은 아직 아무것도 내려놓을 수 없다는 욕망에 사로잡힌 눈으로 수연을 보았다.

*

    태백에서 가까스로 빠져나온 정일은 조경호에게 의지해 강유택의
위패를 모신 사찰로 피신했다. 정일은 굳은 얼굴로 깊은 생각에 잠긴
채 사찰의 구석진 방에 혼자 앉아 있었다. 멀리서 범종 소리가 은은하
게 들려왔다.

    "주지 스님이 며칠은 묵어도 된단다. 정일아, 수배가 떨어졌을 거야.
밖에는 나가지 마. 물하고 식사는 내가 준비해서……."

    조경호가 스님에게 허락을 받고 안으로 들어왔다.

    "동영상의 증거 능력을 무력화시킬 방법이 있을 거야."

    궁지에 몰린 짐승이 마지막 발악을 하듯 정일의 눈은 광기로 빛나고
있었다. 조경호는 이미 끝난 상황에 미련을 갖는 정일을 보며 곤혹스
러운 표정을 지었다.

    "정일아."

    정일은 극도의 흥분 상태여서 조경호의 말이 귀에 들어오지 않았다.
뭔가 생각하다 고개를 가로저으며 계속 중얼거렸다.

    "회유에 의한 거짓 진술 아냐? 불가항력? 정황이 안 맞아. 그래! 경
호야, 아직 경찰 상부에는 보고가 안 들어갔을 거야. 신영주를 제거하
면, 사람 알아봐라, 경호야. 백상구보다 실력 좋은 애들로……."

    정일은 자신을 슬픈 눈으로 바라보는 조경호를 보고 잠시 멈칫했다.

    "우리 애, 올해 유치원 들어갔다. 마누라는 결혼 때문에 그만둔 그
림, 다시 시작하고 싶다더라. 정일아, 내가 짐이 많다. 너한테 해줄 수
있는 건, 외국으로 밀항할 배 알아봐주는 게 전부다."

    "경호야……."

조경호는 휴대폰을 꺼내 버튼을 눌렀다.

"네가 더 많은 걸 바라면, 정일아……."

조경호는 휴대폰을 스피커폰으로 해서 바닥에 내려놓았다.

─112 센터입니다.

조경호는 제발 멈추라는 눈으로 정일을 간절히 바라보았다.

─말씀하세요. 신고하실 내용이 있습니까?

정일은 잠시 조경호를 바라보다 그의 말에 수긍하듯 바닥에 놓인 휴대폰의 종료 버튼을 눌렀다.

"밀항할 배는 알아봐줄게. 정일아, 가끔 놀러 갈게, 인마."

정일은 이제야 현실을 깨달은 듯 입술을 깨물며 슬픈 눈으로 고개를 끄덕였다.

영주는 정일이 어디로 달아났는지 알아내기가 쉽지 않자 취조실로 송태곤을 불렀다.

"연고지에 애들 보내서 확인했는데, 소재 파악이 안 됩니다."

형사가 난감한 얼굴로 영주에게 보고했다.

"해외로 도피할 거야. 밀항 조직이 서른 개가 넘어. 그 많은 밀항 조직을 일일이 확인하기에는 우리 인력이 부족한데."

송태곤은 피식 웃음을 흘렸다.

"밀항선이 택시야? 손 들고 어이 스탑, 나 돈 있으니까 태워주쇼. 크크크. 밀항이 말이지, 꽤 복잡한 일이에요. 우리 영해 안에서 해경 순시선도 피해야지, 공해상에서 환승할 배도 섭외해야지. 못해도 며칠은 걸리지."

영주는 반짝이는 눈으로 송태곤의 얘기에 집중했다. 송태곤은 그 눈빛을 보고 한 손으로 배를 쓸었다.

"배가 많이 고프네."

"진철아! 갈비탕, 특으로 하나 시켜줘라."

영주가 자신의 요구를 흔쾌히 들어주자 송태곤은 흐뭇한 미소를 지으며 말을 이어갔다.

"강정일이랑…… 한 7년 태백에서 같이 일했나? 내가 아주 잘 알지. 받은 건 따블로 돌려주는 놈이야. 쨉을 맞으면 훅을 날리는 놈이지."

영주는 송태곤이 무슨 말을 하는지 쉽게 이해가 가지 않았다.

"최일환 대표를 잡겠다고 수천 억짜리 보국산업을 던진 놈인데, 자기 영상을 경찰에 준 최수연을 그냥 두고 배를 탈까?"

"최수연을 통해서 강정일을 자극해라?"

영주는 이제야 무슨 소리인지 알겠다는 듯 고개를 끄덕였다.

"그래서 말인데…… 수육도 하나 시켜주라."

수연은 대표실로 들어서다 멈칫했다. 동준과 영주가 앉아 있고 소파 끝자리에 형사 한 명이 앞에 노트북을 두고 앉아 있었다.

"나를 찾는 손님이 있대서 왔는데."

수연은 내키지 않는 얼굴로 소파로 다가가 앉았다. 뒤따라온 황보연이 근처에 섰다.

"김성식 기자 살인 사건에 대해 경찰이 궁금한 게 많은 것 같다. 그래도 한때 남편이었는데, 아내를 취조실에 보낼 수 있나? 방문 조사를 부탁했어. 수연아, 너무 고마워진 마라."

수연은 기막히다는 듯 실소를 지었다.

"내가 준 영상으로 끝난 사건 아닌가? 범인을 놓친 건 경찰이고."

"세상이 최수연 씨 생각처럼 간단하진 않죠. 이 사건도 간단하지 않고. 얼마 전에 관련자를 조사한 적이 있어요. 그쪽도 알 텐데. 백상구."

영주의 입에서 그 지긋지긋한 이름이 튀어나오자 수연은 미간이 꿈틀했다.

"방탄복 비리 문건을 회수해오라고 청부 폭력을 부탁한 사람이 최수연 씨라고 진술을 했어요."

"경찰이 의심을 하고 있어. 너하고 강정일 팀장, 오랜 연인이었지. 네가 백상구한테 폭행을 청부했고, 그 과정에서 강정일이 살인을 했다고. 의심을 풀든지, 자백을 하든지."

동준은 슬슬 수연을 자극하기 시작했다.

"백상구가 누구지?"

수연이 황보연을 보며 말간 얼굴로 물었다. 동준과 영주는 그 말에 수연이 걸려들고 있다는 눈으로 서로를 쳐다보았다.

"강정일 팀장이 관리하는 철거 용역으로 알고 있습니다."

수연은 "아아" 하며 어렴풋이 기억이 난다는 듯한 표정을 지었다.

"정일 오빠한테 들었던 것 같네. 이동준 씨도 다치지 않았나? 그 일 시킨 것도 정일 오빠일 텐데."

수연은 칼에 찔린 동준의 모습을 잠깐 떠올렸다.

"강정일 씨가 이동준 씨 살인을 교사했다는 말인가요?"

영주가 일부러 모르는 척 물었다.

"이동준 씨, 정일 오빠, 백상구, 셋이서 만난 적도 있다고 들었는데."

수연은 룸클럽 안에서 마약에 취해 있던 동준과 그 앞에 있던 정일과 백상구를 떠올렸다.

"이동준 씨가 알겠네. 백상구가 내 사람인지 정일 오빠 사람인지. 이

동준 씨한테 마약을 주입한 것도, 살해를 지시한 것도 정일 오빠예요. 김성식 기자한테 청부 폭력을 지시한 것도 정일 오빠고요."

"이동준 씨 살해를 지시할 정도의 관계라면, 청부 폭력을 지시한 것도 강정일 팀장이겠죠. 경찰이 합리적으로 판단할 거라 믿어요."

황보연이 옆에서 거들었다.

"자백은 정일 오빠한테 받아요. 나에 대한 의심은 풀린 것 같은데. 그럼 이만."

수연은 자리에서 일어나 고개로 까딱 인사하고 밖으로 나갔다. 황보연이 그 뒤를 따라 나가면서 문이 닫혔다. 두 사람이 나가자 영주는 노트북으로 타이핑하고 있던 형사에게 물었다.

"진철아, 잘 받아 적었지? 경찰서 출입 기자들한테 골고루 뿌려라."

동준과 영주는 바라는 걸 얻어냈다는 듯 서로를 보며 살짝 미소 지었다.

정일은 분노와 허탈함이 뒤섞인 얼굴로 사찰에 있는 작은 방 한쪽에 놓인 텔레비전을 보고 있었다.

─최수연 씨는 경찰의 참고인 조사에서 강정일 씨의 또 다른 범죄 혐의도 추가로 진술한 것으로 알려지고 있습니다. 강정일 씨는 철거 용역 백상구를 동원, 청부 폭력을 행사하고, 또 다른 살인을 교사한 혐의가 드러났습니다. 경찰은 최수연 씨의 진술이 신빙성이 높다는 판단하에 강정일 씨의 여죄를 조사하고 소재지를 파악하는 데 총력을 기울이고 있습니다.

정일은 리모컨으로 텔레비전을 끄고 한참을 화석처럼 꿈쩍도 않고 앉아 있었다. 분노로 들끓던 정일의 얼굴이 차갑게 식어 굳어질 때쯤

문이 열리며 조경호가 들어왔다.

"정일아, 배 구했다. 오늘 밤에 인천에서 뜬다. 일단은 마카오로 갔다가 거기서……."

"경호야, 떠나기 전에 수연이 만나야겠다."

"정일아, 하루 종일 텔레비전에 네 얼굴이 나온다고. 전국에 지명수배됐어, 인마."

조경호가 강하게 말렸다.

"나는 그런데…… 수연이는?"

조경호는 그 말에 정일을 안타깝게 쳐다보았다. 하지만 조경호는 이러면 안 된다는 걸 너무나 잘 알고 있었다. 시간을 끌면 끌수록 도망칠 곳은 없었다.

"나는 우는데 수연이 혼자 웃으면 안 되지. 오늘 밤에 밀항선 타기 전에, 경호야, 준비해주라."

조경호는 정일의 부탁을 차마 거절할 수가 없어 태백으로 들어갔다.

수연은 집무실 안으로 들어오다 소파에 앉아 있는 조경호를 보고 깜짝 놀랐다.

"저……."

"정일 오빠가 보냈겠죠? 만나자고 했을 거고. 오빤 어디에 있어요?"

조경호는 난감하게 입맛을 다시며 차마 수연과 눈을 마주치지 못하고 다른 곳으로 시선을 돌렸다. 그 모습을 노기용이 동준의 집무실 창가에 서서 관찰하고 있었다. 동준은 분명 수연이 움직일 거라 예상하고 노기용을 그곳에 잠복시켜놓았다. 노기용은 휴대폰으로 동준과 통화를 하며 수연의 일거수일투족을 보고했다.

"최수연 팀장이 나가고 있습니다."

—내가 따라가지. 넌 조경호를 따라붙어.

동준은 다급하게 대표실을 빠져나가며 영주에게 전화했다.

"수연이가 움직이고 있습니다. 출발해요."

"휴대폰은 켜놓을게요. 위치는 계속 전송해줘요. 진철아, 넌 하루에 몇 끼를 먹냐? 가자."

영주는 형사과 책상 앞 의자에 앉아 있다가 동준의 전화를 받고 다급하게 일어났다.

수연은 정일의 연락을 받고 깊은 밤에 혼자 차를 몰고 사찰로 향했다. 차에서 내린 수연은 사찰의 밤공기를 잠시 들이마시고 저만치 보이는 대웅전을 향해 걸어갔다. 잠시 뒤 차 한 대가 미등을 끈 채 조용히 다가왔다. 동준은 그 차 안에서 대웅전을 향하는 수연의 뒷모습을 바라보았다. 수연은 대웅전 밖에서 불상 옆, 강유택의 위패와 사진이 놓인 간단한 제상을 향해 절을 하고 있는 정일의 모습을 바라보았다. 절을 마친 정일이 향을 피우는 사이 수연이 들어와 방석 위에 앉았다. 수연과 정일은 불상을 사이에 두고 마주 앉았다.

"십계명에 있어. 나 이외에 다른 신을 섬기지 말라."

수연은 낯선 듯 대웅전을 둘러보며 옅은 미소를 띠고 정일을 바라보았다.

"근데 나, 섬긴 적이 있는 거 같아, 오빠!"

정일은 묵묵히 수연을 보기만 했다.

"예수님 유골이 발견된 영화가 있어. 영화 속에선 바티칸 주교가 자살을 해. 부활이 거짓이면 평생 믿어온 신앙이 무너지니까. 나도 그랬다, 그때."

수연은 정일과 자신의 사이가 무너지던 그날 호텔 방에서의 기억을 되살렸다.

"그때 내가 섬긴 건 태백도 아빠도 아니고 오빠였는데. 뭘 해줄까? 배는 구했을 거고, 오빠 승마 좋아하니까, 범죄인 인도 협정 체결 안 된 나라에 목장 하나 구해볼까?"

그 말에 정일은 눈가가 그렁그렁해지다 눈물을 한 방울 떨어뜨렸다. 수연은 정일의 눈물을 슬픈 눈으로 바라보았다.

"같이 갈까? 수연아."

정일은 수연을 아픈 눈으로 보았다.

"널 버린 나. 아버지를 보낸 최일환 대표. 다 잊고 우리…… 예전처럼 같이 지낼까?"

"오빠……."

수연의 목소리가 젖어 있었다. 정일은 흐르는 눈물을 그대로 둔 채 말을 이어갔다.

"방탄복 문제를 너한테 맡긴 건, 아버지가 너도 방산 비리에 개입시키려는 의도였어. 그때 아버지를 말렸어야 했는데."

수연은 아프게 보며 고개를 가로저었다.

"미안해. 나 때문에…… 오빠가 김성식 기자를 죽였어. 내가 백상구를 고용하지만 않았어도……."

정일은 흐르는 눈물 사이로 슬쩍 말아 쥔 주먹을 내려다봤다. 수연이 서서히 걸려들고 있었다.

"부둣가에서 이동준이 사라졌으면 우린 지금…… 같은 길을 가고 있을 텐데……."

"내가 부탁한 거야. 미안해. 이동준 그 사람 치워달라고 한 건 나잖

아. 오빠는 내 부탁을 들어준 것뿐인데…… 미안해."

정일은 순식간에 차가워진 얼굴로 비릿한 미소를 지었다.

"내가 미안하지, 수연아."

수연은 그 말에 정일을 묵묵히 보았다. 정일은 휴대폰을 꺼내 어디론가 전화를 걸었다.

"경호야, 전송된 영상, 수연이 휴대폰으로 보내라."

정일은 전화를 끊고 수연에게 대웅전 한쪽 구석을 가리켰다. 그곳에 카메라 렌즈가 있었다. 그런데 수연은 별로 놀라는 기색 없이 렌즈를 쳐다봤다. 분노에 사로잡혀 있는 정일은 수연이 좀 이상하다는 걸 눈치채지 못했다.

"이 영상도 경찰에 제출될 거다. 난 오늘 밤에 떠난다."

그때 수연의 휴대폰에 영상이 전송됐다는 메시지 수신음이 들렸다. 수연은 바로 영상을 확인했다.

"너도 떠나야 할 거다. 달아나. 경찰을 피해서. 네가 가진 것 다 버리고, 수연아."

정일이 속삭이듯 말하는데, 수연이 휴대폰 화면을 보여줬다. 휴대폰 화면에는 좀전의 상황이 아닌 조경호가 있었다.

"정일아…… 영상은 녹화 안 했다."

조경호는 수연의 집무실에서 노트북 웹캠을 보며 말하고 있었다. 그 옆에는 황보연이 서 있었다.

"넌 떠나지만, 정일아, 난 태백에 남아야 해. 정일아, 그만하자. 부둣가로 와. 마카오에 당분간 머물 곳도 준비해뒀어. 제발 가라, 정일아."

수연은 전화를 끊으며 차갑게 말했다.

"황변이 묻더라. 왜 오빠를 만나러 가느냐고. 이렇게 대답했어. 어서 포기하고 떠나게 만들려고."

자리에서 일어나는 수연을 보며 정일은 주먹을 불끈 쥐었다.

"경찰에 잡히면 나도 머리 아파. 오빠하고 나, 함께한 시간만큼 얽힌 일이 많잖아."

정일은 주먹을 쥔 채 일어나 수연에게 다가갔다. 분노로 이성을 상실한 듯했다.

"수연아!"

순간 수연은 손으로 카메라 렌즈를 가리켰다.

"지금부턴 전송되고 있어. 조심해. 내 몸에 손대면 밀항선은 취소될 거야."

정일은 이럴 수도 저럴 수도 없는 무기력한 분노에 휩싸인 채 그 자리에 우두커니 서 있었다. 정일은 이제 조경호도 마지막으로 자신을 떠났다는 사실을 깨달았다.

"백상구 관련 내역, 김성식 기자 살인에 연관된 흔적, 오빠가 타고 갈 배에 다 실을 거야. 고마워, 오빠."

수연은 미소를 보내며 정일을 잠시 바라보다 밖으로 나갔다.

동준은 숨을 죽인 채 차에서 수연이 떠나는 모습을 보았다. 잠시 후 대웅전에서 정일이 차가운 얼굴로 내려왔다. 정일은 리모컨 키로 차 문을 열고 자신의 차에 탔다.

"강정일이 나오고 있습니다."

—5분 안에 도착할 거예요, 동준 씨.

동준은 막 출발하려는 정일의 차를 보며 영주에게 전화했다.

'5분이라……'

5분이면 너무 길었다.

"내가 시간을 끌어볼게요."

동준은 결심한 듯 차를 출발해, 막 출발하는 정일의 차 앞으로 달려가 급정거를 했다. 동시에 정일도 급정거했다. 정일의 차는 이제 후진도 좌회전도 우회전도 할 수 없는 처지가 되었다. 정일이 차에서 내리자 동준도 따라 내렸다.

"이동준 씨가 내 앞을 막은 게 몇 번째지?"

"오늘이 마지막일 겁니다. 강정일 씨는 아주 긴 시간 감옥에 있게 될 겁니다."

정일은 피식 웃으며 비릿한 미소를 보이다 비호같이 주먹을 날렸다. 퍽! 동준이 쓰러지자 정일은 다급하게 동준의 차에 올라타고 출발하려 했다. 그런데 가까스로 일어난 동준이 운전석 문을 열고 정일을 끌어내렸다. 두 사람은 격렬하게 몸싸움을 벌였다. 서로 손으로 발로 일진일퇴하는 격투를 벌인 끝에, 정일의 주먹이 동준의 복부에 꽂혔다. 헉! 숨이 멎는 듯한 고통을 느끼며 동준이 쓰러졌다. 정일이 옆에 놓인 화분을 들고 쓰러진 동준을 보며 화분을 내리치려는 그 순간, 탕! 총탄이 화분을 관통했다. 화분이 모래처럼 스르르 깨져 흩어졌다. 정일은 총소리에 멍한 표정으로 고개를 돌렸다. 승합차에서 내린 영주가 저만치에서 권총을 겨누고 있었다. 그 권총에서 탄연이 피어오르고 있었다. 정일은 모든 게 끝났다는 듯 영주를 돌아보았다. 영주가 다가와 정일의 손에 수갑을 채웠다.

"강정일 씨, 김성식 기자 살해 혐의로 체포합니다."

정일은 자신의 손에 채워진 수갑을 내려다보았다. 정일은 믿을 수 없는 현실에 실소를 머금다 분노의 절규를 내질렀다.

16

수연은 침대에 힘없이 누워 있는 윤정옥 옆에 손을 잡은 채 앉아 있었다.

"아빠가 태백을 잃어도 엄마는 구하라고 했어. 아빠 때문에 폐소공포증까지 생긴 엄마를 취조실에 오래 둘 수는 없다고. 아빠는 아주 오래 뒤에 나올 거야. 태백도 무너질 거고. 그래도…… 난 엄마 옆에 있을 거야."

그때 황보연에게서 전화가 왔다. 수연은 고개를 갸웃하며 통화 버튼을 눌렀다.

—강정일 팀장이 경찰에 체포됐어요. 대책을 세워야 합니다.

수연은 얼굴을 찌푸리며 휴대폰을 들고 자신의 침실로 가서 텔레비전을 켰다.

화면에 형사들의 호송을 받으며 경찰차에서 내리는 정일의 모습이 나오고 있었다.

—강유택 회장의 아들 강정일 변호사가 김성식 기자 살해 혐의로 경찰에 긴급체포됐습니다.

수연은 머리가 아픈 듯 관자놀이를 누르며 방 안을 서성거렸다.

같은 시각 조경호는 정일의 집무실 소파에 앉아 허탈한 얼굴로 뉴스를 보고 있었다. 화면에는 사찰의 전경 사진과 영등포 경찰서 사진이 나오고 있었다.

—강정일 씨는 해외 밀항을 준비하던 중 수도권의 모 사찰에서 체포된 것으로 알려지고 있습니다. 현재 강정일 씨는 서울 영등포 경찰서에서 취조를 받고 있습니다.

조경호의 표정은 쓸쓸하기 그지없었다.

동준 역시 그 시각, 요양원 자신의 방에서 상처 난 얼굴을 매만지며 뉴스를 보고 있었다.

—경찰은 강정일 씨의 여죄를 밝히는 한편, 김성식 기자 살인 사건의 은폐와 조작에 가담한 경찰, 검찰, 법조계 인사에 대한 수사를 확대하는 방안을 검토 중이라고 밝혔습니다.

동준은 뉴스가 진행되는 동안 벽에 걸린 달력을 보았다. 5월 22일에 동그라미가 그려져 있고 그 아래에 '엄마 생일'이라고 쓰여 있었다. 동준은 먹먹한 마음으로 달력을 바라봤다. 어쩌면 올해 생일은 엄마 혼자 보내야 할지도 모른다는 생각이 들자 마음 한구석이 아려왔다.

*

취조실에 끌려온 정일은 영주의 질문에 단 한 마디도 하지 않고 있었다. 가운데 앉은 송태곤은 갈비탕을 먹으며 정일을 힐끔거렸다.

"의무는 다하지 않으면서 권리는 잘도 챙기시네. 묵비권까지……."

영주가 정일의 침묵에 지친다는 듯 한마디 내뱉었다.

"묵비권, 그거 내가 쓸 때는 편했는데, 남이 쓰는 거 보니까 진짜 얄밉네."

송태곤이 정일을 힐끗 보며 말했다

"강정일 씨, 살인 기소는 피할 수 없어요. 당신이 가진 비자금 계좌, 경찰에 제출하세요."

"내가 가진 걸 왜 세상을 위해서 쓰지? 나를 위해 써야지. 다시는 오지 못할 이 세상을 떠나면서 마지막 순간에 아버지는 무슨 생각을 했을까?"

정일은 오랜 침묵 끝에 입을 열었다. 정일은 처연한 얼굴로 아버지 강유택을 떠올렸다.

"태백을 잃고 하나뿐인 딸 수연이마저 감옥에 가게 된다면, 최일환도 눈물을 흘리겠지. 아버지처럼…… 최수연한테 수갑 채워서 내 앞에 데려오세요. 그럼 비자금 계좌를 신영주 씨 손에 쥐어드리죠."

"살인 용의자와 거래를 할 수는 없어요. 그게 원칙이에요."

"비자금 계좌가 당신 손에 안 들어가면, 태백은 건재할 거고 이동준 씨만 다칠 겁니다. 그래도 괜찮으면 원칙을 지키든지."

영주는 동준만 다칠 거라는 말에 멈칫했다.

"아, 그럼 동준이는 갈비 뜯다가 고기는 못 먹고 이빨만 상한 게 되나?"

송태곤은 갈비 하나를 들고 뜯으며 깐죽거렸다.

영주는 난감한 얼굴로 정일을 쳐다보았다. 정일은 할 말을 다한 듯 다시 입을 굳게 다물었다. 영주는 한숨을 쉬며 밖으로 나와 동준에게 전화를 했다.

―수연이는 백상구 관련 사실을 부인하고 있습니다.

"김성식 기자 살인 사건 은폐 조작에 가담한 것도 부인하고 있어요."

―스스로 입을 여는 범인은 없습니다. 태백에 남아 있는 백상구 관련 자료를 검토하겠습니다.

"살인 사건 은폐 과정을 역추적해보죠."

영주는 기운 빠진 얼굴로 잠시 서 있다가 기운을 북돋우면서 형사과로 걸음을 옮겼다.

동준은 대표실 자신의 컴퓨터로 태백의 서버에 있는 백상구 관련 내용을 모두 뒤져봤지만 아무것도 찾아낼 수 없었다. 한발 앞서 수연이 손을 쓴 게 분명했다. 사실 정일이 경찰에 잡히자마자 수연은 바로 황보연을 시켜 태백 서버에 남아 있는 자신과 백상구가 연관된 내용들을 모조리 지워버렸다. 그뿐 아니라 은폐에 가담한 경찰, 검찰 관계자를 모두 만나서 입막음을 했다. 다만 장현국 대법원장은 구속 중이어서 손이 안 닿을 거라 여기고 그대로 놔두었다.

영주 역시 사건 당시 수사팀을 모두 접촉해봤지만 아무도 입을 열지 않았다. 영주는 그들이 조직적으로 누군가에게 침묵을 요구받았다는 것을 알아차렸다. 영주는 답답한 마음에 동준에게 전화를 걸어 커피숍으로 불러냈다.

"위에서 인력을 보충해줬어요. 김성식 기자 살인 사건에만 집중할 생각인가봐요. 그럼 비자금은 덮일 거고, 태백은……. 내가 두려운 건 동준 씨만 다치는 거예요. 태백은 건재한데……."

"내가 두려운 건, 신창호 씨를 보는 겁니다."

영주는 무슨 말인가 하는 얼굴로 동준을 바라보았다.

"살면서 또 다른 신창호 씨를 보는 게 두려워요, 난."

동준은 병실에서 신창호가 했던 말을 떠올렸다.

'후회합니다. 이렇게 끝날 줄 알았으면……. 세상 바꾸려고 하지 마세요. 있는 세상에서 잘 살아요. 나처럼…… 살진 말아요, 판사님.'

"태백이 무너지면 세상이 조금은 앞으로 나아갈 겁니다. 내가 그 바퀴에 깔리는 건 이미 각오했습니다. 장현국 대법원장, 서울구치소에 수감 중입니다. 내일 만나세요. 내가 오늘 안에 메이킹해놓을게요."

동준은 따뜻한 미소로 영주를 바라보았다. 영주는 그런 동준이 걱정스러웠다.

*

동준은 구치소 면회실에 쓸쓸한 얼굴로 앉아 있었다. 잠시 후 문이 열리며 미결수복 차림의 장현국이 면회실로 들어왔다. 그는 굳은 표정으로 동준을 쳐다보다 천천히 앉았다.

"자네 기사는 챙겨서 보고 있네. 태백이 위험하더군. 자네도 곧 이곳에 오게 될 거야."

"따님이 이혼을 했더군요. 유학을 준비한다던데, 제 도움이 필요할 것 같아서 왔습니다."

장현국은 동준의 의도를 탐색하는 눈으로 보았다.

"수연이가 건강보험공단 문제를 대법원장님께 흘린 사실이 밝혀지면, 제가 최일환 대표의 위협에 굴복, 청부 재판을 한 사실도 드러나게 됩니다. 형사가 찾아올 겁니다. 뭘 묻든지 모른다고 말씀하세요."

장현국은 이제야 동준의 의도를 알겠다는 듯 여유 있게 웃었다.

"자네를 잡을 밧줄이 내 손에 들려 있다 이거군."

"그 밧줄로 따님 인생의 동아줄을 만드세요."

"난 전직 대법원장이야. 경찰의 취조에 진실대로 말하겠네."

"대법원장님!"

동준은 당황한 척 연기를 했다. 장현국은 대법원장은 잠시 동준을 보더니 단호한 얼굴로 돌아서 나갔다. 문이 닫히자 동준은 그제야 피식 하고 웃었다. 동준은 의도한 대로 일이 잘된 것 같았다. 이제 마지막 하나만 준비하면 모든 게 끝날 것이다.

동준은 태백으로 돌아와 대표실 컴퓨터를 켰다. 동준은 태백 서버에서 김성식을 검색했다. 모니터에 최일환이 작성한 김성식 살인 사건 판결문이 떴다. 동준은 그 판결문을 인쇄했다. 적막감이 감도는 대표실에 저만치에 있는 프린터에서 판결문이 인쇄되어 나오는 소리가 울려 퍼졌다.

영주는 동준의 말에 따라 구치소에 있는 장현국을 만나러 갔다.

"이동준 변호사가 건강보험공단에 압력을 행사했다는 자료를 최수연이 가져왔었네."

영주는 멈칫하는 얼굴로 너무 순순히 자백을 하는 장현국을 의심스럽게 바라보았다.

"어제 이동준이 왔었어. 날 회유하더군. 그것도 적어두게."

영주는 장현국의 말에 고개를 돌렸다. 영주는 동준이 메이킹한 게 이 일임을 알아차렸다.

"필요하면 법정에서 증언도 하지. 자네, 이동준을 꼭 잡아줄 수 있겠지?"

영주는 증오심에 불타 말하는 장현국을 서글픈 눈으로 바라보았다.

"화장실 잘 썼어요. 화장실이 내 방보다 크네. 이 방은 우리 집보다 넓고."

수연은 자신의 침실 소파에 앉은 채 화장실에서 나오는 영주를 귀찮은 얼굴로 쳐다보았다.

"방문 조사는 한 번으로 끝난 걸로 아는데."

"맞아요."

"근데 왜 찾아왔을까? 밤늦게 집까지."

"강제소환이라고 해도 좋고 체포라고 할 수도 있죠."

수연은 그 말에 멈칫했다. 조금 전에 영주는 중요한 얘기가 있다며 수연에게 전화를 했었다. 수연은 뭔가 의심스러웠지만 일단은 영주의 의도를 알아보려고 집에 오는 것을 허락했다.

"최수연 씨가 김성식 기자 살인 사건 은폐 조작에 적극 가담했다는 제보가 있어서요. 소환장 타이핑할 시간에 직접 모셔가려고 왔어요."

"이봐요! 신영주 씨!"

수연은 자리에서 벌떡 일어났다. 뒤통수를 제대로 한방 맞은 기분이었다.

"조용히 가요. 그쪽 어머니 아직 몸도 안 좋으실 텐데, 수갑은 안 채우게 해줘요."

영주는 낮은 목소리로 말하며 수연을 똑바로 쳐다보았다. 수연은 어쩔 수 없다는 듯 입술을 꽉 깨물었다.

동준과 정일은 취조실에서 서로의 얼굴에 난 상처를 보며 수연을 기다리고 있었다. 그때 문이 열리면서 영주가 수연을 데리고 들어왔다. 수연은 정일을 보고 얼굴을 찌푸리더니 자리에 앉았다,

"백상구한테 청부 폭력을 지시한 건 최수연 씨라는 주장이 있어요."

영주가 앞에 놓인 서류를 보며 수연에게 물었다.

"살인 용의자의 진술, 선량한 시민의 진술, 법은 누구의 말을 믿을까?"

"추가 제보가 있어요. 이동준 씨 관련 의혹을 최수연 씨가 제공했다는 장현국 전 대법원장의 진술서예요."

영주가 서류 한 장을 내밀자 수연은 그 서류를 힐끗 보더니 눈이 휘둥그레졌다.

"이 정도면 당신이 살인을 은폐하는 과정에 적극 개입했다는 증거가 아닐까?"

수연의 얼굴에 여유로운 표정이 사라지면서 긴장한 얼굴로 습관처럼 정일을 바라보았다. 정일은 비릿한 미소로 화답했다.

"아빠는 이동준 씨하고 날 결혼시키고 싶어했어요. 사윗감을 얻으려는 무리수 아닌가? 이 진술서가 어떻게 살인을 은폐한 증거가 되죠?"

수연은 영주를 보며 담담하려 애썼다. 동준은 수연을 보며 앞에 놓인 서류를 영주에게 건넸다.

"태백 서버에서 확보한 판결문입니다. 최일환 대표가 작성한 겁니다. 이건 내가 선고한 1심 판결문입니다."

순간 수연의 얼굴이 대번에 사색이 되었다. 수연은 충격에 휩싸여 과거 최일환이 했던 말을 기억해냈다.

'오랜만에 판결문을 써봤네. 살인 사건 신창호 재판. 그 재판 내가 하지. 자네는 법봉만 두드리게.'

수연은 설마 동준이 그것까지 내던질 거라고는 예상하지 못했다.

"나는 최일환 대표가 요구하는 대로 청부 재판을 했습니다. 수연이는 대법원장을 매수했습니다. 나는 최일환 대표에게 굴복했습니다. 수연아, 네가 김성식 기자 살인 사건 은폐를 주도했어. 그림은 최일환 대표가 그렸겠지. 그때도 무대는 네가 만들었고."

수연이 당황한 얼굴로 아무 말도 못하고 있는데, 영주가 다가가 수갑을 꺼냈다.

"최수연 씨, 김성식 기자 살인을 은폐하고, 백상구에게 폭행을 청부한 혐의로 긴급체포합니다."

수연의 손목에 철컥 수갑이 채워졌다. 수연은 차마 믿을 수 없는 얼굴로 수갑을 내려다보았다.

"강정일 씨! 약속은 지켰어요. 이제 그쪽 차례예요. 비자금 계좌는 어디에 있죠?"

정일은 수연을 보는 채로 한 손으로 자기 머리를 톡톡 치더니, 볼펜을 들어 종이에 써 내려갔다.

'BDA(방코 델타 아시아) 23412-323454-34.'

"변호사 입회하에 다시 취조를 받을……."

수연이 황망한 얼굴로 이 상황을 벗어나보려 하는데, 정일이 통쾌한 미소를 지으며 말했다.

"수연아, 너도…… 이제 포기해라."

수연은 도저히 수긍할 수 없다는 얼굴로 영주와 동준, 정일을 번갈아 보았다.

수연과 정일은 형사들에게 호송되어 경찰서 유치장 안으로 들어왔다. 두 사람은 서로를 보며 각자 넥타이와 시계를 풀었다. 그리고 나란히 위치한 방에 각각 들어갔다. 유치장 안으로 들어간 정일은 벽에 기대앉았다. 그때 옆방에서 수연의 낮은 울음소리가 들려왔다. 정일은 그 소리에 자괴감이 깃든 미소를 지었다.

정일과 수연을 유치장으로 보낸 뒤 영주와 동준은 조금은 허탈한 얼굴로 형사과로 돌아왔다. 영주는 자신의 책상에 앉아 서류를 뒤적이기 시작했다. 동준에게 할 말이 있었지만 차마 입 밖으로 나오지가 않았다. 동준은 영주의 마음을 알 것 같은 얼굴로 물끄러미 바라보다 옆에 있는 의자에 앉았다. 영주는 망설이다 동준의 얼굴을 보지 않은 채 서류를 들여다보며 입을 열었다.

"동준 씨한테도 체포영장이 발부될 거예요. 청부 재판에, 비자금 문제에, 진술서만 수십 장이 되겠네."

"며칠만 미뤄줘요. 태백에 얽힌 사람들, 빠져나갈 수 없는 덫을 놓을 겁니다. 그럼 영주 씨가 수사하기 편할 거예요."

그 말에 영주는 가슴이 내려앉는 심정으로 동준을 보았다.

"내일까지 출국 금지할 사람들 명단 보낼게요. 뇌물 수뢰자 명단은 며칠 걸릴 것 같아요. 태백 대표실에서 버티면서 태백에 있는 자료는 다 보낼게요. 그 뒤에 우리, 취조실에서 보겠네."

영주는 목이 메어와 아무 말도 할 수 없었다. 동준은 영주의 마음을 조금 편하게 해주려고 책상에 놓인 액자를 보며 농담처럼 말했다.

"신창호 씨 말이 맞았어요. 10년 전에는 되게 예뻤구나."

그 말에 영주의 얼굴에 옅은 미소가 번졌다. 동준은 영주를 괜찮다는 듯 따뜻하게 바라봤다. 영주는 먹먹한 얼굴로 동준을 바라봤다.

*

—건국 이래 최대의 비자금 스캔들을 수사하기 위해 경찰의 특별 수

사팀이 오늘 출범했습니다.

영주와 대여섯 명의 정복 경찰들이 경찰청장 앞에 서서 거수경례를 하는 모습이 화면에 나오고 있었다. 동준은 대표실 책상에 앉아 앞에 놓인 서류 뭉치들을 들여다보다 벽면에 걸린 텔레비전에서 흘러나오는 뉴스를 한번씩 힐끗거리며 보았다.

동준은 다시 서류에 눈을 고정시키고 다양한 언어로 된 서류들을 들여다보았다. 서류를 쭉 보던 동준은 러시아어로 된 서류를 보다 뭔가 발견한 듯 표지를 휴대폰으로 찍고 번역 프로그램을 돌렸다. 번역된 서류의 제목은 '러시아 자원 개발 계약서'였다. 동준은 문서를 몇 장 넘기더니 숫자로 금액만 적힌 견적서를 들여다보았다. 벽에 걸린 텔레비전에서는 계속 뉴스가 나오고 있었다.

―법조 비리와 방산 비리가 얽힌 이번 태백 게이트는 고위 관료, 군 장성, 정치인과 법조인이 연루된 초대형 부패 스캔들로, 오늘 하루만 칠십여 명이 출국 금지를 당했으며, 십여 명이 소환 조사를 받았습니다. 예상보다 빠른 수사 속도에 내부 협력자가 있을 거라는 조심스런 추측도 나오고 있습니다.

뉴스가 진행되는 동안 동준은 견적 내용을 보다가 뭔가를 발견한 듯 눈동자가 빛났다. 그는 자리에서 일어나 리모컨으로 텔레비전을 끄고 밖으로 나갔다.

동준은 결연한 표정으로 긴 복도를 걸어 대회의실 앞에 도착했다. 그는 잠시 심호흡을 하고 회의실 문을 힘차게 열었다. 회의실 안에서는 고문단이 심각한 얼굴로 앉아 떠들고 있었다.

"여러분들께서 경찰 소환에 응하지 않고 있다고 들었습니다."

동준은 자리로 걸어가 앉으며 말했다.

"비자금 계좌의 유출 경위를 알아보고 있네. 취득 과정에 불법이 개입했어. 국가 경제가 어려워. 국민 통합이 필요한 시기에 이런 혼란을……."

고문들 중 한 명이 변명을 늘어놓기 시작했다.

"통합? 고름을 짜내야 새살이 돋겠죠. 러시아 자원 개발 사업을 담당하신 걸로 압니다. 연 매출 100억도 안 되는 가스 회사를 1000억에 매입하셨던데, 그 돈은 자원개발공사의 자금, 국민의 혈세입니다. 공식적인 리베이트는 10퍼센트."

말을 꺼냈던 고문이 움찔하는 얼굴로 동준을 바라보았다.

"이 자료, 방금 경찰에 제출했습니다. 경찰이 그러더군요. 협조하는 분은 법이 허용하는 범위 안에서 선처하겠다고."

동준은 일어나 고문들을 쭉 둘러보았다. 고문들은 서로 눈치를 보며 난감한 표정을 지었다.

"법을 돈으로 바꿔온 당신들. 그동안 해온 일들, 모두 세상에 드러날 겁니다. 다들 벌거벗게 되겠죠. 몸을 가릴 수건이라도 한 장 얻고 싶으면, 여러분, 경찰 소환에 응하세요."

고문들은 곤혹스러운 표정으로 어찌할 바를 몰라 우왕좌왕했다.

"어리석은 놈. 내 말을 따랐으면 태백의 주인이 됐을 거다."

최일환은 면회실로 자신을 찾아온 동준에게 꾸짖듯이 말했다.

"대표님이 가지 않은 길, 아버지가 포기한 길, 그 길을 가겠습니다. 내가 지은 죄에 대해 합당한 벌을 받고 다시 시작할 겁니다. 내가 밥 빌어먹기 위해서 하는 일이 세상에 죄짓는 일이 안 되게, 그렇게 살겠습니다."

최일환은 헛웃음으로 동준을 비웃었다.

"강정일 팀장, 수연이, 대표님. 세 사람의 대면 조사가 있을 겁니다."

"비자금 수사는 적당한 선에서 중단될 거다. 이 나라를 움직이는 놈들이 다 연루돼 있어. 불은 곧 꺼질 거다."

동준은 옆 의자에 놓여 있던 신문을 탁자 위로 올렸다. 최일환은 신문 기사의 제목을 보고 경악했다. 1면 헤드라인에 '태백 고문단, 경찰 소환에 응해', '태백 게이트 전모, 속속 밝혀져' 등이 쓰여 있었다.

"불이 안 꺼지도록 제가 장작을 계속 넣을 겁니다."

최일환은 무력함을 느끼며 얼굴이 굳었다.

"잊으세요. 태백을 지키겠다는 생각도, 대표님한테 남은 미래가 있다는 망상도. 모두."

동준은 단호한 눈으로 최일환을 바라보았다.

"오늘까지 출국 금지된 사람이 백 명이 넘어요"

커피숍에 동준과 마주 앉은 영주는 관자놀이를 누르며 말했다. 동준은 새롭게 찾아낸 서류 뭉치를 영주에게 건넸다.

"곧 이백 명이 넘을 겁니다. 태백 서버에 있는 자료 절반도 안 뒤졌는데 이 정도네."

영주는 서류 뭉치를 보다가 안타까운 눈으로 동준을 보았다.

"법률 검토를 했어요. 청부 재판에, 비자금 연루에, 못해도 5년은……. 나 같으면 무서울 것 같은데."

"혼자였으면 무서웠겠죠. 경찰에 복직할 때, 상대는 태백이고 영주 씨는 일개 경찰, 이 사건 수사하는 거 무섭지 않았어요?"

"나도 혼자였으면 무서웠겠네."

동준과 영주는 잠시 애틋한 눈으로 서로를 바라보았다.

"태백 내부에 특별 감사팀을 만들 겁니다. 속도를 더 내야겠어요."

동준은 뭔가 생각이 있다는 듯 영주를 보며 미소 지었다.

동준은 태백으로 들어가자마자 대표실로 황보연과 조경호를 불렀다.

"사법고시에 합격하던 날이 생각납니다. 신문에서 합격자 명단을 보고도 전화로 몇 번이나 확인을 했습니다. 내가 판사, 검사, 변호사가 된다……. 세상을 움직이는 시스템을 수리하는 엔지니어가 된다……. 고장 난 정의를 고치고, 숨어 있는 불의를 제거하고. 그 들뜬 마음. 아직도 생각나네요."

조경호와 황보연은 불편한 얼굴로 앉아 동준의 말을 묵묵히 들었다.

"조경호 변호사님, 황보연 변호사님. 두 분도 사법고시에 합격하던 그날이 기억날 겁니다."

조경호와 황보연은 동준이 무슨 의도로 이런 말을 하는지 도저히 알 수가 없었다.

"찾아야 할 자료가 너무 많아요. 두 분이 내부 감사팀을 맡아주세요."

조경호와 황보연은 화들짝 놀랐다.

"강정일 팀장과 최수연 씨가 저지른 범죄를 옆에서 지켜본 분들이니까 자료 조사도 쉽겠죠."

"저…… 그러면…… 우리는 선처가 되는……."

조경호는 혹시나 하는 기대로 조심스럽게 물었다. 동준은 고개를 가로저었다.

"두 분도 처벌을 받을 겁니다. 법정에 서게 되겠죠. 전 지금 두 분께 반성문을 쓸 기회를 드리는 겁니다."

동준은 엄숙한 눈으로 두 사람을 바라봤다. 조경호와 황보연은 곤혹스러운 표정이었다.

─태백의 비상 전권을 맡고 있는 이동준입니다. 지금 태백은 위기를 맞고 있습니다. 대표와 주요 인물들이 구속됐고, 비자금 수사는 태백을 정면으로 조준하고 있습니다. 태백이 불미스런 일에 연루된 것에 대해 책임과 권한을 가진 사람으로서 사과드립니다.

동준은 사내 방송실에서 마이크를 잡았다. 건물 전체에 동준의 목소리가 스피커를 통해 울려 퍼졌다. 조경호도 황보연도 고문들도 변호사들도 모두 참담한 얼굴로 동준의 방송을 듣고 있었다.

─그동안의 불법에 대해 내부 감사를 실시하겠습니다. 전 임직원은 감사팀에 적극 협조해주십시오. 협조를 거부하는 사람은 범죄 행위에 동참한 사람으로 간주, 경찰에 그 명단을 제출하겠습니다.

각자 자신의 집무실에서 동준의 방송을 보던 조경호와 황보연은 동준을 도울 수밖에 없다는 걸 깨닫고 씁쓸한 표정을 지었다.

*

영주는 취조실로 정일과 수연, 그리고 최일환을 불러 대질신문을 했다. 미결수복 차림인 최일환과 수연이 나란히 앉아 있는 가운데 맞은편에는 정일이 앉았다. 최일환 뒤에는 형사들이 대기하고 있었다.

"김성식 기자는 3월 27일 새벽, 파주에 소재한 낚시터에서 살해당했어요. 강정일 씨는 범행 일체를 자백했습니다. 살인의 조작 은폐 과정에 대해 진술해요."

정일은 수연을 빤히 쳐다보며 천천히 진술하기 시작했다.

"낚시터에서 수연이 차를 타고 돌아왔습니다. 수연이하고 같이 최일환 대표를 찾아갔습니다."

정일은 기억을 더듬어 그날 새벽의 일을 머릿속에서 끄집어냈다.

'내 실수야. 방탄복 성능검사 비밀문서가 유출된 것도 나 때문이고, 백상구 그 사람 산 것도 나야.'

최일환은 정일의 손에 묻은 흐릿한 핏자국을 보았다.

'시신은 국과수로 갔대. 막아줘. 아빠, 부탁이야.'

'날이 밝아오는구나. 사람들이 보기 전에 덮어야 하는 일이 아주 많아.'

"최일환 씨는 언론을 통제하고 검찰, 경찰을 컨트롤했고, 최수연 씨는 장현국을 매수했군요."

영주는 정일의 진술에 살을 붙였다. 정일이 고개를 끄덕였다.

'모친이 운영하는 요양원의 의료비 과다 청구 심사를 무마한 정황이 포착됐네. 의료보험공단을 찾아갔더군.'

"재임용 심사에서 살아남고 싶어 찾아온 이동준 씨를 최일환 씨가 굴복시켰다는 말이죠?"

정일은 미소 지으며 영주의 말에 동의했다.

'피고 신창호. 그 사람한테는 1심일 뿐이야. 2심도 있고, 3심도 있지. 하지만 자네 인생은 1심으로 결정될 거야. 이번 재판, 자네가 두드릴 마지막 법봉이야. 신창호를 위해 두드릴 텐가. 아니면 자네 인생을 위해 두드릴 텐가.'

"이동준 판사는 신창호 기자에게 유죄를 선고했고."

'피고 신창호에게 형법상 살인, 시신 유기 미수를 적용, 징역 15년을 선고한다.'

정일의 긴 진술이 끝나자 취조실 안에는 잠시 적막이 감돌았다.

"최수연 씨, 강정일 씨 진술서예요. 현재까지 진술 내용에 이의가 있으면 말씀하세요."

"없을 겁니다. 이동준 씨가 청부 재판을 한 판결문까지 제출했다, 수연아."

정일이 수연을 보며 비아냥거렸다.

"아빠……."

수연은 눈물이 맺힌 채 아버지의 손을 잡았다. 하지만 지금 최일환이 딸에게 해줄 수 있는 것은 아무것도 없었다. 최일환은 무력한 얼굴로 애잔하게 수연을 바라보았다.

"진철아, 최수연 씨, 구속영장 청구해라."

구속영장이라는 말에 최일환의 눈가에 처음으로 눈물이 맺혔다. 그의 눈가에서 눈물이 한 방울 떨어졌다. 맞은편에서 그 모습을 보던 정일의 얼굴에 자조적인 미소가 흘렀다.

"살인범은 강정일. 최일환이 은폐 과정을 주도했고, 최수연은 적극 개입했습니다. 사주를 받고 청부 재판을 한 건 이동준입니다."

경찰서장은 영주가 가지고 온 수사 서류를 들춰보다 고개를 들어 영주를 보았다.

"이동준, 체포영장 신청하겠습니다."

영주는 무거운 얼굴로 차마 꺼내기 힘든 그 말을 입 밖으로 내뱉었다. 서장은 고개를 끄덕였다. 서장에게 경례하고 돌아서는 영주의 눈에 눈물이 맺혔다.

영주는 허탈한 얼굴로 책상 앞 의자에 멍하게 앉아 있었다.

"이동준, 체포영장 발부됐습니다. 차량 대기시키겠습니다."

형사가 영주에게 다가와 영장을 내밀며 조심스레 말했다.

"오늘이 23일이지? 내일 가자, 진철아."

영주는 자신의 앞에 놓인 체포영장에 새겨진 이름 '이동준'을 무거운 얼굴로 바라보았다.

동준은 영주의 배려 덕에 엄마와 조촐하게 생일 파티를 할 수 있었다. 작은 상이 차려진 동준의 불 꺼진 방 안을 생일 케이크에 꽂힌 초가 따뜻하게 밝혀주었다.

"너 좋아하는 방아잎 넣고 된장국 끓였어. 연근 무침도 했는데, 간이 맞으려나 몰라."

"요양원 환자가 반으로 줄었다고 들었어. 내가 뉴스에 나오고 구속된다는 기사도 나오니까, 사람들이 불편한가봐."

동준은 미안한 얼굴로 안명선에게 봉투를 내밀었다.

"판사 할 때 모은 돈이야."

"네 이름으로 은행에 넣어둘게. 2년만 묶어두면 될까?"

동준은 아무 말 못하고 묵묵히 바라만 보았다.

"……3년 만기로 하면 되겠니? ……더 오래 넣어둬야 하니?"

동준은 천천히 고개를 끄덕였다. 예상은 했지만 생각보다 긴 세월에 안명선은 가슴이 턱 막혀왔다.

"……미안해, 엄마."

"동준아, 엄마는…… 네가 자랑스럽다. 네 아버지, 의료사고로 의사 면허 잃는 게 겁나서 그 사람이랑 결혼을 했어. 그 뒤에 몇 번이나 찾아왔었다. 병원도 결혼 생활도 다 포기하고 돌아오고 싶다고."

안명선은 옅은 미소 띠며, 결국 돌아오지 못했다는 의미로 고개를 가로저었다.

"그래서 알아. 한번 건너고 나면 돌아오는 게 더 힘들다는 거……. 요양원에서 어르신들 많이도 배웅해드렸어. 웃으면서 떠나는 분이 없었어. 마지막 호흡 전까지 다들 후회하시더라. 왜 그러고 살았을까 하면서……."

동준은 애써 웃음 지으며 자신을 위로하려 하는 엄마가 너무 안쓰러웠다.

"고마운 일이야. 우리 아들은…… 일찍 후회하고 다시 시작할 수 있으니까. 동준아, 우리에겐 남은 날들이 많아. 나오면 엄마랑 요양원에서 같이 살자."

동준은 가슴이 메어와 아무 말도 할 수 없었다.

"고구마 케이크구나. 엄마가 제일 좋아하는 걸 어떻게 알고 준비했을까?"

안명선은 옅은 미소를 띤 채 동준을 보다가 입김을 후우 불어서 초를 껐다. 초가 꺼지자 동준의 방은 어둠에 잠겼다. 그제야 안명선의 낮은 울음소리가 들렸다. 동준은 어머니의 울음이 그칠 때까지 어둠 속에서 고개 숙인 채 말없이 앉아 있었다.

*

다음 날 아침부터 태백으로 형사들이 들이닥쳤다. 십여 명의 형사들이 팀장층 복도로 밀려들어왔다. 직원들은 놀라서 자리에서 모두 일어났다.

"특별 수사팀 오정필 경위입니다. 태백에 대한 전면 압수수색을 실시합니다."

수사관의 고갯짓이 떨어지자 형사들이 사방으로 흩어져 압수수색을 시작했다. 동준의 집무실, 수연과 정일의 집무실, 비서들의 책상 등을 뒤지며 재빠르게 압수수색이 이루어졌다.

그 시각 영주는 형사 둘을 데리고 대표실로 향했다. 영주의 표정은 침통했다. 영주는 앞을 막아서는 비서에게 체포영장을 내밀었다. 비서가 비켜서자 영주는 심호흡을 하고 안으로 들어갔다. 영주를 따라온 형사들은 대표실로 들어가지 않은 채 밖에서 대기했다. 영주가 힘겨운 표정으로 대표실 안으로 들어서자 동준은 책상 앞 의자에 앉아 있다가 따뜻한 미소를 지으며 마중하듯 일어났다.

영주는 그 미소에 마음이 아파 일부러 업무적으로 말했다.

"이동준 씨, 청부 재판 및 비자금 관련 혐의로 체포합니다."

동준은 따뜻한 얼굴로 영주를 바라봤다.

"이동준 씨는 변호사를 선임할 권리가 있으며……."

"변호사 선임 안 할 겁니다. 내가 한 행동은 변호할 가치가 없어요. 검사의 논고대로, 판사의 선고대로 벌 받을 겁니다."

영주는 차마 동준을 볼 수 없어 딴 데를 보았다.

"묵비권을 행사할 수 있습니다."

묵비권이라는 말에 동준은 피식 하고 옅은 미소를 흘렸다. 영주가 참으로 싫어하는 말이었다,

"고마웠어요. 영주 씨가 없었으면…… 난 저 자리를 위해 살았을 겁니다. 신창호 씨가 아니었으면, 난 지금도 수연이랑 같은 방을 쓰고 있었을 거예요. 정말 고마워요, 영주 씨."

영주는 계속 동준을 외면한 채 다른 곳에 시선을 두었다.

"봐요."

영주는 동준을 볼 용기가 나지 않았다.

319

"영주 씨……."

그제야 영주는 눈물이 그렁그렁한 눈으로 동준을 보았다. 영주의 얼굴이 동준을 향하는 순간, 동준은 그녀에게 다가가 입 맞추며 꼭 껴안았다. 잠시 망설이던 영주도 동준을 끌어안았다. 동준과 영주는 둘 사이에 한 치의 공간도, 둘의 마음 사이에 한 치의 거리도 없는 것처럼 서로를 보듬어 안았다. 잠시 하나가 된 순간을 느끼다가 둘은 천천히 서로에게서 떨어졌다. 짧은 정적이 흐른 뒤 동준은 영주에게 양손을 내밀었다. 영주는 이슬 맺힌 눈으로 동준의 손목에 수갑을 채웠다. 영주는 동준을 먹먹하게 바라보았다.

영주가 동준을 대표실에서 데리고 나오자 대기하고 있던 형사들이 그를 호송해갔다. 영주는 동준의 뒷모습에서 눈을 떼지 못한 채 뒤를 따랐다.

17

　—최일환 대표 구속 이후, 법률회사 태백의 전권을 맡고 있던 이동 준 변호사가 청부 재판을 한 혐의로 경찰에 체포됐습니다. 이동준 변 호사는 김성식 기자 살인 사건의 진범이 따로 있음을 알고도 신창호 씨에게 유죄를 선고한 혐의를 받고 있습니다.

　반찬 가게에 놓인 텔레비전 화면에 동준이 경찰차에서 내리는 모습 이 나오고 있었다. 동준이 차에서 내리자 수십 명의 기자들이 일제히 플래시를 터뜨리며 달려들었다.

　영주 엄마는 마늘을 까다가 뉴스를 보고는 깊은 한숨을 내쉬었다.

　같은 시각 안명선 역시 요양원 원장실에서 뉴스를 보고 있었다. 화 면에 동준의 프로필 사진이 큼지막하게 나오고 있었다.

　—경찰은 청부 재판의 대가성 여부를 밝히는 데 총력을 기울이겠다 고 밝혔습니다. 현재 이동준 변호사는 범행 일체를 시인한 것으로 알 려지고 있습니다.

안명선의 눈에서 눈물방울이 뚝뚝 떨어졌다. 안명선은 눈물 닦을 생각도 않고 하염없이 화면 속 동준을 바라보았다.

경찰서 취조실에 동준과 정일이 영주를 가운데 두고 마주 앉아 있었다. 영주는 정일 앞에 진술서를 내밀었다.

"이동준 씨의 진술서예요. 김성식 기자 살인 사건 은폐 과정에 개입해서 청부 재판을 했다는 진술을 했어요. 이 모든 사건의 출발은 강정일 씨의 살인에서 시작된 것으로……."

"살인? 누가?"

정일은 무슨 말인지 모르겠다는 듯 고개를 갸웃했다. 영주는 정일의 반응에 당황하며 말을 멈추고 바라봤다.

"이미 죽은 시신에 낚싯대를 꽂은 것도 살인인가?"

정일은 천연덕스러운 표정을 지었다.

"내가 낚시터에 도착했을 때 김성식 기자는 안타깝게도 이미 사망한 상태였습니다."

정일은 머릿속으로 그날 일을 하나씩 떠올렸다.

"이동준 씨 판사 시절에 판례를 많이 연구했을 텐데."

정일은 앞에 놓인 볼펜과 지장을 찍는 용도의 인주, 손을 닦기 위한 휴지를 보았다. 정일은 볼펜을 들어 탁자에 세웠다.

"뺑소니 사건에서 흔히 나오는 판례입니다. 길을 건너던 보행자를 지나던 차가 충격."

정일은 사각 휴지로 볼펜을 툭 쳐서 넘어뜨렸다.

"보행자는 사망했습니다."

정일은 이번에는 휴지를 내려놓고 인주를 들어 볼펜을 타고 넘어가

322

는 시늉을 했다.

"그 뒤에 오던 차가 이미 사망한 보행자를 2차 추돌을 했습니다."

정일은 인주를 들어 보이며 미소를 지었다.

"이 사람은 무죄 판결을 받은 판례가 꽤 있을 겁니다. 유사한 사례 죠. 내가 낚시터에 도착하기 전에 백상구의 수하가 이미 김성식 기자 를 살해했습니다."

정일은 다시 한 번 그날의 마지막 장면을 떠올리며 고개를 절레절레 흔들었다

"두려웠습니다. 혹시 깨어나면 어떡하나? 그래서 이미 사망한 시신 에 낚싯대를……."

"살인죄를 피하고 사체 손괴죄를 주장하겠다는 말입니까?"

동준은 정일의 의도를 알 것 같았다. 동준은 끝까지 발버둥 치는 정 일을 답답하다는 얼굴로 보았다.

"아니죠. 진실을 주장하는 겁니다."

"현장에 있던 최수연 씨가 당신이 살인을 했다고 증언을……."

"수연이가 봤죠. 아주 멀리서! 당시 김성식 기자가 살아 있었다는 증 거가 수연이 진술서 어느 부분에 있습니까?"

영주는 수사의 허점을 공격당한 느낌이었다.

"형법 제161조 사체손괴죄. 사체, 유골 또는 유발을 오욕한 자는 2년 이하의 징역, 또는 500만 원 이하의 벌금에 처한다."

정일은 요 며칠 대면 조사에 성실히 응하며 한 가지를 깨달았다. 함 정에 빠지면 함정밖에 안 보이지만 구치소에 있다 보니 함정 주변이 보이기 시작했다.

"수연이는 대법원장을 매수했습니다. 중형을 선고받겠네. 최일환

대표는 사건 은폐 과정을 주도했습니다. 아마 무기징역이겠네. 당신은 청부 재판을 했습니다. 꽤 무거운 벌을 받겠죠."

동준은 기가 막히다는 얼굴로 말없이 정일의 말을 듣기만 했다.

"이 거대한 사건의 출발은 사소한 사체 손괴에서 시작됐습니다. 벌금 500만 원. 하, 부담스런 금액이죠. 이동준 씨, 진술서 다시 써야 할 겁니다."

정일은 자신의 방어 논리를 마련한 듯 만족스런 웃음을 지었다. 영주는 뜻밖의 상황에 황당했다.

정일은 흡족한 표정을 지으며 유치장으로 돌아왔다. 정일은 유치장에 들어가기 전에 옆방 앞에 잠시 멈춰 섰다. 정일은 그 안에 벽에 기대 앉아 있는 수연을 들여다보았다.

"수연아, 넌 아주 오래 감옥에서 지내게 될 거야. 자주 면회 갈게. 내가 어떻게 빠져나왔는지, 그래서 어떻게 살고 있는지, 너한테는 꼭 보여주고 싶다."

그 말에 수연은 뭔가 불길한 느낌이 들었다. 정일이 살아날 방법을 찾았다면 그것은 곧 수연에게는 치명적인 일임에 틀림없었다.

영주는 정일이 이번에도 빠져나가버릴 것만 같아 초조한 얼굴로 책상 앞에 선 채로 서류들을 뒤적였다. 그때 형사가 서류를 들고 형사과로 뛰어들어왔다.

"국과수 부검 서류입니다."

형사가 건네는 부검 서류를 영주는 빠르게 뒤적여보았다.

"김성식 기자 시신에 칼로 생긴 상처가 있습니다. 이후에 낚싯대로 가격을 했습니다. 그런데요. 사망의 근본 원인이 칼로 인한 자상 때문인지 낚싯대 때문인지는 부검만으로는 확인이 불가능하답니다."

뜻밖의 난관을 만난 영주는 굳은 얼굴로 잠시 서 있다가 취조실로 향했다.

"강정일이 며칠간 대면 조사에 성실하게 응했어요. 죄를 시인하고 법적 방어를 포기했다고 생각했는데……. 최일환과의 사건 은폐 과정에 자신이 개입했다는 증거가 없다는 사실을 확인했고, 최수연과의 대면 조사에서는 최수연이 살아 있는 김성식을 직접 보진 못했다는 걸 확인했어요."

동준은 뭔가를 골똘히 생각하는 얼굴로 영주의 말을 묵묵히 듣기만 했다.

"강정일은 수사의 빈틈을 노리고 있었어요. 김성식 기자가 살아 있었다는 걸 증명할 사람은 백상구뿐인데, 강정일은 우리가 백상구를 데려올 수 없다는 걸 믿고……."

"사체손괴죄. 받아들이세요, 영주 씨."

동준은 생각이 끝난 듯 단호한 표정을 지었다.

"동준 씨!"

영주는 말도 안 된다는 듯 펄쩍 뛰었다.

"강정일에게는 다른 죄가 있어요. 살인교사! 피해자는 바로 접니다."

"강정일은 동준 씨를 해외로 보내라고 지시했어요. 살해를 시도한 건 백상구의 독단적인 결정이고……."

영주는 갑자기 말을 멈추고 동준을 바라보았다. 동준은 영주의 생각이 맞다는 듯 고개를 끄덕였다.

"살인을 교사한 게 아니라는 걸 밝히려면, 강정일이 백상구를 데려와야 할 겁니다."

영주는 그 말에 잠시 생각에 잠겼다.

"하지만…… 백상구는 없습니다."

영주는 그래도 되는지 불편한 마음으로 동준을 바라보았다.

"강정일을 잡으려면 강정일의 방식을 써야죠."

영주는 그렇게 하겠다는 눈빛으로 동준을 보았다.

*

영주는 동준의 지시에 따라 요양원으로 향했다. 안명선은 영주가 온
다고 해서 동준에게 보낼 반찬을 마련했다. 안명선은 원장실 소파에
앉아 있는 영주 앞에 보자기로 싼 찬합을 올려놓았다.

"오늘은 연근 무침을 했어요. 교도소로 넘어가면 어미가 챙겨주는
반찬은 먹지도 못할 테니 경찰서에 있는 동안이라도 귀찮겠지만 부탁
해요."

"저도…… 부탁드릴 게 있어요."

영주는 잠시 망설이다 조심스레 말문을 열었다.

이호범은 원장실로 들어오다가 멈칫하며 그 자리에 그대로 섰다. 안
명선이 소파에 앉아 자신을 기다리고 있었다. 그녀는 아주 오랫동안
이곳을 찾아온 적이 없었다. 안명선은 이호범을 보고 어색하게 자리에
서 일어났다.

"벌써 30년도 넘었네요. 이 병원 간호사로 있다가 떠난 뒤에 처음 와
봐요."

이호범은 무슨 일인지 몹시 궁금한 얼굴로 안명선을 보며 그대로 서
있었다.

"당신한테 부탁하는 것도 처음이고요."

안명선은 간절한 눈빛으로 이호범을 바라보았다.

두 형사가 각각 유치장 문을 열자 수연과 정일이 밖으로 나왔다. 얼굴에 미소가 가득한 정일과 달리 수연의 얼굴에는 그림자가 드리워 있었다. 두 사람은 형사의 호송을 받으며 취조실로 향했다.

동준과 영주가 나란히 앉아 있는 취조실로 수연과 정일이 들어와 앉았다.

"국과수 부검 결과도 확인했을 테고, 백상구 소재지도 찾아봤을 텐데 표정이 안 좋네. 무죄 추정의 원칙. 나를 구속시키겠다는 고집을 버리고 맑은 눈으로 바라보면 진실이 보일 겁니다, 신영주 씨."

"사체손괴죄로 진술서 다시 쓰죠."

정일은 의기양양한 얼굴로 미소를 지었다. 수연은 사체손괴죄라는 말에 펄쩍 뛰었다.

"오빠가 김성식 기자를 죽였어요. 내가 현장에서 목격⋯⋯."

정일은 가볍게 탁자를 툭툭 치며 수연의 말을 중단시켰다.

"수연아, 법이 네 맘대로 움직이던 시간은 지났다."

"그런데 강정일 씨, 추가 사건이 있어요. 피해자 진술서예요. 강정일 씨가 백상구한테 이동준의 살해를 지시한 사실을 확인 중이에요."

영주는 동준의 진술서를 정일 앞에 놓아주었다.

그 말에 정일은 흠칫 놀랐다. 예상치 못한 일이었다.

"백상구가 살인교사의 대가를 수령한 현장을 목격한 증인도 있습니다. 여기 진술서예요."

영주가 또 다른 진술서를 내밀었다. 당황한 얼굴로 그 진술서를 보며 정일은 폐창고에서 백상구와 만났던 날이 떠올랐다.

'시키는 대로 하쇼이. 일 키우지 말고이. 내 입이 열리믄 여럿 상할 것인디…….'

"현장에 있었던 백상구의 수하예요. 아는 얼굴이겠네. 강정일 씨, 백상구한테 대가를 약속하고 이동준 씨의 살해를 지시했습니까?"

영주가 사진 한 장을 내밀며 물었다.

"아니, 난……."

정일은 당황한 모습을 감추며 침착하려 애쓰는데, 취조실 문이 열리며 이호범이 들어와 앉았다. 정일은 이호범을 보자 불길한 예감이 들었다. 정일은 바짝 긴장한 얼굴로 이호범을 쳐다보았다.

"이호범 원장님, 칼에 찔려서 한강병원으로 온 이동준 씨를 수술한 적이 있습니까?"

"네."

"흉기에 상처를 입은 환자가 병원에 오면 경찰에 신고부터 하는 게 원칙인 건 알고 계실 분인데."

"신고를 하려고 했습니다. 근데 이 사람이 찾아왔습니다."

이호범은 정일을 지목했다. 정일은 황당하다는 듯 펄쩍 뛰었다.

"난 이 사람, 처음 본다고요. 우린 초면입니다."

"그때도 이 말을 했습니다. 초면으로 하자고, 경찰에 알리지 말아달라고. 알리게 되면 태백도 동준이도 한강병원도 복잡해질 거라고."

"거짓말이야. 난…… 한강병원에 찾아간 적이 없어."

정일은 눈 하나 깜짝 않고 거짓말을 하는 이호범을 미칠 것 같은 표정으로 쳐다보았다.

"백상구가 건설 회사를 인수할 때 오빠가 저축은행을 통해서 융자를 알선해준 서류, 내가 가지고 있어요."

수연은 궁지에 몰리는 정일을 보자 흐뭇한 미소를 지으며 거들고 나섰다.

"예전에 오빠 다칠까봐 내가 없애려고 확보했는데, 다행이다. 안 버리고 잘 가지고 있어서."

"모든 증거가 강정일 씨의 살인교사를 증명하고 있네."

영주가 정일을 바짝 몰아붙였다.

"난…… 난…… 백상구한테 이동준 씨를 해외로 보내라고만 했어. 단순한 폭행 청부야. 살해를 시도한 건 백상구의 독단적인 행위였어."

"그걸 증명하고 싶으면, 강정일 씨…… 백상구를 데려오세요."

동준의 그 말에 정일은 멈칫했다. 정일은 자신이 동준과 영주가 쳐놓은 덫에 걸렸다는 사실을 이제야 깨달았다.

"아차, 백상구를 데려오면 김성식 기자가 살아 있었다는 게 드러나겠네."

동준은 담담한 얼굴로 정일을 쳐다봤다. 정일은 이 기막힌 상황에 입을 다물지 못했다.

영주는 탁자 위에 놓인 백상구 수하의 사진을 들어 보였다.

"대가를 약속한 현장을 본 목격자가 있어요. 대통령 주치의한테 은폐를 부탁했고요. 대가의 증거도 제출될 겁니다. 강정일 씨, 살인교사 혐의로 기소될 겁니다."

정일은 한번에 무너져 내리면서 일그러진 얼굴로 헛웃음을 웃었다.

수연과 정일은 다시 유치장으로 돌아갔다. 정일은 넋 나간 얼굴이었다. 그 모습을 보며 수연은 유치장으로 들어가려다 잠시 고갯짓으로 형사에게 양해를 구하고는 정일의 유치장 앞으로 다가갔다.

"오빠는 아주 오래 감옥에서 지내게 될 거야. 자주 면회 갈게. 내가 어떻게 빠져나왔는지, 어떻게 살고 있는지, 오빠한테는 꼭 보여주고 싶다."

수연은 미소를 띤 채 정일을 보다가 유치장 안으로 들어가 벽에 기대앉았다. 수연은 무너져 내리는 정일을 보며 다시 기운을 차리고 새로운 계획을 짜기 시작했다.

모두가 떠난 텅 빈 취조실에 동준은 이호범과 마주 앉았다.

"네 엄마가 왔었다. 평생 해온 거짓말, 아들을 위해 한 번만 더 해달라더구나. 내가 대통령 주치의다. 청와대 실세들한테 잘 부탁해서 네 형량은……."

"하지 마십시오. 아버지가 살아온 길 어디에도 제가 따르고 싶은 순간은 없습니다. 안녕히 가세요. 출소한 뒤에도 찾아뵐 일은 없을 겁니다, 아버지."

이호범은 너무도 단호한 동준을 씁쓸한 얼굴로 바라보았다.

"김성식 기자 살인 사건 은폐에 가담한 경찰들을 내사 중이라고 들었습니다. 말단 형사들 위주로 책임을 묻고 있다고 합니다."

영주가 경찰서장에게 따지듯이 물었다. 경찰서장은 불쾌한 얼굴로 영주를 힐끗 보았다.

"당시 고위 간부 브리핑에 참석했습니다. 모두가 진실을 외면했습니다."

그날 브리핑에 참석했던 간부들은 하나같이 영주의 수사 자료 유출만을 물고 늘어졌었다.

"그 브리핑에 참석한 고위 간부들부터 전원 수사해주십시오. 그날 참석한 경찰 간부 명단입니다. 진실을 보고도 외면한 데는 이유가 있겠죠."

영주는 경찰서장에게 간부 명단을 제출했다. 경찰서장은 명단을 받아 들고 난감한 표정을 지었다.

동준과 영주는 취조실에 앉아 안명선이 보내준 반찬을 사이에 두고 밥을 먹었다.

영주는 연근 무침 하나를 먹더니 인상을 찌푸렸다.

"세상은 공평하네. 동준 씨 어머니, 곱고 단아하셔서 나도 저렇게 늙고 싶다는 생각이 들 만큼 부러웠는데, 음식 솜씨가 영……."

"우리 입맛도 비슷하네. 장점도 있어요. 엄마가 만든 반찬을 먹다 보면, 세상의 모든 식당이 맛집으로 느껴져요."

그 말에 영주는 피식 웃다가 걱정스런 얼굴로 동준을 바라보며 조심스레 말을 꺼냈다.

"동준 씨 친구들이 찾아왔어요. 다들 변호사더라. 동준 씨 변호하고 싶다고, 돈은 필요 없다고. 동준 씨는 어쩔 수 없는 상황이었으니까."

"어쩔 수 없는 그 상황을 견뎌낸 사람들도 있어요. 신창호 씨, 김성식 기자. 변호는 필요 없습니다."

영주는 마음이 가라앉는 얼굴로 동준을 보다가, 쑥스러운 듯 외면하며 말을 툭 내뱉었다.

"5년 정도면 기다릴 수 있는데……."

"술 많이 마시지 말아요. 아침마다 조깅도 하고. 한약은 엄마한테 부탁했어요. 내가 먹던 거, 같은 걸로 매달 영주 씨한테 보내달라고. 걱정 말아요. 돈은 내 통장에서 나가니까. 그리고…… 부탁이 있어요."

영주는 눈가가 촉촉하게 젖은 채 애틋하게 동준을 보았다.

"내가 출소하는 날, 영주 씨가 해준 밥하고 반찬…… 먹어보고 싶은데……."

영주는 피식 웃으며 인상을 살짝 찌푸렸다.

"세상은 공평해요. 나도 음식 솜씨가……."

"아주 좋은가요?"

동준은 장난스런 얼굴로 영주를 사랑스럽게 바라보았다. 영주는 동준을 살짝 흘겨보며 환하게 웃었다.

*

교도소에 수감 중인 송태곤은 전 검찰총장 이태준 뒤에 앉아 어깨를 열심히 주물러주고 있었다.

"됐다. 고마 해라."

송태곤은 그제야 안마를 멈추고 앞으로 가서 앉았다.

"몇 달 전만 해도 요서 내가 젤로 높은 놈이었는데, 아따, 대법원장이 옆방에 들어오더이 장관들이 줄을 서가 교도소로 달리오네. 검찰총장, 대법원장, 장관, 법조계에서 방구깨나 끼던 놈들이 다 요기 모여 있으이 바깥세상에 방구 냄새는 덜 나겠다, 그자?"

이태준은 자신의 농담이 마음에 드는지 혼자 흡족하게 웃었다. 송태곤은 맞장구치듯 어색하게 웃다가 사물함 위의 귀마개를 의아한 눈으로 보았다.

"근데 총장님, 귀마개는 왜 항상 옆에 두십니까?"

이태준은 귀마개를 보며 잠시 회한에 젖었다.

"먼저 떠난 놈이 내 귀에 씌아주고 간 기다. 시상에서 나는 더러분 소리는 듣지 말고, 내 안에서 들리는 소리 잘 듣고 고대로 살라고. 태곤아, 인생이 두 번이믄 얼매나 좋겠노? 한 번은 시궁창에서 살았으이 두 번째는 깨끗한 연못에서 살아볼 낀데. 그자? 내일 재판 나가제?"

"네."

이태준은 인생의 선배 같은 느낌으로 따뜻하게 송태곤의 어깨를 두드려주었다.

"내는 늦었고, 니는 아직 안 늦었데이. 재판 잘 받아래이. 그칸데 태곤아, 담에 경찰서에서 부르믄 내도 데리고 가믄 안 되겠나? 니가 갈비탕 묵을 때 내는 옆에서 짜장면 한 젓가락만 묵고 싶데이."

"총장님, 그건 안 됩니다. 그런 부탁 하다가 저도 안 부르면 어떡합니까? 그리고요, 짜장면 먹는 소리가 얼마나 시끄러운데요, 후루룩, 쩝쩝. 취조실에서, 아유."

송태곤은 정색하며 절대 안 된다는 듯 고개를 가로저었다. 이태준은 끙 하는 얼굴로 귀마개를 하고 바닥에 드러누웠다.

"태곤아, 내는 아무 소리도 안 내고 짜장면 묵을 자신 있다. 그래도 안 되겠나?"

이태준이 낮고 무거운 목소리로 다시 한 번 진지하게 물었다.

"네!"

송태곤이 단호하게 대답했다. 이태준은 송태곤을 한번 살짝 흘겨보고는 눈을 감고 입맛을 다셨다.

―김성식 기자 살인 사건 은폐 조작에 가담한 피의자들에 대한 첫 공동 심리가 오늘 서울지방법원에서 열립니다.

이호범은 한강병원 원장실 소파에 앉아 착잡한 얼굴로 뉴스를 보고 있었다. 화면에는 최일환을 비롯해 사건과 관련된 인물들의 사진이 나오고 있었다.

—대규모 비자금 사건과 별도로 진행되는 이번 재판에는 최일환 태백의 전 대표와 그 딸인 최수연, 강유택 회장의 아들 강정일, 그리고 이동준 변호사와 송태곤 태백의 전 비서실장까지 사건 관련자 전원에 대한 심리가 진행될 예정입니다.

안명선 역시 요양원 원장실에 앉아 텔레비전을 보고 있었다. 그녀는 화면에 나오는 동준의 사진을 가슴 아픈 눈으로 하염없이 바라보았다.

재판정 피고인석에는 이동준, 최수연, 강정일, 최일환, 송태곤이 앉아 있었다.

"전 아버지 최일환 대표의 지시를 받고 따른 것뿐이에요, 검사님."

"현직 판사가 건강보험공단에 합법적인 질의를 했습니다. 이걸 의혹과 비리로 부풀려 대법원장한테 전한 게 아버지의 지시를 따른 것이었다?"

검사가 황당한 얼굴로 수연에게 되물었다.

"전 어릴 때부터 심부름은 잘했으니까요."

수연은 말간 얼굴로 검사를 빤히 쳐다보며 대답했다. 동준은 그 의도를 알겠다는 얼굴로 수연을 바라보았다. 방청석에 앉은 영주는 어떻게든 빠져나가려는 수연의 모습에 답답한 듯 한숨을 내쉬었다.

"최일환 대표가 지시한 일의 의미가 뭔지 판단하고 분별할 정도의 성인이라고 생각됩니다만……"

"판단은 아버지가 해요. 기소장에 기록된 사실, 모두 다 아버지의 지시를 따른 것일 뿐 범죄 의도는 없었습니다."

수연은 대답을 마치고 최일환을 바라보았다. 최일환이 잘했다는 듯 낮게 고개를 끄덕여주었다.

"제가 딸아이한테 시켰습니다. 강직한 판사에 능력까지 뛰어난 사윗감이 탐나서 그랬습니다."

"사윗감이 탐나서 청부 재판을 요구하고 판결문을 쓴다는 게……"

검사는 기가 막힌다는 얼굴로 최일환을 쳐다보았다.

"그 판결문은 제가 쓴 게 아닙니다."

최일환은 검사의 말을 자르며 송태곤을 담담하게 바라보았다.

"왜 그랬나?"

송태곤은 갑작스런 최일환의 질문에 기가 막혀 말문이 막혔다.

"송태곤 비서는 강유택 회장한테 금전을 수수한 적이 있습니다."

그 말에 송태곤은 화들짝 놀라며 과거 강유택의 말을 떠올렸다.

'요번에 이사했다 캐가 도배라도 하라꼬 보낸 긴데, 돈이 적더나?'

"둘 사이에 거래가 있었겠지요. 그래서 판결문을 쓰고 청부 재판까지……"

송태곤은 어이가 없어 입이 떡 벌어졌다.

"재판장님, 전 사윗감이 탐나서 딸아이한테 대법원장을 움직이라고 시켰습니다. 하지만 판결문을 쓰고 청부 재판을 요구한 건 아들 강정일의 살인을 덮으려는 강유택이 한 짓입니다. 하나의 사건으로 보이겠지만 두 가지 의도가 우연히 합쳐진 사건입니다."

정일은 눈 하나 깜짝하지 않고 뻔뻔하게 거짓말을 늘어놓는 최일환을 어이없다는 눈으로 쳐다보았다.

영주는 재판의 방향이 뜻밖의 방향으로 흘러가자 다시 초조해지기 시작했다. 최일환은 어떤 상황에서도 쉽게 포기할 인간이 아니었다. 영주는 동준과 송태곤을 취조실로 다시 불렀다. 대책을 세워야 했다.

"그래. 나 도배하라고 돈 좀 받았다. 그게 뭐? 그래서 어쩌라고오! 대가성도 없어요오. 그냥 격려금……. 그래, 금일봉이라고오."

송태곤은 억울해 죽겠다는 듯 소리를 질렀다.

"논점은 두 가지입니다. 수연이는 최일환 대표의 지시를 이행했을 뿐이라고 주장하고 있습니다. 수연이가 자신의 의도대로 대법원장을 움직인 증거만 있으면 수연이의 논리는 논박될 수 있어요. 황보연 변호사를 만나세요."

"그럼 최일환 대표는 어쩔 생각일까요?"

"강유택 회장 살인 혐의는 벗을 수가 없습니다. 수연이를 지키려는 겁니다. 청부 재판 판결문을 선배가 썼다고 주장하면, 은폐 과정에 수연이가 주도적으로 개입한 사실을 숨길 수 있으니까."

"야, 난 판결문 한 번도 써본 적이 없다. 나 검사였어."

송태곤은 억울해 죽겠다는 얼굴로 하소연했다.

"문체는 바꿀 수가 없습니다."

"맞아. 나도 판결문만 딱 보면 어느 판사가 썼는지 알겠더라고."

"영주 씨, 최일환 대표는 사법연수원을 마치고 3년 동안 판사로 재직했어요. 당시에 작성한 판결문들이 법원 서버에 공개되어 있을 겁니다. 그 판결문들을 찾아보세요."

문체나 말투는 오랜 세월 그 사람과 함께한 것이어서 지문처럼 바꾸기가 쉽지 않다. 동준은 일부러 의도하고 바꿔도 그 흔적은 남는 법인데 하물며 무심코 썼다면 판결문에서 최일환의 흔적을 찾는 건 어렵지 않을 것이라 생각했다.

영주는 법원 서버에서 최일환의 판결문을 찾는 동시에 태백으로 들어가 황보연과 조경호를 만났다.

"두 분 불구속 상태로 재판 중이죠? 협조하면 정상 참작에 도움이 될 거예요, 조경호 씨."

"정일이 면회를 했는데, 최일환 대표를 무너뜨려달라고 했습니다. 친구의 마지막 부탁인데 들어줘야지요."

"황보연 씨."

"증언할게요. 이번 반성문도 잘 쓰면 내 재판에 유리하겠죠."

조경호와 황보연은 영주의 부탁을 흔쾌히 들어주었다. 영주는 두 사람을 보며 흡족한 미소를 지었다.

*

두 번째 공판이 열리는 법정 안은 첫 번째 공판 때보다 안정돼 보였다. 최일환, 강정일, 최수연 모두 조금씩 뭔가를 내려놓은 듯했다. 공판이 시작되자 황보연이 증인석으로 걸어 나왔다. 수연은 증인석에 앉는 황보연을 보고 미간을 찌푸렸다.

"최수연 팀장님은…… 최수연 씨는……."

수연은 황보연이 자신을 팀장님에서 최수연 씨로 바꿔 칭하자 헛웃음이 나왔다.

"장현국 대법원장을 자주 만났어요. 이동준 씨의 불륜 문제를 빌미로 내사를 부탁한 적도 있어요. 제가 동영상을 캡처한 사진을 장현국 대법원장한테 전달했어요."

"최수연 씨는 최일환 씨의 지시를 받고 모든 일을 집행했다고 주장하고 있습니다."

검사의 말에 황보연은 갸웃하는 얼굴로 수연을 빤히 쳐다보았다. 솔직히 황보연은 미결수 옷을 입은 수연을 보니 한편으로는 통쾌하기도 했다.

"아버지의 지시를 받고 남편의 불륜을 내사해달라는 부탁을 하는 여자는 없어요. 최수연 팀장과 장현국 대법원장은 상시적으로 교류하는 사이였어요."

수연은 황보연에게 뒷통수를 제대로 얻어맞은 기분이었다. 인간이란 이익에 따라 움직이는 동물이라는 걸 알고 있었지만, 황보연이 이렇게까지 나올 줄은 꿈에도 몰랐다. 수연은 쓴웃음을 지으며 황보연을 쳐다봤다.

황보연에 대한 질문이 끝나자 조경호가 증인석으로 올라왔다.

"판결문 원본은 현재 서버에서 삭제된 상태입니다. 예전에 서버에서 판결문을 확인한 적이 있습니까?"

"네."

조경호는 정일의 부탁으로 송태곤의 집무실에서 최일환이 쓴 판결문을 찾아냈던 기억을 더듬었다.

"그 당시 판결문의 작성자는 최일환 대표로 되어 있었습니다."

"조경호 변호사는 강정일 팀장의 오랜 친구요. 그런 사람의 증언은 신뢰할 수가 없습니다."

최일환이 당황한 얼굴로 벌떡 일어나며 이의를 제기했다. 하지만 검사는 최일환을 무시하며 동준을 쳐다보았다.

"이동준 씨."

"경찰이 확보해서 제게 검토를 요청한 판결문입니다."

동준이 자리에서 일어나 판결문을 검사에게 건넸다. 검사는 그 판결문을 받아 판사석 앞 정리에게 건네고, 정리는 다시 판결문을 판사에게 건넸다.

"최일환 씨가 1977년 대구지방법원에 판사로 재직할 때 맡은 사건들의 판결문입니다."

최일환은 멈칫하며 천천히 자리에 앉았다. 최일환은 동준의 의도를 알 것 같았다.

"판사님, 문체는 바뀌지 않습니다. 신창호 사건의 1심 판결문과 최일환 씨가 판사로 재직 중 작성한 판결문. 도입과 마무리, 중간에 논점을 변곡시키는 문장까지 동일하다는 게 확인됐습니다. 아울러 송태곤 씨가 검사로 재직 중 작성한 구형 문서를 함께 제출합니다. 두 문서를 비교, 누가 작성한 것인지 재판부가 현명한 판단을 내려주십시오."

동준은 할 말을 다한 듯 조금은 헛헛한 얼굴로 자리에 앉았다. 최일환과 수연은 참담한 표정으로 서로를 바라보았다. 수연은 불안한 눈빛으로 최일환을 바라봤다. 최일환은 이제 다 끝났다는 얼굴로 고개를 가로저었다. 비로소 수연은 고개를 떨궜다. 최일환은 딸을 위해 아무것도 해줄 수 없다는 게 가슴 아팠다. 정일은 그 부녀를 보며 고소하다는 듯 미소를 지었다.

영주는 재판 내내 동준의 굳건한 뒷모습을 보며 마음이 아팠다. 혼자서 십자가를 짊어진 동준의 어깨가 너무 무거워 보였다. 영주는 고심 끝에 담당 검사를 찾아갔다. 영주는 가지고 온 서류 뭉치를 검사의 책상에 올려놓았다.

"이동준 씨가 아니었으면 이 사건, 밝혀지지 않았을 거예요. 그동안 이동준 씨가 협조한 내역입니다. 선처를……."

검사는 그 서류들을 내려다보다가 다른 서류 한 장을 영주에게 내밀었다. 영주는 그 서류를 받아서 들여다보았다. 그 서류는 양형 기준표였다. 법대로 규정대로 하겠다는 뜻이었다.

"검사님."

"동일 사건의 공범들끼리는 양형의 균형을 맞춰야 합니다. 이동준 씨의 형이 낮아지면 함께한 공범들도 같이 형이 낮아질 겁니다. 그게 이동준 씨가 바라는 건 아닐 텐데요."

영주는 동준이 원하는 바를 누구보다 잘 알고 있는 터여서, 달리 반박할 말을 찾지 못한 채 깊은 한숨만 내쉬었다.

18

재판정 안은 찬물을 끼얹은 듯 고요했다. 검사가 구형을 하는 동안 그 누구도 입을 열지 않은 채 바짝 긴장한 얼굴로 귀를 열고 있었다.

"피고인 강정일에게 사체손괴 및 살인교사의 죄를 적용, 징역 15년을 구형합니다."

정일은 각오한 형량인 듯 묵묵히 듣기만 했다.

"피고인 최일환에게 뇌물 공여 및 업무 방해, 강유택에 관한 살인죄를 적용, 무기징역을 구형합니다."

최일환은 각오는 했지만 막상 현실이 되자 그 현실을 마주치기 두려운 듯 눈을 질끈 감았다.

"피고인 최수연에게 뇌물 공여 및 업무 방해를 적용, 징역 12년을 구형합니다."

수연은 자신도 모르게 낮은 한숨을 내쉬며 눈가가 젖어들었다.

"피고인 송태곤에게 업무 방해를 적용, 징역 5년을 구형합니다."

송태곤은 안도하는 표정이었다.

"피고인 이동준은 판사로 재직하던 자로서 사적인 이익을 위해 청부 재판을 한 죄는 엄중히 처벌해야 할 것입니다."

검사는 방청석의 영주와 잠시 눈을 마주친 뒤 동준을 보며 말했다.

"피고인 이동준에게 징역 10년을 구형합니다."

영주는 예상보다 강한 구형량에 놀라며 안타까운 눈으로 동준을 바라보았다.

"피고인, 최후 진술하세요."

검사가 자리로 가서 앉자 판사가 최후 진술을 지시했다.

동준은 천천히 자리에서 일어나 뒤를 돌아 잠시 영주를 바라보았다. 동준은 울 것 같은 영주에게 괜찮다는 듯 따뜻한 미소를 건넨 뒤 판사를 보며 최후 진술을 시작했다.

"저는 판사였지만 판사답게 살지 못했습니다. 기자가 아니었지만 기자답게 살아온 분의 인생을 모욕했습니다. 그 대가로 안락한 삶을 살려 했습니다."

영주는 그 말에 울컥하며 눈시울이 붉어졌다.

"변명하지 않겠습니다. 저를 무겁게 벌함으로써 그 누구도 법으로부터 자유로울 수 없음을 보이시고, 이 재판을 바라보는 수많은 국민들이 정의의 시대가 시작되었다는 희망을 품게 해주십시오."

말을 마친 동준은 비로소 편안해진 얼굴로 자리에 앉았다. 동준의 뒷모습에 영주는 가슴이 아려왔다. 영주는 앞으로 짊어져야 할 그 삶의 무게를 동준이 어떻게 감당할 수 있을지 안타까울 뿐이었다.

―경찰은 오늘 태백 비자금 스캔들 특별 수사팀의 노고를 치하하는 뜻으로 특진 스물네 명, 표창장 수여 마흔여덟 명의 명단을 발표했습

니다. 경찰은 거대한 법조 비리에 맞서 두려움 없이 최선을 다해 경찰의 명예를 드높인 공로를 높이 사며…….

요양원 원장실에서 노기용과 영주는 못마땅한 얼굴로 뉴스를 보고 있었다. 노기용은 더 이상 못 듣겠는지 화를 참을 수 없는 얼굴로 텔레비전을 꺼버렸다.

"아니, 이게요, 말이 안 됩니다. 일은 이동준 변호사가 다 했는데, 그 이름은 쏙 빠지고 왜 경찰들끼리 잔치를 벌입니까? 이번 사건, 경찰 상부에서 지들이 몽땅 먹으려고 그러는 거 아닙니까?"

영주는 아까부터 책상 의자에 앉아 아픈 눈으로 텔레비전을 보던 안명선에게 시선이 갔다. 안명선은 체한 사람처럼 답답한 듯 가슴을 주먹으로 내리쳤다. 그 모습을 지켜보던 영주는 뭔가 결심한 듯 노기용을 보며 말했다.

"기용아, 내가 먼저 시작할게."

노기용이 고개를 갸웃하며 쳐다보더니, 이내 뭔가 알아차린 듯 입가에 미소가 번졌다. 그사이 두 사람은 퍽 호흡이 잘 맞게 되었다.

＊

영주는 자신이 근무하는 형사과로 기자들을 불러 모았다. 책상 앞 의자에 앉은 영주를 기자 대여섯 명이 빙 둘러쌌다.

"이번 사건은 이동준 변호사의 내부 제보로 시작됐어요. 태백과 연루된 출국 금지자 명단도, 뇌물 수뢰자 명단도 모두 이동준 변호사가 경찰에 제출한 거예요."

"경찰 상부에서는 자체적으로 수사해서 해결했다고 하던데."

기자가 의아하다는 물었다.

"아뇨. 이번 사건에서 경찰이 한 일은, 이동준 변호사의 뒤를 따라가서 진술서를 받은 것밖에 없어요."

기자들은 영주의 말에 뜻밖이라는 듯 두리번거리며 서로 낮게 웅성대기 시작했다.

경찰서장은 영주를 앞에 세워놓고 뉴스를 보고 있었다. 화면에 인터뷰를 하는 영주의 모습이 나오고 있었다.

─수사 실무를 담당한 특별 수사팀 신영주 경위는 이 모든 사건을 제보하고 협조한 사람이 이동준 변호사라고 밝혔습니다. 신영주 경위는 경찰이 이를 숨기고 모든 실적을 경찰의 공로로 포장한 것이라고 밝혔습니다. 이번 사건을 계기로 내부 고발자의 희생이 감춰져서는 안 된다는 여론이 형성되고 있습니다.

경찰서장은 뉴스를 듣다가 몸을 휙 틀며 이글거리는 눈으로 영주를 쳐다보았다.

"사실과 다른 기사가 있으면 말씀해주세요, 서장님. 내일은 또 다른 사실이 보도될 겁니다."

영주는 경찰서장에게 정중하게 경례하고 밖으로 나갔다. 경찰서장은 영주의 뒷모습을 보며 분통을 터뜨렸다.

영주는 서장실에서 나오며 노기용에게 전화를 걸었다.

"기용아, 시작해라."

그때 맞은편에서 걸어오던 배계장과 형사들이 영주를 따가운 눈초리로 바라보며 지나갔다. 하지만 영주는 전혀 개의치 않는 얼굴로 복도를 걸어갔다.

노기용은 동준의 집무실 소파에 앉아 대여섯 명의 기자들에게 둘러싸인 채 인터뷰를 하고 있었다.

"그러니까요. 말이 비상 전권을 가진 대표지, 아이고, 경비 아저씨도 인사를 안 했다니까요. 그 구박을 당하면서도 버텼다고요. 여기 태백에 있는 자료 다 챙겨서 경찰에 줬어요. 아, 제가 차로 날랐습니다. 또, 또, 뭐든 물어보세요."

노기용은 흥분한 듯 앞에 놓인 물을 마시며 떠들어댔다. 노기용을 향해 여기저기서 카메라 플래시가 터졌다.

요양원 텔레비전 화면에 영주의 인터뷰와 노기용의 인터뷰가 이어서 나오고 있었다. 뉴스를 보는 영주와 노기용, 안명선의 얼굴에 흐뭇한 미소가 번졌다.

―태백의 거대 스캔들 수사에 이동준 변호사의 헌신적인 희생이 있었다는 사실이 속속 밝혀지고 있습니다. 경찰은 특진자와 표창장 수여자를 대상으로 이 사실을 인지하고 있었는지 여부를 자체적으로 내사하겠다는 입장을 발표했습니다. 1심 선고가 하루 앞으로 다가온 지금, 이동준 변호사의 죄를 물을 것인지, 공을 치하할 것인지, 여론의 관심이 집중되고 있습니다.

노기용은 이제야 제대로 됐다는 듯 뿌듯한 얼굴로 텔레비전을 껐다.

"고마워요. 우리 아들을 위해서 이렇게까지…… 정말 고마워요."

안명선은 눈가에 살짝 눈물이 고인 채 영주의 손을 꼭 잡아주었다.

*

판결이 내려질 재판정 안에는 팽팽한 긴장감이 감돌았다. 최일환,

345

강정일, 최수연, 송태곤의 얼굴에는 초조함이 가득했다. 반면 이동준의 얼굴은 평온해 보였다. 동준은 모든 걸 받아들일 준비가 되어 있었다. 삶의 끄트머리가 아닌 시점에 다시 시작할 수 있게 된 것이 그저 감사할 따름이었다.

"일동 기립."

정리가 외치자 모두 일어났다. 법정 뒷문으로 판사들이 들어와 자리에 앉았다. 이어 정리가 "일동 착석."이라고 외치자 모두 자리에 앉았다. 잠시 후 판사가 판결문을 읽기 시작했다.

"김성식 기자 살인 및 은폐 사건에 관해 아래와 같이 판결한다. 피고인 강정일. 사체손괴 및 살인교사를 적용. 징역 10년."

정일은 이미 어느 정도 형량을 계산했던 터라 표정 변화가 없었다.

"피고인 최일환. 뇌물 공여 및 업무 방해, 살인죄를 적용. 무기징역."

최일환은 이제 생의 마지막을 감옥에서 마무리하게 되었다는 생각에 두 눈을 질끈 감았다.

"피고인 최수연. 뇌물 공여 및 업무 방해를 적용. 징역 7년."

수연은 눈물이 그렁그렁한 눈으로 입술을 깨물었다.

"피고인 송태곤. 업무 방해를 적용. 징역 2년."

송태곤은 아래로 내린 주먹을 불끈 쥐고 소리 없이 '아싸!' 하고 외쳤다.

영주는 동준의 차례가 다가오자 입이 바짝 마르면서 판사에게서 눈을 떼지 못했다.

"피고인 이동준. 징역 4년에, 변호사 자격 정지를 선고한다."

판사가 법봉을 탕탕탕 두들겼다. 동준은 평정심을 유지한 채 판사의 판결을 묵묵히 받아들였다. 동준과 달리 방청석의 영주는 안도의 한숨을 내쉬었다. 마음의 무게가 조금은 덜어지는 기분이었다.

*

그로부터 시간이 얼마간 지난 어느 날, 영주는 교도소로 동준을 만나러 갔다. 영주는 형이 확정돼 기결수복을 입고 있는 동준을 안쓰러운 눈으로 보다 그 앞에 서류를 내밀었다. 동준은 궁금한 얼굴로 서류를 보았다. 국가 배상 신청서였다.

"국가 배상을 신청할 거예요. 논점은 두 가지예요. 살인 누명이랑 위중한 상태인데 형 집행정지를 미룬 거. 그 신청서, 동준 씨가 써줘요."

"……좋은 변호사가 많을 텐데."

"아빠가 어떻게 살아왔는지, 어떻게 떠났는지, 가장 잘 아는 사람이잖아요. 이 재판, 아빠의 묘비명이라고 생각해요. 역사에 남진 않겠지만 꽤 오랫동안 기억될 거잖아요. 나하고 동준 씨가 남기는 아빠의 묘비명. 써줘요, 동준 씨."

동준은 잠시 영주를 바라보다 고개를 끄덕였다.

"배상 많이 받았으면 좋겠다. 쓸 데가 있거든요."

동준은 갑자기 돈 욕심을 보이는 영주를 의아한 눈으로 쳐다보았다. 영주는 그런 게 있다는 얼굴로 겸연쩍게 웃었다.

"신창호의 유족이 신청한 국가 배상에 대해 아래와 같이 판결한다. 신청액 2억 5000만 원을 전액 인정한다."

판사가 법봉을 탕탕탕 두들겼다.

영주는 몇 달 뒤 국가로부터 배상을 받게 되었다. 영주는 배상액도 중요했지만, 무엇보다 마침내 신창호의 누명이 제대로 벗겨진 것이 벅

찬 듯 낮게 심호흡을 했다.

배상을 받게 된 영주는 생각했던 일을 추진하기 위해 경찰서에 사직서를 제출했다.

"특진에서 밀렸다고 사직서를 내는 겁니까? 우리는 어떡하라고요? 계장님 때문에 나요, 특진에서 밀렸지만 원망은 안 합니다. 그러니까 우리 같이 계속……."

영주가 작은 박스 하나를 들고 형사과를 나가려는데 진철이 안타까운 얼굴로 그 옆에 와서 섰다.

"내가 같이, 계속 가고 싶은 사람이 있다. 형사로 있으면 그 사람하고 같이 못 가. 그 사람 나오면 할 일, 내가 준비하려고 그런다. 진철아, 저 사람처럼만 되지 마라."

영주는 배계장을 가리키며 충고했다. 영주는 진철의 머리를 친근하게 헝클어주고 손 내밀어 악수한 뒤 씩씩하게 경찰서를 나섰다.

＊

영주는 경찰서를 그만두고 로스쿨에 입학했다. 아버지의 억울한 죽음으로 받은 배상액을 가치 있게 쓰고 싶었다. 자신이 원래 하고 싶었던 공부를 하기로 결심했다. 이제라도 법을 공부해서 아주 작은 정의라도 실천하는 삶을 살고 싶었다. 아버지 신창호가 영주에게 만들어주고 싶었던 그 세상을, 영주는 아버지를 대신해 만들어보고 싶었다.

"환자가 죽음에 임박한 상태에서 인간으로서의 존엄과 가치를 지키기 위해 연명 치료를 거부 또는 중단을 결정할 수 있어. 이건 헌법상 자기 결정권의 한 부분으로 인정이 되지. 그런데 말이야. 연명 치료의 중단에 관한 자기 결정권을 보장하기 위한 입법 의무가 국가에 있느냐.

348

그건 별개의 문제란 말이야."

영주는 3년간 열심히 강의를 들으며 공부해왔다. 이제 마침내 변호사 시험을 앞두고 영주는 자신의 모의시험 답안지를 들고 교도소 특별 면회실로 동준을 찾아갔다.

영주는 긴장한 얼굴로 동준이 채점하고 있는 답안지를 쳐다보았다. 빨간 펜으로 동그라미를 칠 때는 얼굴이 환해지고, 찍! 선을 그을 때는 움찔하며 보았다. 채점을 다 마친 동준이 시험지를 내려놓고 영주를 빤히 바라보았다.

"어때요? 다음 주가 변호사 시험인데…… 합격할까요?"

"시험 문제의 수준이 너무 낮아요. 법대 학부 수준이야. 로스쿨보다는 사법고시를 부활시키는 게 양질의 인재를 뽑는……."

"맞아요. 난 저질 인재예요. 아무튼 합격할 수 있을까요?"

영주는 다른 말은 다 상관없고 자신이 듣고 싶은 말에만 집중했다.

동준은 빙긋 웃더니 고개를 끄덕였다.

"로스쿨에서요. 동준 씨가 쓴 판결문을 교재로 써요. 동준 씨가 쓴 판결문이 그렇게 훌륭한가?"

"뭐, 내 입으로 말하면 너무 자랑 같아서……."

그 말에 동준과 영주는 서로를 보며 킥 하고 웃었다.

"신창호 씨 국가 배상금으로 시작한 공부예요. 그러니까 신창호 씨가 영주 씨 변호사 되는 거, 도와줄 거예요."

영주와 동준은 서로의 손 위에 손을 올리고 따뜻한 눈빛으로 바라보았다.

*

변호사 시험을 치르고 얼마 후, 영주는 이불을 덮어쓴 채 스마트폰으로 법무부 사이트에 들어갔다. 홈페이지를 쭉 훑어보던 영주는 변호사 시험 합격자 발표 페이지를 클릭했다. 한 손에 든 수험표를 보며 '11017' 번호를 확인했다. 합격자 번호가 쭉 적힌 화면을 아래로 내리다 영주의 눈에 11017번이 들어왔다. 영주는 한 손으로 입을 막고 묵음의 환성을 질렀다. 그때 밖에서 엄마의 목소리가 들려왔다.

"영주야! 영주야아!"

영주는 얼른 이불을 덮고 자는 척했다. 문이 열리며 엄마가 들뜬 얼굴로 뛰어들어왔다.

"영주야, 니 번호 이거 맞제?"

영주 엄마는 이불을 들추며, 아직 잠이 덜 깬 척 부스스 일어나는 영주에게 종이에 옮겨 적은 수험 번호를 보여줬다.

"어……. 왜?"

"내가 옆집 부동산 아저씨한테 부탁해가 알아봤다 아이가. 영주야, 니 합격했데이. 오늘부터 우리 딸내미가 변호사데이."

영주는 대수롭지 않은 듯 살짝 뻐기며 말했다.

"뭐, 별 대단한 시험도 아닌데. 엄마, 나하고 부동산에 가자. 반찬 가게 내놓고, 근처에 변호사 사무실 할 만한 데 있는지 알아보자."

"반찬 가게는 와 내놓을라고?"

"엄마 이제 쉬어야지. 마늘 한번 까고 나면 하루 종일 어깨야 무릎이야 하면서, 엄만 내가 먹여 살릴게. 엄마 딸, 오늘부터 변호사야."

영주는 엄마의 손을 꼬옥 잡아주며 미소 지었다. 영주 엄마는 너무

나 기쁜 나머지 눈에 눈물이 글썽했다.

*

영주가 걸레로 열심히 닦고 있는 책상 위에 아무런 직함 없이 '이동준'이라고 적혀 있는 명패가 놓여 있었다. 영주는 그 명패를 흐뭇한 미소를 띠며 바라보았다. 맞은편에 있는 또 하나의 책상에도 아무런 직함 없이 '신영주'라고 적혀 있는 명패가 놓여 있었다.

"아따, 떡 돌리믄서 우리 딸내미가 변호사라 카이 사람들이 보는 눈이 달라지뿌네."

영주 엄마가 떡 상자를 들고 사무실로 들어와 소파에 앉으며 잔뜩 들뜬 얼굴로 말했다.

영주 엄마는 말을 하다가 영주의 손에 들린 걸레를 보고 질겁을 하며 다가가 얼른 빼앗았다.

"이런 거 하지 마라. 변호사가 법전 보고 펜대를 잡아야지. 걸레는 엄마가 만지꾸마."

영주 엄마는 걸레를 들고 영주의 책상으로 가서 닦다가, 그 앞에 놓인 가족사진을 애틋한 눈으로 바라보았다.

"영주 아부지요, 우리 딸내미가 변호사가 됐어예. 당신이 남긴 돈으로 공부해가 당신이 가던 길 따라가겠다고 변호사가 됐습미더. 보고 있지예? 앞으로도 잘 지키봐주이소."

영주는 씩씩하게 걸레질하는 엄마를 흐뭇하게 바라보았다.

*

영주는 아침부터 머리를 감고 화장을 하며 몸단장에 신경 썼다. 마침내 동준이 출소하는 날이었다. 어느덧 4년이란 시간이 흘러갔다는 사실에 영주는 감회가 새로웠다. 영주는 책상 위에 놓여 있는 작은 상자에서 목걸이를 꺼내 목에 걸고 밖으로 나갔다.

그 시각에 동준은 교도관에게서 사물 박스를 받고 상자를 열어보았다. 그 안에는 입감 당시에 입었던 와이셔츠, 양복, 그리고 넥타이가 그대로 들어 있었다. 동준은 잠시 감회에 젖어 물건들을 보다가 넥타이에 끼워놓은 넥타이핀을 집어 들었다. 그것을 보며 동준은 환한 미소를 지었다.

교도소 문이 열리고 동준이 나오자, 저만치서 차 한 대가 다가와 옆에서 멈췄다. 영주는 천천히 차창을 내리고 동준을 보며 살짝 윙크했다. 두 사람은 긴 시간 잘 견뎌냈다는 의미로 서로를 위로하는 듯 눈빛을 주고받았다.

영주가 운전하는 차의 조수석에서 동준은 DMB로 뉴스를 보고 있었다.

—대한신문 조한식 기자는 법조계의 고질적인 전관예우를 파헤친 공로로 제3회 신창호 기자상을 수상했습니다. 다음 뉴스는…….

"엄마는 1년에 한 번씩 옷을 사요. 시상식 때 같은 옷 입고 나가면 안 된다나. 기자협회에서 아빠 이름으로 상을 만들었어요. 시상식 날에는 아빠 이름이 검색 순위 1위에 올라요. 아빠는 좋겠다."

그 시각에 영주 엄마는 시상식장에서 시상을 하고 있었다. 그녀는 상을 받은 기자에게 상패를 건네며 "애썼어예." 하면서 악수를 권했다. 그 모습을 DMB로 지켜보던 영주의 얼굴에 흐뭇한 미소가 번졌다.

영주는 자신이 마련한 사무실로 동준을 데리고 왔다.

"여기 내 자리. 동준 씨는 저기."

동준은 그럴 수는 없다는 얼굴로 영주를 바라보았다.

"영주 씨, 난……."

"뭘 할래요? 이젠 변호사 자격증도 없는데……."

동준은 당장은 할 말이 없는 듯 난처한 표정을 지었다.

"내 남자가 변호사 자격증 없이 일 구하러 다니는 거 못 보겠어요. 잘생겨서 여자들 많은 직장은 더 걱정되고요. 내 옆에 있어요. 직함은 맘에 드는 걸로 골라요. 사무장? 동업자? 친구? 뭐 더 나가면 더 좋고."

동준은 허헛 하고 웃음 짓고는 그제야 사무실을 편히 둘러보았다.

"보증금 1000에 월세가 80. 관리비 합치면 100만 원 조금 넘어요. 로스쿨 변호사들이 쏟아져서 그거 벌기도 만만찮네. 동준 씨가 많이 도와줘야겠어요."

"이달 치 사건 수임 현황부터 봅시다."

"이달 치 사건 수임. 이제부터 만들어야죠. 개시가 어렵네."

"지금 중순이 넘었습니다."

동준은 설마 하는 얼굴로 영주를 보았다.

"그러게요."

영주는 헤헷 하고 멋쩍게 웃으며 머리를 긁적였다. 동준은 할 말이 없다는 듯 따라 웃었다.

*

요양원으로 들어서자 동준은 마음 저 깊은 곳에서부터 따스한 기운이 올라오는 것을 느낄 수 있었다. 동준은 천천히 음미하듯 요양원을 한 바퀴 돌고 나서 안명선이 있는 병실로 들어갔다. 안명선은 병상에 누워 잠들어 있는 환자를 살뜰히 보살피고 있었다.

"……엄마."

동준의 목소리에 안명선은 뒤도 돌아보기 전에 눈시울이 먼저 붉어졌다.

"동준아……."

동준과 안명선은 두 손을 맞잡은 채 애틋하게 서로를 잠시 바라보았다. 동준은 무심코 병상의 환자를 보다 흠칫 놀랐다. 병상에 누워 잠들어 있는 환자는 다름 아닌 이호범이었다.

안명선은 수건으로 잠든 이호범의 입가에 흐르는 침을 닦아주며 애잔한 목소리로 말했다.

"작년에 오셨다. 중증 치매인데 진행 속도가 빨라. 집에서도 감당이 어렵고, 병원에선 부끄러운 모습 보이기 싫다고 찾아오셨다. 나한테는 이런 모습 보이고 싶었을까?"

동준과 안명선은 쓸쓸하고 측은하게 잠든 이호범을 안쓰러운 눈으로 바라보았다.

"대통령 주치의도, 가난한 서민도, 꽃길을 걷던 인생도, 흙탕길을 뒹굴던 인생도, 결국 가는 길이야. 모진 사람들! 한 번도 안 찾아오더구나. 한강병원 식구들 기다리지도 않으신다. 알고 계시겠지."

안명선은 잠든 이호범의 얼굴을 보며 과거에 죽어가는 노인에게 그가 했던 말을 떠올렸다.

'아드님하고 가족들, 3년 동안 면회 한번 안 왔습니다. 한 시간 더 계셔도 아마 안 올 겁니다.'

"돈도 욕심도 시간도 다 잃고서야 돌아왔어. 동준아, 오늘 저녁은 같이 들자. 아버지랑 너. 우리 식구 다 같이. 사과주도 담겼는데 맛이 들었나 모르겠구나."

동준은 고개를 끄덕이며 잠든 이호범을 안타까운 얼굴로 바라봤다.

＊

영주는 동준과 했던 약속을 지키기 위해 아침부터 정신없이 음식을 만들었다. 동준은 출소하면 꼭 영주가 해주는 밥을 먹어보고 싶다고 했었다. 변호사 사무실 탁자에 음식을 가득 차린 영주는 긴장한 얼굴로 동준을 쳐다보고 있었다. 마주 앉은 동준이 찬합에 있는 반찬을 하나 집어 먹었다. 영주는 그 결과를 초조하게 기다렸다. 동준은 음식을 씹다가 잠시 멈추고는 판단 불가의 표정이 되더니 꿀꺽 삼켰다.

"어때요? 너무 맛있어요? 동준 씨 어머니가 만든 것보단 괜찮죠?"

"엄마 건 먹으면 그래도 반찬이라는 생각은 들었는데, 이건 벌칙 같기도 하고, 정체를 알기가 어려운……."

그 말에 영주는 토라진 얼굴로 자기 앞으로 반찬들을 가져갔다.

"됐어요. 내가 다 먹을게요."

동준은 찬합을 다시 가운데 놓으며 따뜻한 얼굴로 말했다.

"아뇨. 같이 먹어요. 고통은 나눠야죠."

"동준 씨!"

영주가 더욱 화가 나서 버럭 소리를 지르는데, 문이 열리며 초로의 할머니 한 분이 들어왔다.

"저…… 여기 변호사 사무실이……."

영주는 오랜만에 보는 손님이 반가운 마음에 벌떡 일어났다.

"맞아요. 여기 앉으세요, 할머니."

동준과 영주는 할머니를 모시다시피 소파로 안내했다.

"정식 재판이 처음이라고요? 그러니까 법정에 나가는 게 오늘이 처음이다, 이 말입니까?"

재판정으로 가는 차 안에서 동준은 놀란 눈으로 영주에게 물었다.

"벌금 사건, 약식 기소, 합의 몇 번이 전부예요. 재판정에 서면 어때요? 판사가 위에서 보면 나 말도 제대로 못 할 것 같은데."

동준은 평소에 소도 떼려 잡을 것 같은 씩씩함이 사라진 채 나약한 모습을 보이는 영주가 귀여웠다. 동준은 운전대를 잡고 있는 영주의 손을 따뜻하게 잡아주며 조언했다.

"그 판사를 영주 씨, 나라고 생각해요."

그 말에 영주는 동준을 힐긋 쳐다보았다.

"밤새워 만든 반찬 맛없다고 할머니하고 상담하는 사이에 화장실에 몰래 버린 나라고 생각해요. 어때요? 기분이."

"그 판사 멱살도 잡을 수 있을 것 같아요."

동준은 갑자기 돌변하며 눈에서 빛을 뿜어내는 영주를 보면서 킥킥 거리며 웃었다.

*

영주의 첫 재판이 열리는 재판정 안은 썰렁했다. 판사가 자리에 앉아 있고, 할머니와 영주가 원고 측에, 다른 변호사와 중소기업의 대표로 보이는 남자가 피고 측에 앉아 있었다. 방청석에는 동준 혼자 덩그러니 앉아 있었다.

"원고 측 변호인 말씀하세요."

영주는 일어나며 아직 긴장이 안 풀린 듯 동준을 보았다. 동준은 반찬을 씹다가 삼키는 시늉을 했다. 그 모습에 판사를 보는 영주의 표정이 굳건해졌다.

"원고가 구입한 의료기기는 시중에서 100만 원 상당의 가격입니다. 그런데 노인들을 대상으로 공연을 보여주고 무료 체험을 하게 해준다면서 무려 300만 원에 판매했습니다. 거듭되는 환불 요청도 거부했습니다. 판사님, 환불을 명령해주세요."

영주가 자리에 앉자, 상대 변호사가 자리에서 일어났다.

"공연 기획비에 운반비, 그리고 3개월이나 사용했습니다. 환불은 불가능합니다."

"그 3개월 동안 수십 번 넘게 전화를 했지만 통화가 안 됐습니다."

"한번 판 물건을 일일이 환불해주다간 회사가 파산하게 될 겁니다."

가만히 듣고 있던 동준은 파산이라는 말에 자신이 판사석에서 했던 말이 떠올랐다.

'파산한 회사는 정리할 수 있지만, 파산한 인간은 내일도 살아가야 하기에…….'

묵묵히 관조하던 동준의 얼굴이 불끈 화난 얼굴로 바뀌며 상대 변호사를 향했다.

"고작 300만 원 가지고……."

영주는 상대 변호사의 말에 발끈했다.

"300만 원은 원고에게는 1년 치 용돈입니다. 파산한 회사는 정리할 수 있지만, 가난한 사람들은 내일도 살아가야 합니다, 판사님. 그리고 경로당 친구분들까지 수십 명이 피해를 봤습니다."

"그분들의 사례를 모아서 집단 소송을 청구하세요. 피해액, 구매 영수증, 모아서 가져오세요."

동준은 마치 자신이 판사석에 앉아 있는 것처럼 판사의 말을 이어서 판결하는 상상을 했다.

"보이는 증거는, 절대, 다시는, 다시는, 외면하지 않겠습니다."

영주는 흐뭇한 얼굴로 돌아서 '나 잘했죠?' 하고 말하는 듯한 얼굴로 방청석의 동준을 바라보았다. 동준은 영주에게 미소로 화답하며 판사석의 또 다른 동준을 보며 눈물을 한 방울 흘렸다. 판사석 뒤에 있는 '法' 자가 눈에 들어왔다. 동준은 '물(水)처럼 공평하고 자연스럽게 죄를 조사하여 바르지 못한 자를 제거(去)한다는 의미의 그 한자를 되새기며 다시는 법비가 되지 않으리라 다짐했다.

귓속말 ❷

드라마 원작소설

초판1쇄 발행 2017년 11월 17일
극본 박경수 **소설** 신윤경 **펴낸이** 한석준
편집 윤군석 **디자인** 공미경 **관리** 허수지

펴낸곳 비단숲
서울시 마포구 연희로 11(동교동, 한국특허정보원빌딩 5층 CS-505호)
전화 070-4156-0050 팩스 02-333-1038
등록 제2016-0/00288호

ISBN 979-11-88028-14-6 03810

비단숲은 크로스게이트월드와이드(주)의 출판브랜드입니다.
※ 책 값은 뒤표지에 있습니다. 잘못된 책은 바꾸어 드립니다.

「이 도서의 국립중앙도서관 출판예정도서목록(CIP)은
서지정보유통지원시스템 홈페이지(http://seoji.nl.go.kr)와
국가자료공동목록시스템(http://www.nl.go.kr/kolisnet)에서
이용하실 수 있습니다.(CIP제어번호: CIP2017028762)」